A BIBLIOTECA DA MEIA-NOITE

Obras do autor publicadas pelo Grupo Editorial Record:

Floresta sombria
A possessão do Sr. Cave
Os Radley
Sociedade dos pais mortos
A vida impossível

MATT HAIG

A BIBLIOTECA DA MEIA-NOITE

TRADUÇÃO DE
ADRIANA FIDALGO

30ª EDIÇÃO

RIO DE JANEIRO I 2025

EDITORA-EXECUTIVA
Renata Pettengill

SUBGERENTE EDITORIAL
Marcelo Vieira

AUXILIARES EDITORIAIS
Georgia Kallenbach
Beatriz Araújo

REVISÃO
Renato Carvalho; Júlia Moreira e
Marcos Aurélio de Souza

CAPA
Leonardo Iaccarino

DIAGRAMAÇÃO
Abreu's System

TÍTULO ORIGINAL
The Midnight Library

CIP-BRASIL. CATALOGAÇÃO NA PUBLICAÇÃO
SINDICATO NACIONAL DOS EDITORES DE LIVROS, RJ

H174b

Haig, Matt
    A biblioteca da meia-noite / Matt Haig; tradução Adriana Fidalgo.
– 30ª ed. – Rio de Janeiro: Bertrand Brasil, 2025.

    Tradução de: The midnight library
    ISBN 978-65-5838-054-2

    1. Ficção inglesa. I. Fidalgo, Adriana. II. Título.

21-71522
                                                                   CDD: 823
                                                  CDU: 82-3(410.1)

Meri Gleice Rodrigues de Souza – Bibliotecária – CRB-7/6439

Trecho de *Os diários de Sylvia Plath: 1950-1962*, de Sylvia Plath, organizado por Karen V. Kukil, copyright © The Estate of Sylvia Plath, 2000, copyright da tradução © 2003 by Editora Globo S.A. Rio de Janeiro, 2018, p.59. Reproduzido mediante permissão da Biblioteca Azul, um selo da Editora Globo, uma divisão do Grupo Globo.

Trecho de *Walden ou A vida nos bosques*, de Henry David Thoreau, copyright da tradução © 2018 by Edipro Edições Profissionais Ltda. São Paulo, 2018, p. 278. Reproduzido mediante permissão da Edipro Edições Profissionais Ltda.

Trecho de *Casamento e moral*, de Bertrand Russell, copyright © The Bertrand Russell Peace Foundation Ltd, copyright da tradução © Editora Unesp. São Paulo, 2015, p. 220. Reproduzido mediante permissão da Editora Unesp, uma divisão da Fundação Editora da Unesp.

Trecho de *O estrangeiro*, de Albert Camus, copyright © 1957 Éditions Gallimard, copyright da tradução © 2020 by Editora Record. Rio de Janeiro, 2020, p. 163. Reproduzido mediante permissão da Record, um selo do Grupo Editorial Record.

TÍTULO EM INGLÊS:
The Midnight Library

Copyright © Matt Haig, 2020

Texto revisado segundo o novo Acordo Ortográfico da Língua Portuguesa.

Todos os direitos reservados. Proibida a reprodução, no todo ou em parte, através de quaisquer meios. Os direitos morais do autor foram assegurados.

Direitos exclusivos de publicação em língua portuguesa somente para o Brasil adquiridos pela
EDITORA RECORD LTDA.
Rua Argentina, 171 – Rio de Janeiro, RJ – 20921-380 – Tel.: (21) 2585-2000,
que se reserva a propriedade literária desta tradução.

Impresso no Brasil

ISBN 978-65-5838-054-2

Seja um leitor preferencial Record.
Cadastre-se no site www.record.com.br e receba informações
sobre nossos lançamentos e nossas promoções.

Atendimento e venda direta ao leitor:
sac@record.com.br

A todos os profissionais da saúde.
E aos cuidadores.
Obrigado.

Não posso ser todas as pessoas que quero e viver todas as vidas que quero. Não posso desenvolver em mim todas as aptidões que quero. E por que eu quero? Quero viver e sentir as nuances, os tons e as variações das experiências físicas e mentais possíveis de minha existência.

Sylvia Plath

"Entre a vida e a morte, há uma biblioteca", disse ela. *"E, dentro dessa biblioteca, as prateleiras não têm fim. Cada livro oferece uma oportunidade de experimentar outra vida que você poderia ter vivido. De ver como as coisas seriam se tivesse feito outras escolhas... Você teria feito algo diferente, se houvesse a chance de desfazer tudo de que se arrepende?"*

Um bate-papo sobre chuva

Dezenove anos antes de decidir morrer, Nora Seed estava sentada no aconchego da pequena biblioteca da Hazeldene School, na cidade de Bedford. Olhava fixamente para um tabuleiro de xadrez em uma mesa baixa.

— Nora, querida, é natural se preocupar com o futuro — disse a bibliotecária, a Sra. Elm, os olhos cintilando como raios de sol refletindo no orvalho congelado.

A Sra. Elm fez o primeiro movimento. Cavalo pulando sobre uma fileira perfeita de peões brancos.

— É óbvio que você vai ficar estressada por causa das provas. Mas, Nora, você pode ser o que quiser. Pense em todas as possibilidades. Isso é muito empolgante!

— É. Pode ser...

— Uma vida inteira pela frente.

— Uma vida inteira...

— Você pode fazer qualquer coisa, morar onde quiser. Num lugar menos frio e chuvoso.

Nora moveu um dos peões duas casas adiante.

Era difícil não comparar a Sra. Elm com sua mãe, que tratava Nora como um erro a ser corrigido. Por exemplo, quando ela ainda era bebê, sua mãe ficou tão agoniada com o fato de sua orelha esquerda ser mais saliente que a direita que usava fita adesiva para tentar resolver o problema, e então a escondia por baixo de uma touca de lã.

— Eu *odeio* frio e chuva — acrescentou a Sra. Elm, para enfatizar.

A Sra. Elm tinha cabelos grisalhos e curtos, além de um simpático rosto ovalado e com poucas rugas, que pairava pálido sobre a gola alta do suéter verde-tartaruga. Era já um tanto idosa. Mas era também a pessoa com quem Nora mais se identificava em toda a escola. Mesmo quando não estava chovendo, ela passava o recreio da tarde inteiro na pequena biblioteca.

— O frio e a chuva nem sempre andam juntos — argumentou Nora. — A Antártica é o continente mais seco da Terra. Tecnicamente, é um deserto.

— Parece perfeito para você.

— Não acho que seja longe o suficiente.

— Então talvez você devesse ser astronauta. Viajar pela nossa galáxia.

Nora sorriu.

— A chuva é ainda pior em outros planetas.

— Pior que em Bedfordshire?

— Em Vênus é ácido puro.

A Sra. Elm tirou um lenço de papel da manga e assoou o nariz, delicadamente.

— Viu? Com um cérebro desse, você consegue fazer qualquer coisa.

Um garoto loiro, que Nora reconheceu como sendo de uma turma dois anos abaixo da sua, passou correndo do outro lado da janela respingada de chuva. Ou perseguindo alguém ou sendo perseguido. Desde que o irmão se fora, ela se sentia um pouco desprotegida no mundo. A biblioteca era um pequeno abrigo de civilização.

— Papai acha que eu joguei tudo fora. Agora que parei de nadar.

— Olha, longe de mim querer me meter, mas o mundo é mais do que nadar bem rápido. Você tem muitas vidas diferentes possíveis pela frente. Como falei na semana passada, você poderia ser glaciologista. Andei pesquisando e...

E foi então que o telefone tocou.

— Só um minuto — disse a Sra. Elm, baixinho. — É melhor eu atender.

Um instante depois, Nora ficou observando a Sra. Elm ao telefone.

— Sim. Ela está aqui agora. — De repente, o rosto da bibliotecária foi tomado por uma expressão de perplexidade. Ela deu as costas para Nora, mas suas palavras puderam ser ouvidas pelo ambiente silencioso. — Ah, não. Não. Ai, meu Deus. Sim...

Dezenove anos depois

O homem à porta

Vinte e sete horas antes de decidir morrer, Nora Seed estava sentada em seu sofá velho e rasgado, rolando o feed e acompanhando a vida feliz de outras pessoas, esperando que algo acontecesse. E, então, do nada, algo de fato aconteceu.

Alguém, sabe-se lá por que, tocou a campainha.

Por um segundo, ela ficou se perguntando se não deveria ignorar o toque. Afinal, já estava pronta para dormir, mesmo ainda sendo nove da noite. Tinha vergonha de que a vissem com a camisa de malha folgada da ECO WORRIER e a calça de pijama xadrez.

Calçou as pantufas, para parecer um pouco mais civilizada, e viu que a pessoa à porta era um homem, e um que ela reconhecia.

Era alto, meio desengonçado e tinha jeito de menino, além de um rosto simpático, mas o olhar era bem vivo e penetrante, como se seus olhos conseguissem enxergar através das coisas.

Embora um tanto surpreendente, foi bom vê-lo ali, ainda mais porque ele estava com roupa de corrida e parecia acalorado e suado, apesar do tempo frio e chuvoso. O contraste entre eles a fez se sentir ainda mais desleixada do que havia se sentido cinco segundos antes.

Mas ela andava meio solitária. E, mesmo tendo estudado filosofia existencial o suficiente para acreditar que a solidão é parte intrínseca de ser da espécie humana num universo essencialmente sem sentido, foi bom vê-lo ali.

— Ash — disse ela, sorrindo. — É Ash, não é?

— É.

— O que te traz aqui? Bom te ver.

Algumas semanas antes, ela estava tocando teclado quando ele passou correndo pela Bancroft Avenue e a viu à janela do 33A, e então deu um tchauzinho de longe. Uma vez — alguns anos antes —, ele a convidou para um café. Talvez estivesse prestes a repetir o convite.

— Bom te ver também — disse ele, mas a testa franzida não demonstrava isso.

Quando os dois se falavam na loja, ele sempre parecia descontraído, mas agora havia um peso em sua voz. Ele coçou a sobrancelha. Emitiu outro som, mas não conseguiu formar uma palavra inteira direito.

— Você vai correr? — Uma pergunta retórica. Era óbvio que Ash tinha saído para correr. Mas ele pareceu aliviado, de repente, por ter algo trivial a dizer.

— É. Vou correr a Meia de Bedford. É domingo agora.

— Ah, é. Que ótimo. Eu estava pensando em participar de uma meia maratona, mas aí lembrei que odeio correr.

Aquilo tinha sido mais engraçado dentro da sua cabeça do que quando as palavras saíram pela boca. Ela nem odiava correr, na verdade. Mas, mesmo assim, ficou inquieta ao ver a seriedade no rosto dele. O silêncio passou de constrangedor para outro patamar.

— Você me disse que tinha um gato — falou ele, por fim.

— É. Tenho, sim.

— Me lembrei do nome dele. Voltaire. Um gato malhado, de pelo laranja?

— Isso. O apelido é Volts. Ele acha Voltaire meio presunçoso. Não curte muito filosofia e literatura francesas do século XVIII. Ele é bem centrado. Sabe. Para um gato.

Ash baixou o olhar para as pantufas dela.

— Infelizmente, eu acho que ele está morto.

— O quê?

— Ele está deitado, sem se mexer, no canto da rua. Olhei o nome na coleira. Acho que deve ter sido atropelado por um carro. Sinto muito, Nora.

Ela ficou com tanto medo de sua mudança repentina de emoções naquele momento que continuou sorrindo, como se o sorriso pudesse mantê-la no mundo em que estivera até então, aquele onde Volts ainda estava vivo e onde esse homem, para quem ela tinha vendido livros com partituras para violão, havia tocado sua campainha por outro motivo.

Ash, lembrou-se ela, era cirurgião. Não de animais; de humanos. Se ele dizia que algo estava morto era porque, muito provavelmente, estava morto.

— Sinto muito mesmo.

Nora foi tomada por uma tristeza que lhe era bastante familiar. Só não caiu em prantos por causa da sertralina.

— Ai, meu Deus.

Ela saiu de casa, andando pelo pavimento rachado e molhado da Bancroft Avenue, a respiração curta, e viu a pobre criatura de pelo laranja deitada no asfalto envernizado pela chuva, ao lado do meio-fio. A cabeça encostada na calçada, as pernas esticadas para trás, como se estivesse no meio de um galope, perseguindo algum pássaro imaginário.

— Ai, Volts. Ai, não. Ai, meu Deus.

Ela sabia que deveria estar sentindo dor e desespero por seu amigo felino — e estava —, mas tinha de admitir que havia algo mais. Enquanto olhava fixamente para a expressão calma e tranquila de Voltaire — aquela total ausência de dor —, um sentimento inevitável começou a tomar forma nas sombras.

Inveja.

Teoria das Cordas

Quando Nora era mais nova, seu pai costumava ficar ao lado da piscina, a mandíbula cerrada, os olhos alternando entre o cronômetro e a filha, enquanto ela tentava bater o próprio recorde. Ao chegar agora ofegante e atrasada para o turno da tarde na Teoria das Cordas, Nora se lembrou daquele velho olhar de julgamento que recebia com frequência após uma explosão de esforço físico.

— Foi mal — disse a Neil, no cubículo sem janelas e mal-ajambrado que chamavam de escritório. — Meu gato morreu. Ontem à noite. E precisei cuidar do enterro. Na verdade, uma pessoa me ajudou com isso. Mas depois fiquei sozinha em casa e não consegui dormir e esqueci de programar o despertador e só acordei ao meio-dia e aí tive que correr.

Era tudo verdade, e ela presumiu que sua aparência — incluindo o rosto sem maquiagem, o rabo de cavalo frouxo improvisado e o mesmo vestido jardineira de veludo cotelê verde de segunda mão que havia usado para trabalhar a semana inteira, acompanhados por um certo ar de desespero e cansaço — serviria como evidência.

Neil ergueu os olhos do computador e se reclinou na cadeira. Juntou as mãos e posicionou os indicadores num formato de agulha de torre de igreja, apoiando-os no queixo, como se fosse Confúcio ponderando a respeito de uma verdade filosófica profunda sobre o universo, em vez de o dono de uma loja de instrumentos e equipamentos musicais lidando com o atraso de uma funcionária. Havia um pôster imenso da banda Fleetwood Mac na parede atrás dele, cujo canto superior direito havia descolado e dobrado como a orelha de um cachorrinho.

— Olha, Nora, eu gosto de você.

Neil era inofensivo. Um cara de cinquenta e poucos anos aficionado por guitarras e violões, que gostava de contar piadas sem graça e fazer covers medíocres de antigas músicas de Dylan ao vivo na loja.

— E eu sei que você tem uns lances de saúde mental.

— Todo mundo tem uns lances de saúde mental.

— Você entendeu.

— Eu tenho me sentido bem melhor ultimamente — mentiu ela. — Não é um problema clínico. O médico disse que é uma depressão situacional. Só que eu fico tendo novas... situações. Mas nunca faltei ao trabalho por causa disso. Tirando quando a minha mãe... É. Tirando aquela vez.

Neil suspirou. Quando fazia isso, emitia um silvo pelo nariz. Um si bemol sinistro.

— Nora, há quanto tempo você trabalha aqui?

— Doze anos e... — ela sabia o tempo exato — onze meses e três dias. Com poucas interrupções.

— É tempo demais. Eu tenho a impressão de que você merece coisa melhor. Com seus trinta e muitos anos.

— Eu tenho trinta e cinco.

— Tem tanta coisa acontecendo na sua vida. Você dá aulas de piano para pessoas...

— Uma pessoa.

Ele espanou um farelo do suéter.

— Você se imaginava presa na sua cidade, trabalhando numa loja? Sabe, quando tinha catorze anos? Como você se via?

— Aos catorze? Como nadadora.

Ela havia sido a atleta de catorze anos mais rápida do país em nado peito, e a segunda em nado livre. Ela se lembrava das vezes que havia subido ao pódio nos campeonatos nacionais de natação.

— E aí, o que aconteceu?

Ela fechou os olhos. E se lembrou da decepção, com cheiro de cloro, de terminar em segundo lugar.

— Era muita pressão.

— Mas a pressão é o que faz a gente. A pessoa começa como carvão e a pressão faz dela um diamante.

Nora não corrigiu o conhecimento dele sobre diamantes. Não lhe disse que, embora carvão e diamante sejam feitos de carbono, o carvão é impuro demais para, sob qualquer pressão, ser capaz de virar diamante. De acordo com a ciência, você começa como carvão e termina como carvão. Talvez aquela fosse a verdadeira lição de vida.

Ela enfiou no rabo de cavalo uma mecha solta dos cabelos pretos como carvão.

— O que você está dizendo, Neil?

— Nunca é tarde demais para correr atrás de um sonho.

— Tenho quase certeza de que é tarde demais para correr atrás desse.

— Você é uma pessoa muito qualificada, Nora. Formada em filosofia...

Nora baixou o olhar para o pequeno sinal na mão esquerda. Aquele sinal tinha passado por tudo o que ela havia passado. E continuava ali, indiferente. Apenas sendo um sinal.

— Honestamente, não tem uma demanda *muito grande* por filósofos em Bedford, Neil.

— Você entrou pra faculdade, passou um ano em Londres, depois voltou.

— Não tive muita opção.

Nora não queria falar da falecida mãe. Nem de Dan. Porque Neil havia achado a desistência de Nora do casamento, a dois dias da cerimônia, a história de amor mais fascinante desde Kurt e Courtney.

— Todos nós temos opção, Nora. Existe esse lance do livre-arbítrio.

— Não se você tem uma visão determinista do universo.

— Mas por que *aqui*?

— Era aqui ou no Centro de Resgate de Animais. A loja pagava melhor. Além do mais, você sabe, música.

— Você foi de uma banda. Com seu irmão.

— Fui. The Labyrinths. A gente não ia dar em nada, na verdade.

— Seu irmão discorda.

Aquilo pegou Nora de surpresa.

— Joe? Como você...
— Ele comprou um amplificador. Marshall DSL40.
— Quando?
— Na sexta.
— Ele estava em Bedford?
— Só se aquilo era um holograma. Tipo o Tupac.

Ele provavelmente tinha ido visitar o Ravi, pensou Nora. Ravi era o melhor amigo do irmão. Enquanto Joe tinha abandonado a guitarra e se mudado para Londres para trabalhar num emprego de merda em TI, que ele odiava, Ravi havia permanecido em Bedford. Agora tocava em uma banda de covers chamada Slaughterhouse Four, se apresentando em pubs pela cidade.

— Entendi. Interessante...

Nora tinha quase certeza de que o irmão sabia que sexta-feira era seu dia de folga. Isso mexeu com ela.

— Estou feliz aqui.
— Só que não.

Ele tinha razão. Uma náusea tomou conta de sua alma. Sua mente vomitou em si mesma. Ela ampliou o sorriso.

— Quer dizer, estou feliz com esse emprego. Feliz no sentido de, você sabe, satisfeita. Neil, eu preciso desse emprego.
— Você é uma boa pessoa. Se preocupa com o mundo. Com quem não tem onde morar, com o meio ambiente.
— Eu preciso de um emprego.

Ele voltou à pose de Confúcio.

— Você precisa de liberdade.
— Eu não quero liberdade.
— Isso aqui não é uma organização sem fins lucrativos. Mas devo dizer que está rapidamente se tornando uma.
— Vem cá, Neil, isso tem alguma coisa a ver com o que eu disse umas semanas atrás? Sobre você ter que modernizar as coisas? Eu tenho algumas ideias pra fazer os jovens...

— Não — disse ele, na defensiva. — Antigamente este lugar só vendia guitarras e violões. Teoria das Cordas, sacou? Eu diversifiquei. Fiz funcionar. Só que, nesses tempos difíceis, não posso pagar você para afugentar os fregueses com essa cara de fim de semana de chuva.

— O quê?

— Perdão, Nora — ele hesitou por um instante, mais ou menos o tempo necessário para levantar um machado no ar —, mas vou ter que demitir você.

Viver é sofrer

O céu estava repleto de nuvens de um cinza cor de fuligem, como se fosse um eco celestial da mente de Nora, enquanto ela andava sem rumo pelas ruas de Bedford à procura de um motivo para continuar existindo. A cidade era uma esteira rolante de angústias. O centro esportivo, com suas paredes externas revestidas de pequenos seixos, onde seu falecido pai um dia a havia visto nadar sem parar, o restaurante mexicano aonde tinha levado Dan para comer *fajitas*, o hospital onde a mãe havia se tratado.

Dan tinha mandado uma mensagem de texto para ela no dia anterior.
Nora, sinto falta de ouvir sua voz. A gente pode conversar? Bjs, D
Ela havia respondido que estava numa *correria danada* (hahaha). E foi impossível mandar qualquer outra mensagem. Não porque não sentisse mais pena dele, mas porque sentia. E não podia arriscar magoá-lo de novo. Ela havia arruinado a vida dele. *Minha vida está um caos*, ele tinha escrito em mensagens de texto inebriadas pouco depois do ex-futuro-casamento do qual ela havia pulado fora dois dias antes.

O universo tende ao caos e à entropia. Essa é uma lei básica da termodinâmica. Talvez seja uma lei básica da existência também.

Você perde o emprego, então mais merda acontece.

O vento sussurrou através das árvores.

Começou a chover.

Ela buscou abrigo em uma loja que vendia revistas e jornais, com a forte — e, como o tempo haveria de provar, *correta* — sensação de que as coisas estavam prestes a piorar.

Portas

No intervalo de um lento piscar de olhos, ela viu, em sua mente, o fantasma do pai encarando o cronômetro como se estivesse esperando que ela o alcançasse. Seus olhos se abriram e ela entrou na loja.

— Fugindo da chuva? — perguntou a mulher atrás do balcão.

— Pois é. — Nora manteve a cabeça baixa. Sua angústia crescendo como um peso que não conseguia carregar.

Havia uma *National Geographic* em exposição.

Quando olhou atentamente para a capa da revista — a imagem de um buraco negro —, se deu conta de que era aquilo o que ela era. Um buraco negro. Uma estrela moribunda, colapsando sobre si mesma.

Seu pai tinha sido assinante da revista. Ela se lembrava de quando havia ficado fascinada por um artigo sobre Svalbard, o arquipélago norueguês no Oceano Ártico. Ela nunca tinha visto um lugar que parecesse tão *longe*. Havia lido sobre cientistas fazendo pesquisas em meio a geleiras, fiordes congelados e papagaios-do-mar. E, então, incentivada pela Sra. Elm, ela havia decidido que queria ser glaciologista.

Ela avistou a figura desleixada e encurvada de Ravi, o amigo do irmão — e ex-integrante da banda deles —, perto das revistas de música, absorto na leitura de um artigo. Ficou parada ali talvez um pouco além da conta, porque, assim que deu as costas e saiu, escutou Ravi falar:

— Nora?

— Ravi, oi. Ouvi dizer que o Joe veio a Bedford um dia desses.

Ele assentiu com a cabeça.

— É.

— Ele... hmm... você encontrou com ele?

— Encontrei, sim.

Um silêncio que Nora sentiu como dor.

— Ele não me disse que vinha por esses lados.

— Foi de passagem.

— Ele está bem?

Ravi hesitou. Um dia Nora havia gostado dele, que fora o fiel escudeiro do irmão. Mas, assim como acontecia com Joe, havia uma barreira entre eles agora. A separação não tinha sido muito amigável. (Ele havia jogado as baquetas no chão do estúdio onde ensaiavam e se retirado, pisando firme, quando Nora contou que sairia da banda.)

— Acho que ele está deprimido.

O peso na mente de Nora aumentou ainda mais só de pensar que o irmão pudesse estar se sentindo do mesmo jeito que ela.

— Ele não está nada bem — continuou Ravi, com raiva na voz. — Vai ter que se mudar daquele cubículo em Shepherd's Bush. É isso que dá não ser guitarrista de uma banda de rock de sucesso. Pro seu governo, também estou quebrado. Shows em pubs não dão mais dinheiro. Nem quando você aceita lavar banheiros. Você já lavou banheiro de pub, Nora?

— Minha vida também está uma merda, se é para competir na Olimpíada das Desgraças.

Ravi tossiu uma risada. Seu rosto se contraiu por um instante.

— O menor violino do mundo começou a tocar agora, só pra você.

Ela estava com zero paciência para aquilo.

— Isso é por causa dos Labyrinths? Ainda?

— A banda era tudo pra mim. E pro seu irmão. Pra todo mundo. A gente tinha um contrato com a Universal. Na. Mão. Álbuns, *singles*, turnê, divulgação. A gente podia ser o Coldplay agora.

— Você odeia o Coldplay.

— O problema não é esse. A gente podia estar em Malibu. Em vez disso: *Bedford*. Então, não, seu irmão não está pronto pra te ver.

— Eu vinha tendo *ataques de pânico*. Eu teria deixado todo mundo na mão, no fim das contas. Falei pra gravadora fechar com vocês, sem mim. Concordei em compor as músicas. Não tenho culpa se eu estava noiva. Eu estava com o Dan. Foi meio que um empecilho.

— Ah, é. E que fim levou essa história?

— Ravi, isso não é justo.

— Justo. Excelente palavra.

A mulher atrás do balcão estava atenta. E boquiaberta.

— Bandas não duram. A gente teria sido, tipo, uma chuva de meteoros. Acabado antes de começar.

— Chuvas de meteoros são lindas pra caralho.

— Ah, qual é. Você ainda está com a Ella, não está?

— E eu poderia estar com a Ella *e* numa banda de sucesso, com *dinheiro no bolso*. A gente teve aquela chance. Na *mão*. — Ele apontou para a palma. — Nossas músicas eram *do caralho*.

Nora se odiou por corrigir de "nossas" para "minhas" em sua cabeça.

— Não acho que seu problema tenha sido medo do palco. Ou medo do casamento. Acho que seu problema era *medo da vida*.

Aquilo doeu. As palavras dele a deixaram sem ar.

— E eu acho que o *seu* problema — retrucou ela, a voz trêmula — é ficar culpando os outros pela sua vida de merda.

Ele assentiu com a cabeça, como se tivesse levado um tapa. Colocou a revista de volta no lugar.

— A gente se vê por aí, Nora.

— Diz pro Joe que eu mandei lembranças — pediu ela, enquanto ele saía da loja para a chuva. — Por favor.

Ela viu de relance a capa da revista *Your Cat*. Um gato malhado de pelo laranja. Os sons em sua mente aumentaram de volume, parecendo uma sinfonia Sturm und Drang, como se o fantasma de um compositor alemão estivesse preso em sua cabeça, promovendo o caos e ampliando a intensidade sonora.

A mulher atrás do balcão disse algo que ela não entendeu.

— Hein?

— Nora Seed?

A mulher — no cabelo um corte chanel loiro, na pele o indício de bronzeamento artificial — parecia feliz, descontraída e relaxada, de um jeito que Nora não sabia mais ser. Estava debruçada no balcão, apoiada nos antebraços, como se Nora fosse um lêmure no zoológico.

— Eu mesma.

— Meu nome é Kerry-Anne. Eu me lembro de você da escola. A nadadora. Superinteligente. Não teve uma vez que aquele professor... como era mesmo o nome dele? Ah, Sr. Blandford. Ele não reuniu todo mundo no auditório só para falar de você? E disse que você ia virar uma atleta olímpica?

Nora fez que sim com a cabeça.

— Então... você virou?

— Eu... hmm... desisti. Estava mais interessada em música... na época. Depois, a vida tomou outro rumo.

— Então, o que você faz agora?

— Estou... entre uma coisa e outra.

— Tem alguém, então? Marido? Filhos?

Nora fez que não com a cabeça. Desejando que caísse. A cabeça. No chão. Para que nunca mais precisasse conversar com uma pessoa desconhecida de novo.

— Nossa, você não pode perder mais tempo. Tique-taque, tique-taque.

— Eu tenho *trinta e cinco anos*. — Quem dera Izzy estivesse ali. Izzy não levava esse tipo de desaforo para casa. — E eu não tenho certeza se quero...

— Jake e eu parecíamos coelhos, mas conseguimos. Dois diabinhos. Só que valeu a pena, sabe? Eu me sinto *plena*. Posso te mostrar umas fotos.

— Eu fico com dor de cabeça olhando para... celulares.

Dan queria filhos. Nora não sabia. A maternidade a aterrorizava. O medo de uma depressão pior ainda. Não conseguia nem cuidar de si mesma, quanto mais de outra pessoa.

— Você ainda está em Bedford, então?

— Uhum.

— Achei que ficaria longe daqui.
— Eu voltei. Minha mãe ficou doente.
— Ah, sinto muito. Espero que ela esteja bem agora.
— Melhor eu ir andando.
— Mas ainda está chovendo.

Ao sair da loja, ela desejou que houvesse apenas portas à sua frente, para que pudesse atravessá-las uma a uma, deixando tudo para trás.

Como ser um buraco negro

Nora estava em queda livre e não tinha ninguém com quem conversar.

Sua última esperança era a ex-melhor amiga Izzy, que vivia a mais de 15 mil quilômetros, na Austrália. E as coisas também haviam esfriado entre as duas.

Ela pegou o celular e mandou uma mensagem para Izzy.

Oi, Izzy, há quanto tempo. Saudades, amiga. Seria MARAVILHOSO colocar o papo em dia. Bj

Ela adicionou mais um "bj" e enviou.

Em menos de um minuto, Izzy tinha visualizado a mensagem. Nora esperou em vão pelo aparecimento dos três pontinhos.

Ela passou pelo cinema, onde um novo filme de Ryan Bailey estava em cartaz. Uma comédia romântica country chamada *O bar da última chance*.

A expressão no rosto de Ryan Bailey era sempre de quem tinha um conhecimento *profundo e significativo* das coisas. Nora tinha se apaixonado por ele desde que o vira interpretar um taciturno Platão na TV, em *Os atenienses*, e desde que ele dissera, em uma entrevista, que havia estudado filosofia. Ela os imaginara em papos-cabeça sobre Henry David Thoreau, em meio a um véu de vapor num banho quente de banheira na casa dele em West Hollywood.

"Avance com confiança na direção de seus sonhos", dissera Thoreau. "Viva a vida que imaginou."

Thoreau tinha sido seu filósofo favorito na faculdade. Mas quem, na vida real, segue confiante na direção de seus sonhos? Bom, tirando o Thoreau. Ele foi morar no meio do mato, sem contato algum com o mundo exterior, para simplesmente ficar sentado lá sem fazer nada, para escrever, cortar lenha e pescar. Mas a vida provavelmente era mais simples dois séculos atrás, em Concord, Massachusetts, do que a vida moderna em Bedford, Bedfordshire.

Ou talvez não.

Talvez ela fosse só péssima nisso. Na vida.

Horas inteiras se passaram. Ela queria ter um propósito, algo que lhe desse uma razão para viver. Mas não tinha nada. Nem o pequeno propósito de buscar os remédios do Sr. Banerjee na farmácia, pois já havia feito isso dois dias atrás. Tentou dar algum dinheiro a um homem em situação de rua, mas se deu conta de que não tinha nenhum.

— Anime-se, querida, pode ser que nada aconteça — disse alguém.

Nada nunca acontecia, pensou ela. *Esse era o problema.*

Antimatéria

Cinco horas antes de ela decidir morrer, quando começou a andar de volta para casa, o celular vibrou em sua mão.

Talvez fosse Izzy. Talvez Ravi tivesse dito a seu irmão para entrar em contato.

Não.

— Ah, oi, Doreen.

Uma agitação na voz.

— Onde você *estava*?

Ela havia esquecido completamente. *Que horas são?*

— Eu tive um dia péssimo. Foi mal.

— Ficamos uma hora na frente da sua casa te esperando.

— Eu ainda posso dar a aula do Leo assim que chegar. Não demoro nem cinco minutos.

— Tarde demais. Ele está com o pai agora, e vai ficar com ele nos próximos três dias.

— Ai, mil desculpas. Foi mal mesmo.

Ela era uma cachoeira de desculpas. Estava se afogando em si mesma.

— Para falar a verdade, Nora, ele vem pensando em parar de vez.

— Mas ele é tão bom.

— Ele estava gostando das aulas. Mas anda muito ocupado. São as provas, os amigos, o futebol. Alguma coisa tem que ser sacrificada...

— Ele tem um talento enorme. Comecei a ensinar Chopin para ele, droga. Por favor...

Um suspiro bem, bem profundo.

— Tchau, Nora.

Nora imaginou o chão se abrindo, e ela sendo levada através da litosfera e do manto terrestre, só parando ao atingir o núcleo, comprimida num metal sólido e inanimado.

Quatro horas antes de decidir morrer, Nora cruzou com o vizinho idoso, o Sr. Banerjee.

O Sr. Banerjee tinha 84 anos. Sua saúde continuava frágil, mas a mobilidade havia melhorado um pouco depois da cirurgia no quadril.

— O tempo está horrível, não está?

— É mesmo — balbuciou Nora.

Ele olhou para as plantas em sua jardineira.

— Mesmo assim, os lírios floresceram.

Nora observou o amontoado de flores roxas, forçando um sorriso enquanto se perguntava que raio de consolo elas poderiam oferecer.

Os olhos do Sr. Banerjee aparentavam cansaço por trás dos óculos. Ele estava parado diante da porta, procurando a chave. Havia uma garrafa de leite na sacola de mercado que parecia muito pesada para ele. Era raro vê-lo fora de casa. Uma casa que ela havia visitado durante seu primeiro mês ali, para ajudá-lo a fazer uma compra de mercado pelo computador.

— Ah — disse ele. — Tenho boas notícias. Não preciso mais que você pegue meus remédios. O menino da farmácia se mudou para perto daqui e disse que vai trazer os comprimidos para mim.

Nora tentou falar alguma coisa, mas não conseguiu articular as palavras. Em vez disso, assentiu com a cabeça.

Ele conseguiu abrir a porta, depois a fechou, recolhendo-se ao que havia virado um santuário em homenagem à querida esposa morta.

Então era isso. Ninguém precisava dela. Era supérflua para o universo.

Ao entrar em seu apartamento, o silêncio ficou mais alto que o barulho. O cheiro de ração de gato. Uma tigela ainda posta para Voltaire, a comida pela metade.

Ela se serviu de um pouco de água, tomou dois antidepressivos e ficou olhando fixamente para o restante dos comprimidos, pensativa.

Três horas antes de decidir morrer, todo o seu ser doía de arrependimento, como se a angústia em sua cabeça de alguma forma estivesse também em seu tronco e membros. Como se tivesse colonizado cada parte de seu corpo.

Isso a fez lembrar de que todos estavam melhor sem ela. Você se aproxima de um buraco negro, e a força gravitacional te arrasta para a realidade erma e sombria dele.

Aquele pensamento era como uma cãibra mental incessante, algo desconfortável demais para suportar, porém forte demais para evitar.

Nora verificou suas redes sociais. Nenhuma mensagem, nenhum comentário, nenhum novo seguidor, nenhuma solicitação de amizade. Ela era antimatéria, com um toque de autopiedade.

Abriu o Instagram e viu que todos tinham aprendido a viver, menos ela. Nora postou algo sem sentido no Facebook, que nem usava mais.

Duas horas antes de decidir morrer, ela abriu uma garrafa de vinho.

Velhos livros acadêmicos de filosofia olhavam para ela de cima para baixo, acessórios fantasma de seus dias de faculdade, quando a vida ainda parecia cheia de possibilidades. Uma muda de yucca e três minúsculos cactos em vasos. Ela imaginou que ser uma forma de vida não senciente imóvel num vaso o dia inteiro era, provavelmente, uma existência mais fácil.

Sentou-se diante do teclado, mas não tocou nada. Ela se viu ao lado de Leo, ensinando a ele o prelúdio em mi menor, de Chopin. Momentos felizes podem se transformar em dor, com o devido tempo.

Existe um velho clichê entre os músicos de que não há nota errada em piano. Mas a vida dela era uma cacofonia de absurdos. Uma composição que poderia ter seguido por caminhos maravilhosos, mas agora não ia a lugar nenhum.

O tempo estava passando. Ela olhava fixamente para o nada.

Depois do vinho, teve uma revelação, tão transparente como a água. Ela não foi feita para essa vida.

Cada movimento tinha sido um erro; cada decisão, um desastre; cada dia, um afastamento de quem ela havia imaginado que seria.

Nadadora. Musicista. Filósofa. Esposa. Viajante. *Glaciologista*. Feliz. Amada.

Nada.

Ela nem conseguiu dar conta de ser "dona de gato". Ou "professora de piano uma hora por semana". Ou "ser humano capaz de conversar".

Os comprimidos não estavam funcionando.

Ela bebeu o vinho todo. Até a última gota.

— Sinto falta de vocês — disse para o ar, como se os espíritos de cada pessoa que ela havia amado um dia estivessem naquele cômodo.

Ligou para o irmão e, como ele não atendeu, deixou um recado.

— Eu te amo, Joe. Só queria que soubesse disso. Você não poderia ter feito nada. O problema sou eu. Obrigada por ser meu irmão. Te amo. Tchau.

Começou a chover de novo, e ela continuou sentada ali, com as persianas abertas, o olhar fixo nos pingos na vidraça.

Eram onze e vinte e dois agora.

Ela só tinha certeza de uma coisa: não queria ver o amanhã chegar. Nora se levantou. Pegou uma caneta e uma folha de papel.

Era, decidiu, uma boa hora para morrer.

A quem interessar possa,

Eu tive todas as chances de fazer algo da minha vida, e desperdicei cada uma delas. Por um descuido meu, e para meu azar, o mundo se afastou de mim, e então agora faz todo sentido que eu me afaste dele.

Se eu achasse que seria possível ficar, eu ficaria. Mas não acho. Então não posso ficar. Eu torno a vida das pessoas pior.

Não tenho nada para dar. Sinto muito.

Sejam bons uns com os outros.

Adeus,
Nora

00:00:00

No início, a névoa era tão densa que ela não conseguia ver nada, até que, aos poucos, viu pilares aparecerem dos seus dois lados. Ela estava parada no que parecia ser um caminho, algum tipo de colunata. As colunas eram cinza-cérebro, salpicadas de um azul bem vivo. Os vapores nebulosos se dissiparam, como espíritos não querendo mais ser vigiados, e uma silhueta emergiu.

Uma silhueta sólida e retangular.

A silhueta de um prédio. Mais ou menos do tamanho de uma igreja ou de um pequeno supermercado. A fachada era de pedra, da mesma cor dos pilares, com uma grande porta central de madeira e um telhado com aspirações à grandiosidade, com detalhes intrincados e um imponente relógio no frontão, os algarismos romanos pintados em preto e os ponteiros marcando meia-noite. Janelas altas e arqueadas, emolduradas com tijolos de pedra, pontuavam a parede da frente, equidistantes umas das outras. Quando olhou da primeira vez, parecia haver apenas quatro janelas; mas, um instante depois, eram indiscutivelmente cinco. Ela julgou ter contado errado.

Como não havia mais nada ao redor, e já que não tinha mais para onde ir, Nora avançou cautelosamente em direção ao prédio.

Ela olhou para o visor digital de seu relógio de pulso.

00:00:00

Meia-noite, como havia lhe informado o relógio no frontão.

Ela esperou pela chegada do próximo segundo, mas isso não aconteceu. Nem quando se aproximou do prédio, nem quando abriu a porta de madeira, nem quando entrou; o visor não se alterou. Ou havia algo errado com seu relógio, ou havia algo errado com o tempo. Naquelas circunstâncias, poderia ter sido uma coisa ou outra.

O que está havendo?, ela se perguntou. *O que diabos está acontecendo?*

Talvez esse lugar guardasse algumas respostas, pensou ela, ao entrar. O local era bem iluminado, e o piso, de pedra clara — algo entre o amarelo-claro e marrom-camelo, como a cor de uma página envelhecida —, mas as janelas que ela havia visto do lado de fora não existiam no interior. Na verdade, mesmo tendo avançado apenas alguns passos, não conseguia mais ver as paredes. No lugar delas, havia estantes. Corredores e mais corredores de estantes, indo até o teto e se ramificando a partir da vasta galeria por onde andava. Ela entrou em um dos corredores e parou para admirar, atônita, a aparentemente infinita quantidade de livros.

Havia livros por toda parte, em prateleiras tão finas que quase não dava para ver. Os livros eram todos verdes. Dos mais variados matizes de verde. Alguns dos volumes eram de um verde-pântano sombrio, alguns, de um verde-limão vivo e luminoso, alguns, de um esmeralda intenso, e outros, do tom verdejante de gramados no verão.

E por falar em gramados no verão: apesar de os livros parecerem velhos, o ar na biblioteca era fresco. Tinha um cheiro um tanto exuberante de plantas ao ar livre, não o odor poeirento de tomos antigos.

As prateleiras pareciam não ter fim, seguindo retas e compridas em direção a um horizonte distante, como linhas indicando a perspectiva com um só ponto de fuga num trabalho de arte escolar, interrompidas apenas por um corredor aqui, outro ali.

Nora escolheu uma passagem aleatória e seguiu por ela. No cruzamento seguinte, virou à esquerda e se viu meio perdida. Procurou pela saída, mas não havia indicação de uma. Tentou refazer os passos até a entrada, mas foi impossível.

Por fim, ela teve de concluir que não encontraria a saída.

— Isso não é nada normal — disse para si mesma, buscando algum conforto no som da própria voz. — Isso é tudo menos normal.

Nora parou e se aproximou de alguns dos livros.

Não havia títulos nem nomes de autores enfeitando as lombadas. Além da diferença na tonalidade, a única outra variação era na espessura: os livros tinham alturas similares, mas variavam na largura. Algumas lombadas eram de cinco centímetros, outras, bem menores. Um ou dois não eram muito mais que livretos.

Ela esticou o braço para pegar um dos livros, escolhendo um de grossura média, de um verde-oliva meio sem graça. Parecia um pouco empoeirado e desgastado.

Antes de retirá-lo completamente da prateleira, ouviu uma voz às suas costas e deu um pulo.

— Tenha cuidado — alertou a voz.

E Nora se virou para ver quem estava ali.

A bibliotecária

— Por favor. Você precisa ter cuidado.

A mulher tinha surgido aparentemente do nada. Vestida de maneira elegante, com cabelo grisalho curto e suéter de gola alta verde-tartaruga. Tinha uns 60 anos, se Nora fosse arriscar um palpite.

— Quem é você?

Mas, mal tinha acabado de articular a pergunta, se deu conta de que já sabia a resposta.

— Sou a bibliotecária — disse a mulher, timidamente. — Isso é quem eu sou.

Seu rosto transmitia uma sabedoria bondosa, mas austera. Tinha o mesmo cabelo grisalho com o corte que sempre usara e um rosto que continuava exatamente igual ao da lembrança de Nora.

Pois ali, bem na sua frente, estava a bibliotecária de sua antiga escola.

— Sra. Elm.

A Sra. Elm sorriu discretamente.

— Talvez.

Nora se lembrou daquelas tardes chuvosas, jogando xadrez.

E se lembrou também do dia da morte do pai, quando a Sra. Elm lhe deu a notícia na biblioteca, com o maior tato. Seu pai havia morrido de repente, de ataque cardíaco, no campo de rúgbi do colégio interno para meninos onde dava aula. Ela ficou anestesiada por cerca de meia hora, encarando, sem nenhuma expressão no rosto, a partida de xadrez inacabada. Num primeiro momento, a realidade se mostrou grande demais para ser absorvida, mas então a atingiu com força e em cheio, tirando-a dos trilhos. Nora tinha dado um abraço muito forte na Sra. Elm, chorando em sua gola alta, até o rosto ficar vermelho pela fusão de lágrimas e tecido.

A Sra. Elm a tinha segurado nos braços, fazendo carinho na parte de trás da sua cabeça, como a um bebê, sem recorrer a clichês nem tentando consolá-la com palavras vazias, apenas demonstrando preocupação. Ela se lembrava da voz da Sra. Elm lhe dizendo, naquele momento: "As coisas vão melhorar, Nora. Vai ficar tudo bem."

Mais de uma hora se passou antes que a mãe de Nora fosse buscá-la, o irmão chapado e entorpecido no banco traseiro. E Nora havia se sentado na frente, ao lado da mãe muda e trêmula, dizendo que a amava, mas não ouvindo nada em resposta.

— Que lugar é este aqui? Onde estou?

A Sra. Elm abriu um sorriso bem formal.

— Aqui é uma biblioteca, óbvio.

— Não é a biblioteca da escola. E não tem saída. Eu morri? Isso é a vida após a morte?

— Não exatamente — respondeu a Sra. Elm.

— Eu não estou entendendo.

— Então deixe que eu explique a você.

A Biblioteca da Meia-Noite

Enquanto falava, os olhos da Sra. Elm ganhavam vida, cintilando como poças ao luar.

— Entre a vida e a morte, há uma biblioteca — disse ela. — E, dentro dessa biblioteca, as prateleiras não têm fim. Cada livro oferece uma oportunidade de experimentar outra vida que você poderia ter vivido. De ver como as coisas seriam se tivesse feito outras escolhas... Você teria feito algo diferente, se houvesse a chance de desfazer tudo de que se arrepende?

— Então eu *estou* morta? — perguntou Nora.

A Sra. Elm fez que não com a cabeça.

— Não. Ouça com atenção. *Entre* a vida e a morte. — Ela fez um gesto vago para o corredor, apontando ao longe. — A morte está lá fora.

— Então eu deveria ir para lá. Porque quero morrer. — Nora começou a andar.

Mas a Sra. Elm balançou a cabeça de novo.

— Não é assim que a morte funciona.

— Por que não?

— Você não *vai* até a morte. A morte vem até você.

Nem a morte era algo que Nora conseguia fazer direito, aparentemente.

Aquela era uma sensação familiar. A sensação de incompletude em quase todos os sentidos. Um quebra-cabeça inacabado de ser humano. Vida incompleta, morte incompleta.

— Então por que eu não estou morta? Por que a morte não veio até mim? Mandei um convite formal para ela. Eu queria morrer. Mas aqui estou, ainda existindo. Ainda ciente das coisas.

— Bom, se te serve de consolo, há uma grande chance de que você esteja *prestes* a morrer. As pessoas que passam pela biblioteca não costumam ficar muito tempo, de um jeito ou de outro.

Quando pensava no assunto — e cada vez mais vinha refletindo sobre isso —, Nora só se definia à luz do que não era. Das coisas que não tinha conseguido ser. E, realmente, havia um bocado de coisas que ela não tinha sido. Os arrependimentos que viviam num *looping* eterno em sua mente. *Não fui nadadora olímpica. Não fui glaciologista. Não fui mulher do Dan. Não fui mãe. Não fui vocalista dos Labyrinths. Não fui uma pessoa boa de verdade nem feliz de verdade. Não consegui tomar conta de Voltaire direito.* E agora, por último, ela sequer tinha conseguido morrer. Era patético, sério, o número de possibilidades que ela havia desperdiçado.

— Enquanto a Biblioteca da Meia-Noite estiver de pé, Nora, você será resguardada da morte. Agora, precisa decidir como quer viver.

As prateleiras móveis

As prateleiras de ambos os lados de Nora começaram a se mover. Elas não mudavam de ângulo, apenas deslizavam na horizontal. Talvez não fossem nem as prateleiras que estivessem se deslocando, e sim os livros, mas não era óbvio por que motivo nem *como*. Não havia um mecanismo visível fazendo aquilo acontecer, e nenhum som nem evidência visual de livros caindo no fim — ou no *início* — da prateleira. Os volumes deslizavam em graus variados de lentidão, dependendo da prateleira onde estavam, mas nenhum se movia depressa.

— O que está acontecendo?

O rosto da Sra. Elm ficou rijo, e sua postura, ereta, o queixo se recolhendo um pouco junto ao pescoço. Ela deu um passo em direção a Nora e juntou as mãos.

— Chegou a hora de começar, querida.

— E eu posso saber *o que* vai começar?

— Cada vida contém muitos milhões de decisões. Algumas grandes, algumas pequenas. Mas cada vez que uma decisão é tomada em detrimento de outra, os resultados são diferentes. Ocorre uma variação irreversível, o que, por sua vez, leva a outras variações. Esses livros são portais para todas as vidas que você poderia estar vivendo.

— O quê?

— Você tem tantas vidas quanto tem possibilidades. Há vidas em que você toma diferentes decisões. E essas decisões levam a resultados distintos. Se tivesse feito apenas uma coisa de maneira diferente, você teria uma história de vida diferente. E todas existem na Biblioteca da Meia-Noite. Todas são tão reais quanto esta vida.

— Vidas paralelas?

— Nem sempre paralelas. Algumas são mais... *perpendiculares*. Então, você quer viver uma vida que poderia estar vivendo? Quer fazer algo de um jeito diferente? Existe alguma coisa que queira mudar? Você fez algo errado?

Essa era fácil.

— Sim. Tudo.

A resposta pareceu dar coceira no nariz da bibliotecária.

A Sra. Elm rapidamente pegou o lenço de papel que estava enfiado na manga do suéter de gola alta. Levou-o ao rosto e espirrou nele.

— Saúde — disse Nora, vendo o lenço desaparecer das mãos da bibliotecária assim que terminou de usá-lo, por meio de alguma mágica estranha e higiênica.

— Não se preocupe. Lenços são como vidas. Há sempre mais. — A Sra. Elm retomou sua linha de raciocínio. — Fazer uma coisa de maneira diferente é, com frequência, o mesmo que fazer *tudo* de maneira diferente. Ações não podem ser desfeitas dentro de uma existência, não importa o quanto se tente... Mas você não está mais *dentro* de uma existência. Você deu um pulinho do lado de fora, por assim dizer. Esta é sua oportunidade, Nora, de ver como as coisas poderiam ser.

Isso não é real, pensou Nora.

A Sra. Elm pareceu saber o que ela estava pensando.

— Ah, é real, sim, Nora Seed. Mas não é bem a realidade como você a compreende. Na falta de uma palavra melhor, aqui é o *intervalo*. Não é vida. Não é morte. Não é o mundo real num sentido convencional. Mas também não é um sonho. Não é uma coisa nem outra. É, em suma, a Biblioteca da Meia-Noite.

As prateleiras que se moviam devagar pararam. Nora notou que em uma delas, à sua direita, na altura do ombro, havia um grande espaço vazio. Em todas as outras superfícies das prateleiras ao seu redor, os livros estavam juntinhos, lado a lado; mas ali, deitado na prateleira fina e branca, havia um único livro.

E aquele volume não era verde como os demais. Era cinza. Tão cinza como a pedra da fachada do prédio que ela avistara através da névoa.

A Sra. Elm pegou o livro da prateleira e o entregou a Nora. Seu ar era de satisfação, e sua expressão, de expectativa positiva, como se tivesse acabado de dar a Nora um presente de Natal.

Enquanto estava sendo segurado pela Sra. Elm, ele parecia ser leve, mas era bem mais pesado do que aparentava. Nora começou a abri-lo.

A Sra. Elm fez que não com a cabeça.

— Você precisa sempre esperar pela minha permissão.

— Por quê?

— Cada livro aqui, cada livro nesta biblioteca inteira, menos um, é uma versão da sua vida. Esta biblioteca é sua. Está aqui para você. Veja bem, a vida de cada pessoa poderia ter tido infinitos desfechos. Esses livros nas prateleiras são sua vida, todos começando a partir do mesmo ponto no tempo. Agora. Meia-noite. Terça-feira, 28 de abril. Mas essas possibilidades de meia-noite não são iguais. Algumas são similares; outras, bem diferentes.

— Isso é loucura — disse Nora. — Menos *um*? Este aqui? — Nora inclinou o tomo cinza-pedra para a Sra. Elm.

A Sra. Elm arqueou uma sobrancelha.

— Sim. Este. É algo que você escreveu sem nunca ter que digitar uma palavra.

— O quê?

— Este livro é a fonte de todos os seus problemas, e também a solução para eles.

— Mas que livro é este?

— O título dele, querida, é *O livro dos arrependimentos*.

O livro dos arrependimentos

Nora ficou olhando fixamente para ele. E conseguia ver agora. O pequeno título gravado na capa.

O livro dos arrependimentos

— Cada arrependimento que você já teve, desde o dia do seu nascimento, está registrado aqui — disse a Sra. Elm, batendo com o dedo na capa. — Eu lhe dou permissão para abri-lo agora.

Como o livro era muito pesado, Nora se sentou no chão de pedra, com as pernas cruzadas, para abri-lo. Então começou a folheá-lo.

O livro era dividido em capítulos, organizados cronologicamente por seus anos de vida. 0, 1, 2, 3, até 35. Os capítulos ficavam bem mais extensos conforme o livro avançava, ano a ano. Mas os arrependimentos que ela acumulou não estavam relacionados especificamente àquele ano em questão.

— Arrependimentos ignoram a cronologia. Eles flutuam. A sequência dessas listas muda o tempo todo.

— Tá, é, faz sentido. Acho.

Ela rapidamente se deu conta de que eles variavam do mais insignificante e corriqueiro ("Eu me arrependo de não ter feito exercícios físicos hoje") ao mais significativo ("Eu me arrependo de não ter dito ao meu pai que o amava antes de ele morrer").

Havia arrependimentos de fundo contínuos, que se repetiam em várias páginas. "Eu me arrependo de não ter continuado nos Labyrinths, porque deixei Joe na mão." "Eu me arrependo de não ter continuado nos Labyrinths, porque frustrei a mim mesma." "Eu me arrependo de não ter feito mais pelo meio ambiente." "Eu me arrependo do tempo que passei nas redes sociais." "Eu me arrependo de não ter ido para a Austrália com a Izzy." "Eu me arrependo de não ter me divertido mais quando era mais jovem." "Eu me arrependo de todas aquelas discussões com o meu pai." "Eu me arrependo de não ter trabalhado com animais." "Eu me arrependo de não ter feito faculdade de geologia em vez de filosofia." "Eu me arrependo de não ter aprendido a ser uma pessoa mais feliz." "Eu me arrependo de me sentir tão culpada." "Eu me arrependo de não ter continuado a aprender espanhol." "Eu me arrependo de não ter escolhido as matérias de ciências no meu A-levels." "Eu me arrependo de não ter me tornado glaciologista." "Eu me arrependo de não ter me casado." "Eu me arrependo de não ter me inscrito no mestrado em filosofia em Cambridge." "Eu me arrependo de não me manter saudável." "Eu me arrependo de ter me mudado para Londres." "Eu me arrependo de não ter ido a Paris para dar aula de inglês." "Eu me arrependo de não ter terminado o livro que comecei a escrever na faculdade." "Eu me arrependo de ter me mudado de Londres." "Eu me arrependo de ter um emprego sem perspectivas." "Eu me arrependo de não ter sido uma irmã melhor." "Eu me arrependo de não ter tirado um ano sabático depois de me formar na faculdade." "Eu me arrependo de ter desapontado meu pai." "Eu me arrependo de dar mais aulas de piano que tocar." "Eu me arrependo do meu caos financeiro." "Eu me arrependo de não morar no campo."

    Alguns arrependimentos eram um pouco mais apagados que outros. Um arrependimento mudou de praticamente invisível para *bold* e vice-versa, como se estivesse piscando bem diante de seus olhos. O arrependimento era: "Eu me arrependo de não ter filhos ainda."

    — Esse é um arrependimento que às vezes existe; outras, não — explicou a Sra. Elm, lendo sua mente de novo, de algum modo. — Há alguns desses aí.

    Dos 34 anos em diante, no capítulo mais extenso ao fim do livro, havia um bocado de arrependimentos específicos sobre Dan. Esses eram bem fortes e nítidos, e soavam em sua cabeça como o acorde *fortissimo* e constante de um concerto de Haydn.

"Eu me arrependo de ter sido cruel com Dan." "Eu me arrependo de ter terminado com Dan." "Eu me arrependo de não morar num pub no campo com Dan."

Enquanto olhava para baixo, para as páginas, ela pensava agora no homem com quem quase havia se casado.

Sobrecarga de arrependimento

Ela havia conhecido Dan quando morava com Izzy em Tooting. Sorriso largo, barba curtinha. O visual de um veterinário de programa de televisão. Divertido, curioso. Ele bebia um bocado, mas sempre parecia imune a ressacas.

Havia estudado história da arte e colocado seu profundo conhecimento de Rubens e Tintoretto a serviço de seu cargo de chefe de relações públicas de uma marca de barras de proteína. Mas Dan tinha um sonho. E seu sonho era ser dono de um pub no campo. Um sonho que queria compartilhar com ela. Com Nora.

E o entusiasmo dele a contagiou. Ficou noiva. Mas, de repente, se deu conta de que não queria se casar com ele.

Bem no fundo, tinha medo de acabar como a mãe. Não queria replicar a vida conjugal dos pais.

Ainda olhando fixamente para *O livro dos arrependimentos*, ela se perguntou se seus pais algum dia tinham sido apaixonados um pelo outro, ou se eles se casaram porque o casamento era um passo natural a se dar no momento apropriado, com a pessoa mais próxima disponível. Uma brincadeira em que você agarrava a primeira pessoa que conseguisse quando a música parasse.

Ela nunca tinha sentido vontade de brincar daquilo.

Bertrand Russell escreveu que "Temer o amor é temer a vida, e quem teme a vida já está a meio caminho da morte". Talvez aquele fosse seu problema. Talvez ela estivesse simplesmente com medo de viver. Mas Bertrand Russell experimentou mais casamentos e casos amorosos que pratos de comida, então talvez não fosse a pessoa mais indicada para dar conselhos.

* * *

Quando sua mãe morreu três meses antes do casamento, a dor de Nora foi imensa. Embora ela tivesse sugerido que adiassem a cerimônia, isso não aconteceu, e o luto de Nora se misturou à depressão, à ansiedade e à sensação de que sua vida tinha saído do controle. O casamento parecia de tal forma um sintoma dessa sensação caótica, que ela se sentiu amarrada a um trilho de trem, e a única maneira de soltar as cordas e se libertar era pular fora. No entanto, a bem da verdade, ter ficado em Bedford e permanecido solteira, e ter deixado Izzy na mão com os planos delas para a Austrália, e ter começado a trabalhar na Teoria das Cordas, e ter adotado um gato, tudo havia parecido o oposto de liberdade.

— Ah, não — disse a Sra. Elm, interrompendo os pensamentos de Nora. — Isso é demais para você.

E, de repente, ela estava outra vez tendo todo aquele sentimento de culpa, toda aquela dor de ser uma decepção na vida das pessoas e até na dela mesma, a dor da qual havia tentado fugir menos de uma hora atrás. Os arrependimentos começaram a se aglomerar. Na verdade, enquanto olhava para as páginas abertas do livro, a dor era ainda maior do que tinha sido ao andar sem rumo pelas ruas de Bedford. A força de todos aqueles arrependimentos emanando simultaneamente do livro estava se tornando uma agonia. O peso da culpa, do remorso e da mágoa, grande demais. Ela se inclinou para trás sobre os cotovelos, deixou o livro cair e fechou os olhos com força. Quase não conseguia respirar, como se mãos invisíveis apertassem seu pescoço.

— Faz isso parar!

— Feche o livro agora — instruiu a Sra. Elm. — Feche o livro. Não apenas os olhos. *Feche o livro.* Você precisa fazer isso sozinha.

Então, Nora, sentindo como se estivesse prestes a desmaiar, sentou-se de novo e colocou a mão sob a capa. Parecia ainda mais pesada agora, mas ela conseguiu fechar o livro e suspirou de alívio.

Toda vida começa agora

— E aí?

A Sra. Elm estava de braços cruzados. Embora tivesse uma aparência idêntica à da Sra. Elm que Nora conhecia de longa data, sua atitude era sem dúvida um pouco mais brusca. Era a Sra. Elm, mas, também, de certo modo, *não* a Sra. Elm. Era um tanto confuso.

— E aí, o quê? — perguntou Nora, ainda ofegante, ainda aliviada por não sentir mais a intensidade de todos os seus arrependimentos ao mesmo tempo.

— Que arrependimento se destaca? Que decisão você gostaria de reverter? Que vida gostaria de experimentar?

Foi exatamente isso o que ela disse. *Experimentar*. Como se aqui fosse uma loja de roupas e Nora pudesse escolher uma vida com a mesma facilidade com que escolhia uma camisa de malha. Parecia uma brincadeira de mau gosto.

— Aquilo foi muito agoniante. Eu tive a sensação de que ia morrer asfixiada. Por que isso?

Quando Nora olhou para cima, notou as luzes pela primeira vez. Eram lâmpadas penduradas em fios presos ao teto, que parecia um teto como outro qualquer, num tom de cinza bem claro. A única diferença era que não chegava a nenhuma parede. Assim como o chão, o teto se estendia infinitamente.

— Isso é porque existe uma grande probabilidade de que sua vida antiga tenha acabado. Você queria morrer e talvez vá morrer. E vai precisar de algum lugar para ir. Um lugar para pousar. Uma outra vida. Então, você tem que pensar bem. Esta biblioteca é chamada de Biblioteca da Meia-Noite porque toda vida nova oferecida aqui se inicia neste instante. À meia-noite. O começo é agora. De todos esses futuros. É isso o que aqui é. É isso o que seus livros representam. Cada outro presente imediato e futuro em andamento que você poderia ter tido.

— Então não tem nenhum passado aqui?

— Não. Apenas a consequência deles. Mas esses livros também já estão escritos. E eu sei quais são todos eles. Só que não são para você ler.

— E quando cada vida acaba?

— Pode ser em segundos. Ou horas. Ou, quem sabe, dias. Meses. Mais. Se você tiver encontrado uma vida que realmente queira viver, então poderá vivê-la até morrer de velhice. Se quiser muito mesmo continuar numa vida em particular, não precisa se preocupar. Vai ficar nela como se sempre tivesse estado lá. Porque, em um universo específico, você *sempre* esteve lá. O livro nunca será devolvido à biblioteca, por assim dizer. Ele deixa de ser um empréstimo e passa a ser um presente. Assim que você decidir que quer aquela vida, que a quer *de verdade*, então tudo que existe na sua cabeça agora, inclusive esta Biblioteca da Meia-Noite, acabará se tornando uma lembrança tão difusa e intangível que se perderá na memória.

Uma das lâmpadas penduradas acima delas piscou.

— O único perigo que existe — prosseguiu a Sra. Elm, de um jeito mais sinistro — é enquanto você está aqui. *Entre vidas.* Se perder a vontade de continuar, isso afetará sua vida raiz... sua vida original. O que poderia levar à destruição deste lugar. Você deixaria de existir para sempre. Estaria morta. E então perderia o acesso a tudo o que está aqui.

— É isso o que eu quero estar. Morta. Eu estaria morta porque quero. Por isso tomei aquela overdose. Eu quero morrer.

— Talvez. Ou talvez não. Afinal de contas, você ainda está aqui.

Nora tentou assimilar aquilo.

— Então, como é que eu volto para a biblioteca? Se eu ficar presa numa vida pior que essa que acabei de deixar?

— Pode ser sutil, mas, assim que a decepção de uma expectativa frustrada for total e absoluta, você vai voltar para cá. Às vezes o sentimento chega de fininho; outras, de supetão. Se nunca chegar, você ficará onde está e, por princípio, será feliz lá. Não poderia ser mais simples. Então:

escolha algo que teria feito de outra maneira, e eu pego o livro para você. Ou melhor, a vida.

Nora baixou o olhar para *O livro dos arrependimentos*, que jazia fechado no piso amarelo-amarronzado.

Ela se lembrou de uma conversa que teve um dia com Dan, tarde da noite. sobre o sonho dele de ser dono de um pequeno e pitoresco pub no campo. O entusiasmo dele tinha sido contagiante, e aquele quase havia se tornado o sonho dela também.

— Queria não ter deixado Dan. E que nosso relacionamento não tivesse acabado. Eu me arrependo de a gente não ter ficado junto e batalhado para realizar aquele sonho. Existe alguma vida na qual a gente ainda esteja junto?

— Existe — respondeu a Sra. Elm.

Os livros da biblioteca começaram a se mover de novo, como se as prateleiras fossem esteiras rolantes. Agora, porém, em vez de se deslocarem lentamente como uma marcha nupcial, eles se moviam cada vez mais rápido, até não dar mais para vê-los como volumes separados. Apenas zumbiam, fluindo em torrentes de verde.

Então, da mesma forma repentina, eles pararam.

A Sra. Elm agachou e pegou um volume da prateleira mais baixa à sua esquerda. O livro era de um dos tons mais escuros de verde. Ela o entregou a Nora. Era bem mais leve que *O livro dos arrependimentos*, mesmo tendo um tamanho parecido. De novo, não havia nada na lombada, mas um título pequeno gravado na capa, da mesma cor do livro.

Dizia: *Minha vida*.

— Mas não é a minha vida...

— Ah, Nora, eles todos são vidas suas.

— O que eu faço agora?

— Você abre o livro e vai para a primeira página.

Nora obedeceu.

— Muito *bem* — disse a Sra. Elm, com minuciosa precisão. — Agora leia a primeira linha.

Nora baixou os olhos e leu.

Ela saiu do pub e foi recebida pelo ar frio da noite...

E Nora só teve tempo suficiente para pensar: *Pub?* Depois disso, já estava acontecendo. O texto começou a se mover em espiral, em câmera acelerada, tornando-se logo indecifrável, e ela se sentiu cada vez mais fraca. Não largou o livro de forma consciente, mas, de repente, não era mais uma pessoa lendo o livro, e de repente não havia mais livro nenhum — nem biblioteca nenhuma.

As Três Ferraduras

Nora se viu ao ar livre, num ambiente com ar puro. Mas, ao contrário de Bedford, não estava chovendo ali.

— Onde estou? — sussurrou para si mesma.

Havia uma pequena fileira de casas geminadas pitorescas de pedra do outro lado da rua levemente em curva. Casas antigas e silenciosas, com as luzes apagadas, aninhadas na periferia de um vilarejo, antes de se fundir à quietude da paisagem campestre. Um céu limpo, uma extensão de estrelas pontilhadas, uma lua minguante. O aroma de campos verdejantes. O chirriar de corujas-do-mato. E, então, o silêncio de novo. Um silêncio que marcava presença, que era uma força no ar.

Estranho.

Primeiro, ela estava em Bedford. Depois, naquela biblioteca esquisita. E, agora, aqui, nessa ruazinha adorável de vilarejo de interior. Isso tudo sem nem sair do lugar.

Desse lado da rua, uma luz amarela vertia de uma janela baixa. Ela olhou para o alto e viu a placa de um pub, elegantemente pintada, rangendo de leve ao vento. Ferraduras sobrepostas sob palavras cuidadosamente escritas em itálico: *As Três Ferraduras*.

À sua frente, havia um quadro de giz apoiado na calçada. Ela reconheceu a própria letra, mais caprichada que nunca.

AS TRÊS FERRADURAS
Terça-Feira — Noite de Quiz
20h30
"A verdadeira sabedoria consiste em saber que nada se sabe."
— Sócrates (depois de perder nosso quiz!!!!)

Esta aqui era uma vida em que ela usava quatro pontos de exclamação seguidos. Era, provavelmente, o que pessoas mais felizes e menos estressadas faziam.

Um bom presságio.

Olhou para a própria roupa. Uma blusa jeans de botão com as mangas dobradas até a metade do antebraço, calça jeans e sapatos de salto anabela, nada que usasse em sua vida real. Ela se arrepiou toda por causa do frio; obviamente não estava vestida para ficar tanto tempo ao ar livre.

Havia dois anéis em seu dedo anelar. A antiga aliança de noivado de safira estava ali — a mesma que tinha tirado, entre tremedeiras e lágrimas, mais de um ano atrás —, acompanhada de uma aliança de casamento de prata simples.

Que loucura.

Ela usava um relógio de pulso. Não digital, nesta vida. Um analógico fino e elegante, com numerais romanos. Era mais ou menos um minuto depois da meia-noite.

Como isso está acontecendo?

Suas mãos eram mais macias nesta vida. Talvez passasse creme para mãos. As unhas cintilavam com um esmalte clarinho. Sentiu um certo alívio ao ver o velho sinal na mão esquerda.

Passos fizeram o cascalho ranger. Alguém vinha em sua direção pelo acesso de carros. Um homem, visível sob a luz das janelas do pub e do poste de rua solitário. Um homem com bochechas rosadas, um bigode dickensiano grisalho e um casaco impermeável. Parecia uma caneca "Toby Jug", só que de carne e osso. Pelo andar lento e cuidadoso, devia estar ligeiramente bêbado.

— Boa noite, Nora. Volto na sexta. Para ver o cantor folk. Dan disse que ele é bom.

Nesta vida, ela provavelmente sabia o nome deste homem.

— Tá. É, sim. Sexta-feira. Vai ser uma noite ótima.

Pelo menos, a voz soava como a sua. Ela observou enquanto o homem atravessava a rua, olhando para a esquerda e para a direita algumas vezes, apesar da evidente ausência de trânsito, e desaparecia por uma ruela entre as casas em estilo *cottage*.

Estava mesmo acontecendo. Era isto aqui. Esta era a vida do pub. Era o sonho realizado.

— Isso é tão estranho — disse ela, a voz invadindo a noite. — Tão. Estranho.

Um trio também saiu do pub. Duas mulheres e um homem. Sorriram para Nora ao passar.

— Da próxima vez a gente ganha — disse uma das mulheres.

— Exato — respondeu Nora. — Sempre tem uma próxima vez.

Ela andou até o pub e espiou pela janela. Parecia tudo vazio lá dentro, mas as luzes continuavam acesas. Aquele grupo devia ter sido o último a sair.

O pub era bastante convidativo. Aconchegante e cheio de personalidade. Mesas pequenas, vigas de madeira e uma roda de carroça presa à parede. Um carpete vermelho estampado e um bar forrado com painéis de madeira, exibindo uma variedade surpreendente de torneiras de cerveja.

Ela se afastou da janela e viu uma placa um pouco além do pub, logo depois que a calçada dava lugar à grama.

Nora foi rapidamente até lá e leu o que estava escrito.

LITTLEWORTH
Dá as Boas-Vindas a Motoristas Cuidadosos

Então ela notou que, centralizado no alto da placa, havia um pequeno brasão circundado pelas palavras *Conselho do Condado de Oxfordshire*.

— Nós conseguimos — sussurrou, suas palavras ecoando no ar campestre. — Conseguimos *mesmo*.

Esse era o sonho que Dan havia mencionado para ela, pela primeira vez, enquanto andavam à margem do Sena, em Paris, comendo macarons comprados no Boulevard Saint-Michel.

Um sonho que não envolvia Paris, mas a Inglaterra rural, onde viveriam juntos.

Um pub no campo em Oxfordshire.

Quando o câncer da mãe de Nora voltou de maneira agressiva, atingindo os gânglios linfáticos e rapidamente colonizando o corpo, aquele sonho foi adiado, e Dan se mudou de Londres para Bedford com ela. A mãe ficou sabendo do noivado deles e planejou continuar viva pelo menos até o casamento. Ela morreu poucos meses antes.

Talvez fosse esta. Talvez fosse esta a vida. Talvez tivesse dado certo de primeira, ou de segunda.

Ela se permitiu um sorriso apreensivo.

Voltou pelo caminho de cascalho, dirigindo-se à porta lateral pela qual o homem bêbado e bigodudo de casaco impermeável havia saído pouco tempo atrás. Respirou fundo e entrou.

Estava quente.

E silencioso.

Ela se viu em algum tipo de hall de entrada ou passagem. Piso de terracota. Painéis de madeira até o meio da parede e, logo acima, papel de parede estampado com folhas de plátano.

Ela percorreu esse pequeno corredor até o salão principal do pub, que já havia espiado pela janela. E deu um pulo quando, do nada, surgiu um gato.

Era da raça burmês, elegante e magro, o pelo da cor do chocolate, e ronronava. Ela se abaixou e fez carinho nele, olhando o nome gravado na plaquinha presa à coleira. *Voltaire*.

Um gato diferente, o mesmo nome. Ao contrário do seu querido gato malhado de pelo laranja, ela achava difícil que aquele Voltaire tivesse sido adotado. O gato continuava a ronronar.

— Oi, Volts Número Dois. Você parece feliz aqui. Será que somos todos tão felizes quanto você?

O gato ronronou uma possível concordância e esfregou a cabeça na perna de Nora. Ela o pegou no colo e foi até o bar. Havia uma fileira de cervejas artesanais nas torneiras; stouts, sidras, pale ales e IPAs. *Vicar's Favourite. Lost and Found. Miss Marple. Sleeping Lemons. Broken Dream.*

No balcão havia uma latinha de doações para a Butterfly Conservation, uma organização sem fins lucrativos para a preservação das borboletas.

Ela ouviu o tilintar de vidro. Como se uma máquina de lavar louças estivesse sendo abastecida. Nora sentiu a ansiedade lhe apertar o peito. Uma sensação familiar. Então um homem alto e magro de vinte e poucos anos, com uma camisa larga de rúgbi, surgiu por trás do balcão, não dando a menor bola para Nora enquanto recolhia os últimos copos usados e os colocava no lava-louças. Ele ligou a máquina e, em seguida, puxou o casaco que estava pendurado num gancho na parede, vestiu-o e pegou uma chave de carro.

— Tchau, Nora. Já arrumei as cadeiras e limpei todas as mesas. O lava-louças está ligado.

— Ah, obrigada.

— Até quinta.

— Isso — disse Nora, se sentindo como uma espiã prestes a ter sua verdadeira identidade revelada. — Até.

Um instante depois que o homem saiu, ela ouviu passos se aproximando de algum lugar nos fundos do pub e indo em direção à área com piso de terracota que ela havia acabado de transpor. E, então, ali estava ele.

A aparência era diferente.

A barba tinha sumido, e havia mais rugas ao redor dos olhos, além de olheiras. Ele trazia na mão um copo de cerveja preta quase vazio. Ainda lembrava um veterinário de programa de televisão, só que depois de várias temporadas.

— Dan — disse ela, como se ele fosse algo que precisasse ser identificado. Como um coelho à margem da estrada. — Só queria dizer que estou tão orgulhosa de você. Tão orgulhosa de nós.

Ele a encarou, inexpressivo.

— Tava só desligando os chillers. Tenho que limpar as mangueiras amanhã. Faz duas semanas que a gente não limpa.

Nora não tinha a menor ideia do que ele estava falando. Ela afagou o gato.

— Ah. Sim. Certo. As mangueiras.

Seu marido — porque, nesta vida, era isso que ele era — olhou ao redor, para todas as mesas e para as cadeiras viradas em cima delas. Estava com uma camisa de malha desbotada do filme *Tubarão*.

— O Blake e a Sophie já foram embora?

Nora hesitou. Teve a sensação de que ele se referia a pessoas que trabalhavam para os dois. Muito provavelmente, o jovem com a camisa larga de rúgbi era o Blake. Não parecia haver mais ninguém ali.

— Já — respondeu ela, tentando manter a naturalidade, apesar da bizarrice inerente às circunstâncias. — Acho que sim. Deram conta de tudo direitinho.

— Beleza.

Ela se lembrava de ter comprado a camisa de malha do *Tubarão* como presente de aniversário de 26 anos para ele. Dez anos atrás.

— As respostas de hoje foram muito engraçadas. Um dos times, o do Pete e da Jolie, achava que o Maradona era quem tinha pintado o teto da Capela Sistina.

Nora assentiu enquanto fazia carinho no Volts Número Dois. Como se tivesse alguma ideia de quem diabo eram Pete e Jolie.

— Mas, sejamos justos, o quiz foi bem difícil hoje. Vou tirar as perguntas de outro site da próxima vez. Tipo assim, quem sabe o nome da maior montanha na cordilheira de Cara-sei-lá-das-quantas?

— Na cordilheira de Caracórum? — perguntou Nora. — É o K2.

— É óbvio que você sabe — disse ele, um pouco brusco demais. Um pouco embriagado demais. — É o tipo de coisa que você saberia. Porque, enquanto a maioria das pessoas era ligada em *rock*, você era ligada nas *rocks* das montanhas mesmo.

— Ei — disse ela. — Eu fui integrante de uma banda, literalmente.

Uma banda, ela recordou então, da qual Dan havia odiado que ela fizesse parte.

Ele riu. Nora reconheceu a risada, mas não gostou muito de ouvi-la. Tinha se esquecido de quantas vezes, durante o relacionamento deles, Dan ria das outras pessoas, principalmente de Nora. Enquanto estavam juntos, ela havia tentado não dar muita importância a esse aspecto de sua personalidade. Havia tantos outros aspectos — ele tinha sido tão atencioso com sua mãe quando ela estava doente, e se sentia à vontade para falar de qualquer assunto, era tão cheio de sonhos para o futuro, era atraente e fácil de conviver, era apaixonado por arte e sempre parava para conversar com pessoas em situação de rua. Ele se importava com o mundo. Uma pessoa é como uma cidade. Não se pode deixar que algumas áreas menos aprazíveis provoquem uma repulsa generalizada pelo todo. Pode ser que haja algumas partes das quais você não goste, umas ruas e uns bairros perigosos, mas as coisas boas fazem o todo valer a pena.

Ele tinha ouvido vários podcasts chatos que achava que Nora deveria ouvir também, e ria de um jeito que a irritava, e fazia gargarejos barulhentos com enxaguante bucal. E, sim, ele monopolizava o edredom e, às vezes, era arrogante nas suas opiniões sobre arte, filmes e música, mas não havia nada de explicitamente *errado* com ele. Só que — pensando bem —, Dan nunca havia apoiado sua carreira na música, e a tinha alertado para o fato de que sua permanência nos Labyrinths aliada à assinatura do contrato com a gravadora seria algo ruim para sua saúde mental, e que seu irmão estava sendo um pouco egoísta. Mas, na época, Nora tinha visto aquilo mais como uma bandeira verde do que como uma bandeira vermelha. Seu raciocínio foi: ele se importava, e era bom ter alguém que se importasse, que não ligasse para fama e futilidades, e que pudesse ajudar a navegar as águas da vida. E, então, quando ele a pediu em casamento, no bar do terraço da Oxo Tower, em Londres, ela disse sim, e talvez tenha feito mesmo a coisa certa ao dizer sim.

Dan avançou pelo salão, pousou o copo de cerveja por um instante e pegou o celular, procurando perguntas melhores para o quiz.

Ela ficou se perguntando o quanto ele teria bebido naquela noite. E se o sonho de ser dono de pub tinha sido, na verdade, o sonho de ficar ingerindo um estoque ilimitado de bebidas alcoólicas.

— Como se chama um polígono de vinte lados?

— Não sei — mentiu Nora, não querendo arriscar uma reação semelhante à que enfrentara pouco antes.

Ele guardou o celular no bolso.

— Mas a gente saiu no lucro. Todo mundo bebeu bastante. Nada mal para uma terça. As coisas estão melhorando. Pelo menos a gente tem alguma coisa a dizer no banco amanhã. Quem sabe eles aumentam o prazo do pagamento do empréstimo... — Ele olhou para a cerveja, girou o copo fazendo um pequeno redemoinho com ela, depois bebeu tudo de uma vez. — Só tenho que pedir pro A.J. mudar o cardápio do almoço. Ninguém em Littleworth quer comer beterraba listrada, salada de favas e panqueca de milho. Isso aqui não é a merda da Fitzrovia. E eu sei que eles até estão tendo uma boa saída, mas não acho que os vinhos que você escolheu sejam tão bons assim. Principalmente os californianos.

— Ok.

Ele se virou e olhou para trás.

— Cadê o quadro?

— O quê?

— O quadro de giz. Achei que tivesse trazido pra dentro.

Então era *isso* que ela tinha ido fazer lá fora.

— Não. Não. Vou fazer isso agora.

— Pensei que tinha te visto sair.

Nora sorriu, na tentativa de disfarçar o nervosismo.

— É, pois é, eu saí. Tive que... Fiquei preocupada com o gato. Não estava achando o Volts... o Voltaire... Aí fui procurar lá fora e encontrei.

Dan voltou para trás do balcão, se servindo de uma dose de uísque.

Ele pareceu sentir que ela o estava julgando.

— É minha terceira dose só. Quarta, talvez. É noite de quiz. Você sabe que eu fico nervoso quando ataco de mestre de cerimônias. E me ajuda a ser engraçado. Eu fui engraçado, não fui?

— Foi. Muito engraçado. Totalmente hilário.

Dan ficou sério, de repente.

— Vi você conversando com a Erin. O que ela falou?

Nora não sabia ao certo qual seria a melhor forma de responder a essa pergunta.

— Ah, nada de mais. O de sempre. Você conhece a Erin.

— O de sempre? Eu não sabia que vocês já tinham se falado antes.

— Quer dizer, o de sempre que qualquer pessoa fala. Não o que a Erin diz sempre.

— Como o Will está?

— Hmm, muito bem — arriscou Nora. — Ele mandou lembranças.

Dan arregalou os olhos, surpreso.

— Sério?

Nora não tinha a menor ideia do que dizer. Talvez Will fosse um bebê. Talvez Will estivesse em coma.

— Foi mal, não, ele não mandou lembranças. Desculpa, eu não sei o que estou dizendo. Enfim, eu vou... vou lá pegar o quadro.

Ela colocou o gato no chão e se dirigiu para fora de novo. Desta vez, reparou em algo que não tinha notado quando entrou.

Um artigo do *Oxford Times*, emoldurado, com uma foto de Nora e Dan em frente ao Três Ferraduras. Dan estava com o braço apoiado nos ombros dela. Usava um terno que Nora nunca tinha visto, e ela, um vestido chique que nunca teria usado (raramente botava um vestido) em sua vida original.

DONOS DE PUB TRANSFORMAM
SONHO EM REALIDADE

Eles tinham, de acordo com a matéria, comprado o pub por uma bagatela, e em péssimo estado de conservação, e depois reformado com a ajuda de uma herança modesta (Dan), de suas economias e de empréstimos bancários. O artigo exibia uma história de sucesso, mas era de dois anos atrás.

Ela botou o pé na rua, se perguntando se seria possível julgar uma vida com base em apenas alguns minutos pós-meia-noite de uma terça-feira. Ou talvez só isso já fosse suficiente.

O vento ficou mais forte. Agigantando-se naquela rua tranquila de vilarejo, as rajadas empurraram o quadro pela calçada e quase o derrubaram. Antes de levantá-lo, Nora sentiu a vibração de um celular no bolso.

Não tinha se dado conta da presença dele ali. Nora o tirou do bolso. Uma mensagem de texto de Izzy.

Ela notou que a tela de fundo do celular era uma foto dela e de Dan, em algum lugar quente.

Desbloqueou o telefone usando reconhecimento facial e visualizou a mensagem. Era uma foto de uma baleia irrompendo do oceano, a espuma branca respingando no ar como um jato de champanhe. Era uma foto maravilhosa e Nora sorriu só de vê-la.

Izzy estava digitando.

Uma outra mensagem apareceu:

Essa é uma das fotos que eu tirei do navio ontem.

E outra:

Mamãe jubarte

Em seguida, outra foto: agora duas baleias, as corcovas rompendo a água.

Com filhote

A última mensagem também incluía emojis de baleias e ondas.

Aquilo aqueceu o coração de Nora. Não só por causa das fotos, sem dúvida maravilhosas, mas pelo contato com Izzy.

Quando Nora desistiu do casamento com Dan, Izzy havia insistido que fossem juntas para a Austrália.

As duas tinham organizado todos os detalhes, feito planos de morar em Byron Bay e de conseguir emprego num dos cruzeiros de observação de baleias.

As duas haviam compartilhado entre si vários vídeos de baleias jubarte, na expectativa daquela nova aventura. Mas, então, Nora hesitou e acabou desistindo. Assim como tinha desistido da carreira na natação, e da banda, e do casamento. Mas, diferentemente dessas outras coisas, daquela vez não houve um *motivo*. Sim, ela estava trabalhando na Teoria das Cordas e, sim, sentia a necessidade de cuidar do túmulo dos pais, mas sabia que continuar em Bedford era a pior opção. E, mesmo assim, foi essa a opção que escolheu. Por causa de uma estranha e crescente sensação de que sentiria falta da sua cidade, aliada a uma depressão que lhe dizia que, em última análise, ela não *merecia* ser feliz. Que ela havia magoado Dan e que uma vida de chuva e depressão em sua cidade natal era seu castigo, e ela não tinha disposição nem cabeça nem, raios, *energia* para fazer nada.

Então o que aconteceu foi que ela trocou a melhor amiga por um gato.

Em sua vida real, ela não tinha brigado com Izzy. Nem nada tão dramático assim. Mas, depois que Izzy foi para a Austrália, as coisas haviam enfraquecido entre elas até que a amizade se transformou num rastro de vapor de curtidas esporádicas no Facebook e no Instagram, além de mensagens de feliz aniversário recheadas de emojis.

Nora leu as conversas por texto antigas entre Izzy e ela, e se deu conta de que, embora mais de 15 mil quilômetros as separassem, tinham uma relação muito melhor nesta versão das coisas.

Quando entrou de novo no pub, desta vez carregando o quadro, não havia sinal de Dan, então ela trancou a porta dos fundos e esperou um pouco, no hall de entrada, tentando descobrir onde ficava a escada, e sem saber ao certo se queria mesmo seguir o "meio que marido" inebriado até o quarto deles no andar de cima.

Ela encontrou a escada nos fundos, depois de passar por uma porta que dizia *Acesso Restrito a Funcionários*. Assim que pisou no tapete bege de ráfia que se estendia até os degraus, logo depois do cartaz emoldurado de *Coisas que você aprende no escuro* — um de seus filmes favoritos de Ryan Bailey, ao qual haviam assistido juntos no Odeon de Bedford —, ela notou uma fotografia menor em um peitoril de janela pequeno e charmoso.

Era uma foto do casamento deles. Preto e branco, tipo foto de jornal. Os dois saindo de uma igreja sob uma chuva de pétalas. Era difícil ver o rosto deles direito, mas ambos estavam rindo, um riso cúmplice, e pareciam — até onde uma foto é capaz de dizer alguma coisa — apaixonados. Ela se lembrou dos comentários que a mãe tinha feito sobre Dan. ("Ele é um bom rapaz. Você tem tanta sorte. Não o deixe escapar.")

Viu também o irmão Joe, com a cabeça raspada e aparentando uma felicidade genuína. Tinha uma taça de champanhe na mão e estava ao lado de Lewis, o desastrado banqueiro de investimentos que foi seu namorado por muito pouco tempo. Izzy estava lá, e Ravi também, parecendo mais um contador que um baterista, ao lado de uma mulher de óculos que Nora nunca tinha visto.

Nora achou o quarto enquanto Dan estava no banheiro. Embora fosse evidente que eles tinham preocupações financeiras — a visita tensa ao banco confirmava isso —, não haviam economizado na hora de decorar o cômodo. Persianas com controle remoto. Uma cama larga e de aparência bem confortável. O edredom branquinho, limpinho e cheiroso.

Havia livros em ambos os lados da cama. Em sua vida real, fazia pelo menos seis meses que não havia um livro sequer na mesinha de cabeceira. Ela não tinha lido *nada* em seis meses. Talvez nesta vida ela tivesse uma maior capacidade de concentração.

Pegou um dos livros, *Meditação para iniciantes*. Embaixo dele estava um exemplar da biografia de seu filósofo preferido, Henry David Thoreau. Também havia livros na mesinha do lado do Dan. O último que ela se lembrava de tê-lo visto lendo foi a biografia de Toulouse-Lautrec — *O pequeno gigante* —, mas, nesta vida, ele lia um livro de negócios intitulado *De zero à esquerda a herói: Como ser bem-sucedido no trabalho, no jogo e na vida* e a última edição do *The Good Pub Guide*.

Nora se sentia diferente no próprio corpo. Um pouco mais saudável, um pouco mais forte, mas tensa. Deu tapinhas na barriga e se deu conta de que, nesta vida, ela malhava um pouco mais. Sentia que o cabelo também parecia diferente. Na frente havia uma franja pesada, e — ao passar os dedos pelos fios — deu para perceber que o cabelo era mais comprido atrás. Sua mente estava um tanto anuviada. Ela devia ter tomado pelo menos duas taças de vinho.

Um instante depois, ouviu o som da descarga. Em seguida, de gargarejo. Um pouco mais barulhento que o necessário, parecia.

— Você está bem? — perguntou Dan, quando voltou para o quarto.

A voz dele, Nora percebeu, não era como ela se lembrava. Era mais vazia. Um pouco mais fria. Talvez fosse o cansaço. Talvez o estresse. Talvez a cerveja. Talvez o casamento.

Talvez fosse alguma outra coisa.

Era difícil lembrar, exatamente, como tinha sido o som da voz dele antes. Como ele mesmo tinha sido, precisamente. Mas assim era a natureza da memória. Na faculdade, ela havia escrito um texto ao qual dera o título sucinto de *Os princípios da memória hobbesiana e da imaginação*. Thomas Hobbes considerava a memória e a imaginação quase a mesma coisa, e, desde que descobriu isso, Nora nunca mais teve total confiança em suas lembranças.

Do outro lado da janela, o brilho amarelo da lâmpada do poste iluminava a desolada rua de vilarejo.

— Nora? Você está estranha. Por que continua aí parada no meio do quarto? Está se preparando para deitar ou fazendo algum tipo de meditação de pé?

Dan riu, se achando engraçado.

Ele foi até a janela e fechou as cortinas. Depois, tirou a calça jeans e a colocou no encosto de uma cadeira. Nora ficou olhando fixamente para ele e tentou sentir a atração que um dia tinha sentido com tanta intensidade. O que pareceu exigir dela um esforço hercúleo. Ela não esperava por isso.

A vida de cada pessoa poderia ter tido infinitos desfechos.

Ele se jogou na cama, uma baleia mergulhando no mar. Pegou o *De zero à esquerda a herói*. Tentou se concentrar. Largou o livro. Pegou um laptop ao lado da cama, enfiou um fone no ouvido. Talvez fosse ouvir um podcast.

— Eu só estou pensando numa coisa.

Nora começou a se sentir fraca. Como se só metade de si estivesse ali. Ela se lembrou da explicação da Sra. Elm sobre como a decepção de uma expectativa frustrada em uma vida a levaria de volta à biblioteca. Ela se deu conta de que seria totalmente estranho dividir a cama com um homem que não tinha visto nos últimos dois anos.

Ela viu a hora no relógio digital. 00:23.

Ainda com o fone no ouvido, Dan olhou para ela outra vez.

— Aí, se você não quer transar hoje, é só dizer, tá?

— O quê?

— Quer dizer, eu sei que a gente vai ter que esperar mais um mês até você ovular de novo...

— A gente está tentando engravidar? Eu quero um bebê?

— Nora, qual é o problema? Por que está tão esquisita hoje?

Ela tirou os sapatos.

— Não estou esquisita.

Uma lembrança lhe veio à mente, associada à camisa de malha do *Tubarão*. Na verdade, o que lhe veio à mente foi uma música: "Beautiful Sky".

O dia em que ela havia comprado a camisa do *Tubarão* para o Dan fora o dia em que tinha tocado para ele uma música que criara para os Labyrinths: "Beautiful Sky". Era, estava convencida, a melhor música que já havia composto. E — mais do que isso — era uma música alegre, para refletir seu otimismo naquele momento de sua vida. Uma canção inspirada em sua nova vida com Dan. E ele a tinha escutado com uma indiferença que a magoara na época, e que ela teria confrontado, se não tivesse sido no aniversário dele.

— É — dissera ele. — É legalzinha.

Ela se perguntou por que aquela memória havia ficado enterrada e ressurgido agora, como o grande tubarão branco na camisa desbotada.

Outras coisas vinham agora à sua cabeça também. A reação exagerada dele quando ela havia lhe contado sobre um cliente da loja — Ash, o cirurgião e músico amador que ia de vez em quando à Teoria das Cordas para comprar partituras —, que casualmente perguntou se ela queria sair para tomar um café algum dia.

(— *Óbvio que eu disse que não. Para de gritar.*)

Pior ainda foi quando o responsável pelo Departamento de Artistas e Repertório de um importante selo (ou melhor, um antigo "selo-butique" indie, tendo a Universal por trás) quis assinar com os Labyrinths. Dan tinha dito a ela que achava improvável que os dois fossem sobreviver como casal. Ele também tinha ouvido uma história horrorosa de um amigo de faculdade cuja banda fechou contrato com uma gravadora que acabou tirando tudo deles, e todos viraram alcoólatras desempregados, ou algo do gênero.

— Eu poderia levar você comigo — dissera ela na época. — Vou colocar isso no contrato. A gente pode ir junto pra todo canto.

— Foi mal, Nora, mas esse é o *seu* sonho. Não o meu.

O que magoava ainda mais, pensando retrospectivamente, era saber o quanto — antes do casamento — ela havia tentado transformar o sonho dele de um pub no campo em Oxfordshire em seu também.

Dan sempre tinha dito que sua preocupação era com Nora: ela vinha tendo ataques de pânico enquanto estava na banda, principalmente quando chegava perto do palco. Mas, pensando bem, aquela preocupação havia sido no mínimo um tanto manipuladora.

— Eu achei que você estivesse começando a confiar em mim de novo — dizia ele agora.

— Confiar em você? Dan, por que eu não confiaria em você?

— Você sabe por quê.

— Sei — mentiu ela. — Só quero ouvir de você.

— Ué, desde o lance com a Erin.

Ela ficou olhando para o Dan como se ele fosse uma mancha de Rorschach na qual ela não conseguia ver nenhuma forma distinta.

— Erin? A que falou comigo mais cedo?

— Será que eu vou ser castigado para sempre por um deslize idiota que dei quando estava bêbado?

Na rua lá fora, o vento ganhava ainda mais força, uivando entre as árvores como se tentasse falar.

Esta era a vida pela qual ela havia ficado se remoendo. Esta era a vida que ela havia se recriminado por não viver. Era nesta linha do tempo que ela achava que tinha se arrependido por não existir.

— Um deslize idiota? — ecoou ela.

— Tá, dois.

Estava se multiplicando.

— Dois?

— Eu estava estressado. Você sabe, a pressão. Deste lugar. E eu estava muito bêbado.

— Você transou com outra mulher! E, pelo jeito, não está se esforçando muito para... se redimir.

— Sério, por que voltamos a esse assunto? A gente já passou por isso. Lembra do que o psicólogo disse. Sobre focar no ponto aonde a gente quer chegar, em vez de no ponto onde a gente já esteve.

— Já passou pela sua cabeça que talvez a gente não tenha sido feito um para o outro?

— O quê?

— Eu te amo, Dan. E às vezes você é uma pessoa muito legal. E você foi muito bom com a minha mãe. E a gente tinha... Quer dizer, a gente *tem* conversas ótimas. Mas, de vez em quando, você não sente que a gente passou do ponto onde deveria estar? Que a gente mudou?

Ela se sentou na beirada da cama. No canto mais afastado dele.

— Em algum momento, você se sente um homem de sorte por eu estar na sua vida? Tem alguma noção de como cheguei perto de te deixar, dois dias antes do casamento? Tem ideia de como você teria ficado arrasado se eu não tivesse aparecido na igreja?

— Uau! Isso é sério? Você se tem em alta conta mesmo, Nora.

— E não deveria ser assim? Quer dizer, todo mundo não deveria se ter em alta conta? O que tem de errado com o amor-próprio? E, além do mais, é verdade. Em outro universo, você fica me mandando mensagens de WhatsApp dizendo que está arrasado sem mim. Que se entregou à bebida; mas, pelo jeito, você se entrega à bebida *comigo* também. Você me manda mensagens dizendo que sente falta de ouvir minha voz.

Ele fez um ruído de desprezo, algo entre uma risada e um grunhido.

— Bom, nesse exato instante, eu não estou sentindo a menor falta de ouvir sua voz.

Ela não conseguiu ir além dos sapatos. Estava achando difícil — talvez impossível — tirar outra peça de roupa na frente dele.

— E para de implicar com a minha bebida.

— Se você está usando a bebida como desculpa para trepar com outra mulher, eu posso implicar com ela, sim.

— Eu sou dono de um pub no campo — zombou Dan. — É o que fazem os donos de pub no campo. São joviais e alegres e dispostos a experimentar as muitas e mais variadas bebidas que vendem. Caramba!

Desde quando ele fala assim? Será que sempre falou assim?

— Puta merda, Dan.

Ele nem parecia incomodado. Nem, de maneira alguma, grato pelo universo em que vivia. O universo pelo qual Nora tinha se sentido tão culpada ao não permitir que se materializasse. Dan esticou o braço para pegar o celular, ainda com o laptop no edredom. Nora ficou olhando para ele rolando a tela do aparelho.

— Era isto que você imaginava? Isto aqui é seu sonho se realizando?

— Nora, a gente não vai ter essa conversa séria agora. Só vem pra porra da cama.

— Você é feliz, Dan?

— Ninguém é feliz, Nora.

— Algumas pessoas são. Você era. E ficava todo animado quando falava nisto aqui. Sabe, no pub. Antes de ter o pub. Esta é a vida dos seus sonhos. Você me queria e queria *isto,* e, mesmo assim, foi infiel, e bebe que nem um gambá, e acho que você só me dá valor quando não tem a mim, o que não é uma coisa muito legal da sua parte. E quanto aos *meus* sonhos?

Ele não estava mais prestando muita atenção. Ou tentava parecer que não estava.

— Grandes incêndios na Califórnia — disse ele, quase para si mesmo.

— Pelo menos a gente não está lá.

Ele largou o celular. Fechou o laptop.

— Você vem pra cama ou não?

Ela havia se encolhido por Dan, mas ele ainda não tinha encontrado o espaço de que precisava. Hora de dar um basta nisso.

— Icoságono — disse ela.

— O quê?

— O quiz. Mais cedo. O polígono de vinte lados. Então, um polígono de vinte lados é chamado de icoságono. Eu sabia a resposta, mas não disse nada porque não queria que você zombasse de mim. E agora não dou a mínima porque acho que o fato de eu saber algumas coisas que você não sabe não deveria te incomodar. E, sabe do que mais, eu vou ao banheiro.

Com isso ela virou as costas para Dan, que ficou boquiaberto, e saiu do quarto pisando leve no chão de largas tábuas corridas.

Ela chegou ao banheiro. Acendeu a luz. Sentiu um formigamento nos braços, nas pernas e no tronco. Como eletrostática tentando sintonizar em uma estação. Ela estava sumindo aos poucos, tinha certeza. Não restava muito tempo ali. A decepção dessa expectativa frustrada já era total e absoluta.

O banheiro era incrível. E havia um espelho na parede. Ela ficou perplexa ao ver seu reflexo. Parecia mais saudável, mas também mais velha. O cabelo a fazia parecer outra pessoa.

Essa não era a vida que imaginava que seria.

Então, Nora falou para sua versão no espelho: "Boa sorte."

E, um segundo depois, estava de volta em algum lugar dentro da Biblioteca da Meia-Noite. A Sra. Elm a encarava de uma pequena distância, com um sorriso curioso.

— E aí, como foi?

A penúltima atualização de status que Nora havia postado antes de se ver entre a vida e a morte

Você já se perguntou alguma vez "como eu vim parar aqui?". Tipo, você está no meio de um labirinto, e totalmente perdida, e é tudo culpa sua, porque foi você quem pegou cada um dos desvios? E você sabe que existem muitos caminhos que poderiam ter te ajudado a sair, porque você ouve todas as pessoas do lado de fora do labirinto que conseguiram passar por ele, e elas estão sorrindo e gargalhando. E, às vezes, você as vê de relance através das cercas vivas. Uma silhueta fugaz entre as folhas. E elas parecem tão felizes por terem saído, e você não se ressente delas, mas de si mesma, por não ter a mesma capacidade que elas tiveram em achar a saída? Já? Ou esse labirinto é só pra mim?

P.S.: Meu gato morreu.

O tabuleiro de xadrez

As prateleiras da Biblioteca da Meia-Noite estavam imóveis de novo, como se seu deslocamento jamais tivesse sido sequer uma possibilidade.

Nora teve a sensação de que elas estavam em outra seção da biblioteca agora — não tanto num outro ambiente, pois parecia haver apenas um único ambiente infinitamente vasto. Era difícil dizer se, de fato, estava em uma parte diferente da biblioteca, já que os livros continuavam verdes, embora ela parecesse mais perto de um corredor do que onde havia estado antes. E dali conseguia ter um vislumbre de algo novo através de uma das estantes — uma mesa com um computador, como se fosse uma sala de trabalho improvisada, sem divisórias, posicionada entre os corredores.

A Sra. Elm não estava à mesa de trabalho, e sim sentada a uma mesinha baixa de madeira, bem ali diante de Nora, jogando xadrez.

— Foi diferente do que eu imaginava — disse Nora.

A Sra. Elm parecia estar na metade de uma partida.

— É difícil prever, né? — perguntou ela, olhando de forma inexpressiva à frente ao mover um bispo preto pelo tabuleiro para comer um peão branco.

— As coisas que vão nos fazer felizes.

A Sra. Elm girou o tabuleiro 180 graus. Ela estava, ao que parecia, jogando contra si mesma.

— É — admitiu Nora. — É, sim. Mas o que acontece com ela? *Comigo?* Como a história dela termina?

— Como é que eu vou saber? Só conheço o hoje. Sei muito sobre o hoje. Mas não sei o que acontece amanhã.

— Mas ela vai estar no banheiro, sem saber como chegou lá.

— E você nunca entrou num cômodo e se perguntou o que foi fazer ali? Nunca esqueceu algo que acabou de fazer? Nunca apagou da mente algo que ia fazer, ou se confundiu?

— Já, mas eu fiquei meia hora naquela vida.

— E aquela "outra você" não vai saber disso. Ela vai se lembrar do que você acabou de fazer e dizer. Mas como se ela mesma tivesse feito e dito.

Nora exalou ruidosamente.

— O Dan não era assim.

— As pessoas mudam — disse a Sra. Elm, ainda olhando para o tabuleiro de xadrez. Sua mão pairava sobre um bispo.

Nora repensou.

— Ou talvez ele já fosse assim e eu só não enxergava.

— Então — começou a Sra. Elm, encarando Nora. — O que você está sentindo *agora*?

— Como se ainda quisesse morrer. Faz tempo que venho querendo morrer. Já concluí por A mais B que minha dor de viver como a porra do desastre que eu sou é maior do que a dor que qualquer pessoa sentiria se eu morresse. Tenho certeza de que seria um alívio, na verdade. Não tenho utilidade para ninguém. Eu era péssima no trabalho. Deixei todo mundo na mão. Sou um desperdício de pegada de carbono, honestamente. Eu magoo as pessoas. Não tenho mais ninguém. Nem meu pobre e velho Volts, que morreu porque não consegui cuidar de um gato direito. Eu quero morrer. Minha vida é um desastre. E quero que acabe. Não fui feita para viver. E não faz o menor sentido eu passar por tudo isso. Porque é óbvio que meu destino é ser infeliz em outras vidas também. Essa sou eu. Não agrego nada. Estou chafurdando em autopiedade. Eu preciso da morte.

A Sra. Elm estudou Nora com atenção, como se estivesse lendo um trecho de um livro que já havia lido antes, mas descoberto agora que continha um novo significado.

— Precisar — disse ela, num tom de voz comedido — é uma palavra interessante. Implica estar carente de algo. Às vezes, se suprimos essa carência com outra coisa, a sensação original de precisar de algo desaparece completamente. Talvez seu problema seja a carência de alguma coisa, e não você estar precisando de algo. Talvez exista uma vida que você precise muito viver.

— Eu achei que era essa. A vida com o Dan. Mas não era.

— Não, não era. Mas essa é apenas uma de suas vidas possíveis. E 1 sobre infinito é realmente uma fração bem pequena.

— Cada vida que eu poderia viver tem a mim dentro dela. Então não é, na verdade, cada vida possível.

A Sra. Elm não estava prestando atenção.

— Agora, me diga... para onde quer ir em seguida?

— Lugar nenhum, por favor.

— Precisa dar mais uma olhada no *Livro dos arrependimentos*?

Nora torceu o nariz e balançou negativamente a cabeça. Ela se lembrava da sensação de se sentir sufocada por tantos arrependimentos.

— Não.

— E quanto a seu gato? Como era mesmo o nome dele?

— Voltaire. Era um nome um pouco pretensioso, e ele não era exatamente um gato pretensioso, então eu só o chamava de Volts, para abreviar. Às vezes Voltsy, quando estava animadinha. O que era raro, óbvio. Eu não conseguia nem me decidir sobre o nome de um gato.

— Você disse que era péssima como dona de gato. O que teria feito diferente?

Nora pensou. Tinha a nítida sensação de que a Sra. Elm estava fazendo algum tipo de jogo com ela, mas também queria rever seu gato, e não simplesmente um gato com o mesmo nome. Na verdade, ela queria aquilo mais que qualquer coisa.

— Tá. Quero ver a vida onde eu deixava Voltaire dentro de casa. *Meu* Voltaire. A vida onde não tentei me matar, e onde eu era uma boa dona de gato e não deixei Voltaire sair pra rua ontem à noite. Eu quero essa vida, só por um tempinho. Essa vida existe, não existe?

A única maneira de aprender é vivendo

Nora olhou em volta e se viu deitada na própria cama.

Verificou o relógio no pulso. Passava um minuto da meia-noite. Ela acendeu a luz. Esta era sua vida *exata*, mas ia ser melhor porque Voltaire estaria vivo nesta aqui. Seu Voltaire de verdade.

Mas onde ele estava?

— Volts?

Ela se levantou da cama.

— Volts?

Ela procurou em todo o apartamento e não conseguiu encontrá-lo em lugar nenhum. A chuva tamborilava nas vidraças — aquilo não havia mudado. Sua nova caixa de antidepressivos estava na bancada da cozinha. O teclado permanecia encostado à parede, silencioso.

— Voltsy?

Lá estavam sua muda de yucca e os três pequenos cactos em vasos, suas estantes, com exatamente a mesma combinação de livros de filosofia, romances, manuais de ioga que nunca nem abriu, biografias de astros do rock e obras de divulgação científica. Uma *National Geographic* antiga, com um tubarão na capa, e uma edição da *Elle* de cinco meses atrás, que ela havia comprado só por causa da entrevista com Ryan Bailey. Nenhuma aquisição mais recente.

Havia uma tigela ainda cheia de ração de gato.

Ela procurou por toda parte, chamando o nome dele. Foi só quando voltou ao quarto e olhou debaixo da cama que o viu.

— Volts!

O gato não se mexia.

Como seus braços não eram compridos o suficiente para alcançá-lo, ela empurrou a cama.

— Voltsy. Venha, Voltsy — sussurrou ela.

Mas, assim que encostou no corpo gelado, ela soube, e foi invadida por uma onda de tristeza e confusão. Então se viu imediatamente de volta à Biblioteca da Meia-Noite, encarando a Sra. Elm, que dessa vez estava sentada em uma poltrona confortável, extremamente absorta em um dos livros.

— Eu não entendo — disse Nora.

A Sra. Elm manteve os olhos fixos na página que lia.

— Haverá muitas coisas que você não entenderá.

— Eu pedi pela vida onde Voltaire ainda estava vivo.

— Na verdade, não foi isso que você pediu.

— O quê?

Ela baixou o livro.

— Você pediu pela vida onde deixava Voltaire dentro de casa. Isso é totalmente diferente.

— É?

— É. Totalmente. Veja bem, se você tivesse pedido pela vida onde ele ainda estava vivo, eu precisaria ter negado.

— Mas por quê?

— Porque ela não existe.

— Achei que todas as vidas existissem.

— Todas as vidas *possíveis*. Veja bem, acontece que Voltaire tinha um sério caso de — ela consultou cuidadosamente o livro — *cardiomiopatia restritiva*, um caso grave da doença, com a qual ele nasceu, e que estava destinada a fazer o coração dele parar de funcionar ainda com pouca idade.

— Mas ele foi atropelado por um carro.

— Há uma diferença, Nora, entre morrer na rua e ser atropelado por um carro. Na sua vida raiz, Voltaire viveu mais do que em quase qualquer outra vida, tirando a que você acabou de encontrar, onde ele morreu apenas três horas atrás. Embora os primeiros anos dele tenham sido muito difíceis, o ano que passou com você foi o melhor da vida dele. Voltaire teve vidas bem piores, acredite.

— Você nem sabia o nome dele um segundo atrás. Agora sabe até que ele tinha cardio-sei-lá-o-quê?

— Eu sabia o nome dele. E não foi há um segundo. Foi neste segundo, verifique seu relógio.

— Por que você mentiu?

— Eu não estava mentindo. Perguntei a você qual era o nome do seu gato. Nunca disse que não sabia qual era. Entende a diferença? Eu só queria que você dissesse o nome dele, para que sentisse alguma coisa.

Nora estava fumegando agora.

— Isso é pior ainda! Você me mandou para aquela vida *sabendo* que Volts estaria morto. E Volts *estava* morto. Então nada mudou.

Os olhos da Sra. Elm cintilaram de novo.

— Tirando você.

— Como assim?

— Você não se vê mais como uma péssima dona de gato. Você cuidou do Voltaire da melhor forma possível e imaginável. Ele a amava tanto quanto você o amava, e talvez ele não quisesse que você o visse morrer. Veja bem, gatos *sabem*. Eles percebem quando o tempo deles chega ao fim. Ele saiu de casa *porque* ia morrer, e sabia disso.

Nora tentou assimilar aquilo. Pensando bem, não tinha havido nenhum sinal de ferimento externo no corpo do seu gato. Ela só havia chegado à mesma conclusão precipitada que Ash. A de que um gato morto na rua provavelmente estava morto *por causa* da rua. E, se um cirurgião podia pensar aquilo, uma leiga pensaria também. Dois mais dois é igual a acidente de carro.

— Pobre Volts — murmurou Nora, com pesar.

A Sra. Elm sorriu, como uma professora que via uma lição sendo compreendida.

— Ele a amava, Nora. Você cuidou dele tão bem quanto qualquer um poderia cuidar. Vá e consulte a última página do *Livro dos arrependimentos*.

Nora viu que o livro estava no chão. Ela se ajoelhou ao lado do exemplar.

— Eu não quero abrir este livro de novo.

— Não se preocupe. Será mais seguro desta vez. Apenas se atenha à última página.

Depois de ir para a última página, ela viu um de seus últimos arrependimentos — *Não consegui tomar conta de Voltaire direito* — sumir lentamente do papel. As letras desaparecerem como pessoas desconhecidas se retirando no meio de um nevoeiro.

Nora fechou o livro antes que pudesse sentir alguma coisa ruim acontecer.

— Viu? Às vezes, os arrependimentos não são baseados em fatos. Às vezes, os arrependimentos são apenas... — Ela procurou a expressão apropriada e a encontrou. — O maior *papo-furado*.

Nora tentou resgatar na memória seu tempo de escola, para lembrar se a Sra. Elm havia usado a expressão "papo-furado" antes, e tinha quase certeza de que não.

— Mas ainda não entendo por que você me deixou entrar naquela vida se sabia que Volts estaria morto de qualquer jeito? Você podia ter me contado. Poderia só ter me dito que eu não era uma péssima dona de gato. Por que não fez isso?

— Porque, Nora, às vezes, a única maneira de aprender é *vivendo*.

— Parece difícil.

— Sente-se — convidou a Sra. Elm. — Num assento de verdade. Não está certo você, aí, ajoelhada no chão.

E Nora se virou e viu uma poltrona atrás dela, que não havia notado antes. Era uma poltrona antiga — de mogno e couro com botões, eduardiana talvez — com um suporte para livros em bronze acoplado a um dos braços.

— Permita-se fazer uma pausa por um instante.

Nora se sentou.

Ela olhou para o relógio no pulso. Não importava o tamanho da pausa que ela fizesse, continuava sendo meia-noite.

— Ainda não gosto disso. Uma vida de tristeza já foi o suficiente. Qual é o sentido de arriscar mais vidas assim?

— Tudo bem. — A Sra. Elm deu de ombros.
— O quê?
— Não vamos fazer nada, então. Você pode simplesmente continuar aqui na biblioteca, com todas essas vidas à espera nas prateleiras, e não escolher nenhuma.

Nora sentiu que a Sra. Elm estava tramando alguma coisa. Mas fez o jogo dela.

— Tudo bem.

Então Nora só ficou ali parada enquanto a Sra. Elm pegou o livro de novo.

Parecia injusto aos olhos de Nora que a Sra. Elm pudesse ler as vidas sem entrar nelas.

O tempo passou.

Embora, tecnicamente, óbvio, não tenha passado.

Nora poderia ter continuado ali para sempre, sem nunca sentir fome nem sede nem cansaço. Mas podia, ao que parecia, ficar entediada.

Conforme o tempo seguia parado, a curiosidade de Nora sobre as vidas ao redor dela crescia aos poucos. Provou-se quase impossível ficar em uma biblioteca e não querer tirar coisas das prateleiras.

— Por que você não pode só me dar uma vida que sabe que é uma vida boa? — perguntou ela, de repente.

— Não é assim que esta biblioteca funciona.

Nora tinha outra pergunta.

— Com certeza, na maioria das vidas eu vou estar dormindo agora, não vou?

— Em muitas, sim.

— O que acontece, então?

— Você dorme. E acorda naquela vida. Não há nada com o que se preocupar. Mas, se está nervosa, pode tentar uma vida onde seja outra hora.

— Como assim?

— Não está de noite em todos os lugares, está?

— O quê?

— Há uma quantidade *infinita* de universos possíveis nos quais você vive. Está mesmo querendo dizer que eles todos existem no Horário de Greenwich?
— Óbvio que não — respondeu Nora. Ela se deu conta de que estava prestes a ceder à pressão e escolher outra vida. Lembrou das baleias jubarte. Lembrou da mensagem sem resposta. — Eu queria ter ido para a Austrália com a Izzy. Gostaria de experimentar essa vida.
— Uma ótima escolha.
— O quê? É uma vida muito boa, então?
— Ah, não. Não foi isso que eu disse. Apenas sinto que você pode estar pegando o jeito na hora de fazer suas *escolhas*.
— Então é uma vida ruim?
— Também não foi isso que eu disse.

As prateleiras entraram em movimento de novo e pararam alguns segundos depois.
— Ah, sim, aí está — disse a Sra. Elm, pegando um livro da segunda prateleira de baixo para cima. Ela o reconheceu de imediato, o que foi estranho, já que parecia ser quase idêntico aos demais.

Ela o entregou a Nora, de modo afetuoso, como se fosse um presente de aniversário.
— Pronto. Você sabe o que fazer.

Nora hesitou.
— E se eu estiver morta?
— Perdão?
— Quer dizer, em outra vida. Deve haver outras vidas nas quais morri antes de hoje.

A Sra. Elm pareceu intrigada.
— Não é isso o que você queria?
— É, mas...
— Sim, você morreu uma quantidade infinita de vezes antes de hoje. Acidente de carro, overdose, afogamento, intoxicação alimentar, engasgada com uma maçã, engasgada com um cookie, engasgada com um cachorro-quente vegano, engasgada com um cachorro-quente não vegano, de cada

doença possível de desenvolver ou contrair... Você morreu de toda maneira viável, a qualquer hora imaginável.

— Então eu poderia abrir um livro e simplesmente morrer?

— Não. Não instantaneamente. Assim como no caso do Voltaire, as únicas vidas disponíveis aqui são, bem, *vidas*. Quer dizer, você poderia *morrer* naquela vida, mas não teria morrido *antes* de entrar nela, porque esta Biblioteca da Meia-Noite não é uma biblioteca de fantasmas. Não é uma biblioteca de cadáveres. É uma biblioteca de possibilidades. E a morte é o oposto da possibilidade. Entende?

— Acho que sim.

E Nora olhou para o livro que tinha recebido. Verde-pinheiro. De textura macia, de novo gravado com aquele título genérico e frustrantemente sem sentido: **Minha vida**.

Ela o abriu e viu uma página em branco, então passou para a página seguinte e se perguntou o que aconteceria daquela vez. **A piscina estava um pouco mais cheia de gente que o normal...**

E então ela estava lá.

Fogo

Ela arquejou. As sensações foram repentinas. O barulho e a água. O engasgo por estar com a boca aberta. O cheiro forte de água salgada.

Ela tentou pisar no fundo da piscina, mas não dava pé, então, rapidamente, começou a nadar peito.

Uma piscina, mas de água salgada. Ao ar livre, junto ao oceano. Aparentemente, talhada na rocha que se projetava da costa. Dava para ver o mar logo além da piscina. Fazia sol. A água estava gelada, mas, considerando o calor do ar, o frio era bem-vindo.

Houve uma época em que Nora tinha sido a melhor nadadora de 14 anos de Bedfordshire.

Ela havia vencido duas provas, em sua categoria, no Campeonato Nacional de Natação Juvenil. Quatrocentos metros, nado livre. Duzentos metros, nado livre. Seu pai a havia levado de carro à piscina da cidade todos os dias. Às vezes antes da escola, além de depois. Mas, então — enquanto o irmão arrasava na guitarra tocando Nirvana —, ela trocou braçadas por escalas e aprendeu sozinha a tocar não apenas Chopin, mas clássicos como "Let It Be" e "Rainy Days And Mondays". Também começou, antes que os Labyrinths tivessem chegado sequer a surgir como ideia na cabeça do irmão, a compor as próprias músicas.

Mas não tinha parado de nadar completamente, apenas abandonado a pressão que havia em torno do esporte.

Ela alcançou a borda lateral da piscina. Parou e olhou em volta. Dava para ver uma praia num nível mais abaixo, a distância, curvada em semicírculo para receber a carícia do mar em suas areias. Para além da praia, em terra firme, uma faixa de grama. Um parque completo, com palmeiras e passeadores de cães ao longe.

Mais além, casas e condomínios de prédios baixos, e tráfego deslizando por uma estrada costeira. Ela havia visto fotos de Byron Bay, e não era bem assim. Esse lugar, onde quer que fosse, parecia um pouco mais povoado e desenvolvido. Ainda um paraíso para surfistas, mas também urbano.

Ao voltar de novo a atenção para a piscina, notou um homem sorrindo para ela enquanto ajeitava os óculos de natação. Será que conhecia este homem? Ela receberia bem este sorriso nesta vida? Como não tinha a menor ideia, retribuiu com um pequeno sorriso educado. Ela se sentiu como uma turista não familiarizada com a moeda local, sem saber quanto dar de gorjeta.

Logo depois, uma mulher idosa, com touca de natação, sorriu para ela ao nadar em sua direção.

— Bom dia, Nora — cumprimentou ela, sem interromper as braçadas.

Era uma saudação que sugeria que Nora era frequentadora assídua dali.

— Bom dia — disse Nora.

Ela dirigiu o olhar para o oceano, para evitar qualquer conversa esquisita. Alguns surfistas madrugadores, pequenos pontos no horizonte, remavam em suas pranchas ao encontro de grandes ondas azul-safira.

Este parecia um começo promissor da sua vida australiana. Ela olhou o relógio. Era um modelo simples da Casio na cor laranja-fluorescente. Um relógio de aparência alegre, prenúncio, torcia ela, de uma vida alegre. Passava pouco das nove da manhã aqui. Ao lado do relógio havia uma pulseira de plástico com uma chave pendurada.

Então aquele era seu ritual matinal. Em uma piscina ao ar livre, junto a uma praia. Ela se perguntou se estaria sozinha ali. Esquadrinhou a piscina na esperança de ver algum sinal de Izzy, mas não viu nenhum.

Então nadou um pouco mais.

O que um dia ela havia amado na natação era conseguir desaparecer. Na água, seu foco se tornava tão cristalino que ela não pensava em mais nada. Quaisquer preocupações com a casa ou a escola sumiam. A arte de nadar — como, supunha, qualquer arte — tinha a ver com cristalinidade. Quanto mais a pessoa se concentrava na atividade, menos se concentrava em todo o restante. Meio que deixava de ser ela mesma e se tornava aquilo que estava fazendo.

Mas foi difícil, para Nora, continuar focada quando percebeu que os braços e o músculo peitoral maior doíam. Ela deduziu que já vinha nadando por um bom tempo e, provavelmente, estava na hora de sair da piscina. Avistou uma placa. *Piscina de Bronte Beach*. Teve uma vaga lembrança de Dan, que havia visitado a Austrália em seu ano sabático, mencionando esse lugar, e ela havia guardado o nome — Bronte Beach — porque era fácil de lembrar. Jane Eyre numa prancha de surfe.

Mas aquilo confirmou suas suspeitas.

Bronte Beach ficava em Sydney. Só que definitivamente não fazia parte de Byron Bay.

Ou seja, das duas uma. Ou Izzy, nesta vida, não morava em Byron Bay. Ou Nora não vivia com Izzy.

Ela notou os efeitos da exposição solar na pele, uniformemente queimada de sol.

O problema, obviamente, era que ela não sabia onde estavam suas roupas. Mas logo se lembrou da pulseira de plástico com a chave.

Cinquenta e sete. Seu armário era o 57. Em seguida, encontrou os vestiários e abriu o armário quadrado e baixo, e viu que seu gosto para roupas, assim como para relógios, parecia mais colorido nesta vida. Ela possuía uma camisa de malha com estampa de abacaxi. Uma verdadeira cornucópia de abacaxis. E short de brim rosa-shocking. E tênis quadriculados sem cadarço.

O que eu sou?, ela se perguntou. *Uma apresentadora de programa infantil de televisão?*

Protetor solar. Hidratante labial sabor hibisco. Nenhum outro item de maquiagem.

Ao vestir a camisa de malha, notou algumas linhas no braço. Cicatrizes. Ficou se perguntando, por um segundo, se tinham sido autoinfligidas.

Também havia uma tatuagem logo abaixo do ombro. Uma fênix e algumas chamas. Era uma tatuagem horrorosa. Nesta vida, estava evidente que bom gosto não era o seu forte. Mas desde quando bom gosto e felicidade andam juntos?

Ela terminou de se vestir e pegou um celular do bolso do short. Era um modelo mais antigo que o de sua vida de casada-e-morando-num-pub. Por sorte, a leitura de sua digital foi o suficiente para desbloqueá-lo.

Ela saiu do vestiário e seguiu pelo calçadão. O dia estava quente. Talvez a vida fosse automaticamente melhor quando o sol brilhava tão confiante assim em abril. Tudo parecia mais luminoso, mais colorido e *vivo* do que comparado com a Inglaterra.

Ela avistou um periquito — um lóris-arco-íris — pousado no alto de um galho, sendo fotografado por um casal de turistas. Um ciclista com pinta de surfista passou segurando um smoothie de laranja, sorrindo e dizendo:

— 'Dia.

Isso aqui com certeza não era Bedford.

Nora percebeu que algo acontecia em seu rosto. Ela estava — seria possível? — *sorrindo*. E com naturalidade, não simplesmente porque alguém esperava que ela sorrisse.

Então reparou num grafite em um muro baixo com a frase O MUNDO ESTÁ EM CHAMAS, e outro com UMA TERRA = UMA CHANCE, e o sorriso se desfez. Afinal, uma vida diferente não significava um planeta diferente.

Ela não tinha ideia de onde morava ou o que fazia ou aonde deveria ir depois da piscina, mas havia algo de libertador nisso. Em uma existência sem expectativas, inclusive as suas. Enquanto andava, deu uma busca no Google em seu nome e acrescentou "Sydney" para ver o que surgia.

Antes de verificar os resultados, ela ergueu os olhos e viu um homem vindo em sua direção, sorrindo. Um homem baixo, de pele queimada de sol, com olhar amigável e cabelo comprido e ralo preso em um rabo de cavalo frouxo, usando uma camisa que não estava abotoada direito.

— Ei, Nora.

— Ei — disse ela, tentando não soar confusa.

— A que horas você começa hoje?

Como ela poderia responder aquilo?

— Uh. Ah. Droga. Esqueci completamente.

Ele riu, uma pequena risada de reconhecimento, como se esse tipo de lapso de memória fosse a cara dela.

— Dei uma olhada na escala de serviço. Acho que é às onze.

— Onze da manhã?

O olhar amigável gargalhou.

— O que você andou fumando? Me dá um pouco?

— Hahaha. Nada — respondeu ela, tensa. — Não andei fumando nada. Só não tomei café da manhã.

— Bom, te vejo hoje à tarde...

— Sim. No... lugar. Onde é mesmo?

Ele riu, franzindo a testa, e continuou a andar. Talvez ela trabalhasse em um cruzeiro de observação de baleias que operava saindo de Sydney. Talvez a Izzy também.

Nora não fazia ideia de onde ela morava (ou onde elas moravam), e não estava aparecendo nada no Google, mas seguir na direção oposta à do oceano parecia ser o caminho certo a percorrer. Talvez ela morasse naquela área. Talvez tenha ido a pé até ali. Talvez uma das bicicletas com tranca que viu do lado de fora do café da piscina fosse sua. Ela vasculhou o pequeno porta-moedas e apalpou os bolsos à procura de uma chave, mas só achou uma chave de casa. Nenhuma chave de carro, nenhuma chave de bicicleta. Logo, tinha vindo de ônibus ou a pé. A chave de casa não continha absolutamente nenhuma informação, então ela se sentou em um banco com o sol castigando a nuca e verificou as mensagens de texto.

Havia nomes de pessoas que ela não reconhecia.

Amy. Rodhri. Bella. Lucy P. Kemala. Luke. Lucy M.

Quem são essas pessoas?

E um contato pouco útil que aparecia simplesmente como "Trabalho".

E só havia uma mensagem recente de "Trabalho", que dizia:

Cadê vc?
Havia apenas um nome que ela reconhecia.
Dan.
Seu coração afundou no peito quando clicou na mensagem mais recente dele.

Ei Nor! Espero que esteja tudo bem em Oz. Isso vai soar ou meio brega ou esquisito, mas vou compartilhar mesmo assim. Ontem à noite sonhei com o pub. Foi um sonho tão bom. A gente estava tão feliz! Enfim, não liga pra essa esquisitice, essa mensagem é só pra dizer uma coisa: adivinha pra onde eu vou em maio? AUSTRÁLIA. Primeira vez depois de mais de uma década. Vou a trabalho. Estou trabalhando com a Agência Marítima e da Guarda-Costeira do Reino Unido. Seria ótimo colocar o papo em dia, ou só tomar um café, se você estiver disponível. Beijos, D

Aquilo era tão estranho que Nora quase gargalhou. Mas, em vez disso, tossiu. (Pensando bem, talvez não estivesse tão em forma nesta vida.) Ela se perguntou quantos Dans existiriam no mundo, sonhando com coisas que iriam odiar depois de conquistadas. E quantos mais estariam arrastando outras pessoas para sua delirante ideia de felicidade?

O Instagram parecia ser a única rede social que ela usava ali, e aparentemente só postava fotos com poemas.

Ela se permitiu um momento para ler um deles:

FOGO
Cada parte de si
Que mudou
Que se feriu
Por causa do riso no recreio
Ou do conselho dos adultos
Havia muito esquecidos...

E a dor dos amigos
Já mortos.
Ela recolheu os pedaços do chão.
Como serragem.
E os transformou em combustível.
Em **fogo**.
E queimou.
Brilho intenso **para sempre**.

Aquilo era perturbador, mas era — no fim das contas —, só um poema. Rolando pelos e-mails, ela encontrou um enviado para Charlotte — flautista de uma banda céilí com um senso de humor ácido e que havia sido a única amiga de Nora na Teoria das Cordas, antes que ela se mudasse de volta para a Escócia.

> Oi, Charl!
> Espero que esteja tudo bem com você.
>   Feliz que deu tudo certo no aniversário. Pena que eu não pude ir. Está tudo bem na ensolarada Sydney. Enfim rolou a mudança para o apartamento novo. É bem perto de Bronte Beach (lindo). Bairro cheio de cafés e charme. Também arranjei um emprego novo.
>   Toda manhã nado em uma piscina de água salgada e toda noite tomo uma taça de vinho australiano ao pôr do sol. A vida é bela!
> Endereço:
> 2/29 Darling Street
> Bronte
> NSW 2024
> AUSTRÁLIA
> Nora
> Bjs

* * *

Havia algo de podre ali. O tom vago, a animação forçada, como se estivesse escrevendo para uma tia distante. O *bairro cheio de cafés e charme* parecia ter saído de uma resenha do TripAdvisor. Ela não falava com Charlotte — aliás, com *ninguém* — assim.

Também não fazia menção a Izzy. *Enfim rolou a mudança para o apartamento novo.* Seria *minha* mudança ou *nossa* mudança? Charlotte sabia da Izzy. Por que não a mencionar?

Em breve iria descobrir. De fato, vinte minutos depois, ela estava parada no hall de entrada do seu apartamento, encarando quatro sacolas de lixo que precisavam ser descartadas. A sala parecia pequena e deprimente. O sofá, velho e esfarrapado. O lugar tinha um leve cheiro de mofo.

Havia um pôster do videogame *Angel* na parede e um cigarro eletrônico sobre a mesinha de centro, com o adesivo de uma folha de marijuana. Uma mulher estava vidrada na tela, atirando na cabeça de zumbis.

A mulher tinha cabelo curto azul, e, por um instante, Nora achou que pudesse ser Izzy.

— Oi — disse Nora.

A mulher se virou. Não era Izzy. Ela tinha olhos sonolentos e uma expressão vaga, como se os zumbis em que estava atirando a tivessem infectado. Devia ser uma pessoa perfeitamente decente, mas não alguém que Nora já tivesse visto antes. Ela sorriu.

— Ei. Como está indo o novo poema?

— Ah. É. Está indo muito bem. Obrigada.

Nora perambulou pelo apartamento meio que em transe. Abriu uma porta ao acaso e se deu conta de que era o banheiro. Ela não precisava fazer nada no banheiro, mas precisava de um segundo para pensar. Então fechou a porta e lavou as mãos, observando a água descer pelo ralo numa espiral em sentido contrário.

Ela olhou para o chuveiro. A cortina amarelo-fosco estava suja de um jeito meio república de estudantes. Era isso que este lugar a fazia lembrar. Uma república de estudantes. Tinha 35 anos e, nesta vida, vivia como uma universitária.

Havia uma revista no chão ao lado da lixeira, uma *National Geographic*. A edição com o buraco negro na capa que ela estivera lendo em outra vida, do outro lado do mundo, ontem mesmo. Ela deduziu que a revista era sua, levando em conta o fato de que sempre havia gostado de ler a *National Geographic*, e era conhecida — até recentemente — por comprar exemplares físicos quando lhe dava na telha, já que nenhuma versão on-line fazia jus às fotos.

Nora se lembrou de ter 11 anos e admirar as fotos de Svalbard, o arquipélago norueguês no Ártico, no exemplar do pai. O lugar parecera tão vasto, desolado e poderoso, e ela tinha se perguntado como seria ficar no meio dele, como os cientistas exploradores no artigo, passando o verão fazendo algum tipo de pesquisa geológica. Ela recortou as fotos, que acabaram no quadro de cortiça de seu quarto. E, por muitos anos, na escola, tinha se dedicado com afinco a ciências e geografia para que pudesse ser como aqueles cientistas do artigo e passar os verões entre montanhas congeladas e fiordes, enquanto papagaios-do-mar voavam acima de sua cabeça.

Mas, depois da morte do pai, e depois de ler *Além do bem e do mal*, de Nietzsche, Nora decidiu que:

a) A filosofia parecia ser a única matéria que combinava com sua repentina intensidade interior, e

b) Ela queria mais ser uma estrela do rock do que cientista.

Depois de sair do banheiro, Nora voltou para sua misteriosa colega de apartamento.

Então ela se sentou no sofá e esperou alguns instantes, observando.

O avatar da mulher levou um tiro na cabeça.

— Vaza, zumbi do caralho — rosnou a mulher alegremente para a tela.

Ela pegou o cigarro eletrônico. Nora se perguntou como conhecia essa mulher. Estava presumindo que dividissem o apartamento.

— Tenho pensado no que você disse.

— O que foi que eu disse? — perguntou Nora.

— Sobre ser babá de gato. Sabe, você queria tomar conta daquele gato?

— Ah, é. Sim. Eu me lembro.

— Péssima ideia, cara.

— Sério?

— Gatos.

— O que é que tem?

— Eles têm um parasita. Toxoplas-alguma coisa.

Nora sabia o que era. Tinha aprendido isso quando era adolescente, no estágio no Centro de Resgate de Animais de Bedford.

— Toxoplasmose.

— Isso! Pois é, eu estava ouvindo esse podcast... e tem essa teoria de que um grupo internacional de bilionários infectou os gatos com o parasita para poder dominar o mundo, deixando os seres humanos cada vez mais burros. Quer dizer, pensa só. Tem gato *por todo canto*. Eu estava falando com o Jared sobre isso e Jared disse "Jojo, o que você anda fumando?" E eu, tipo, "A parada que você me deu", aí ele, "É, eu sei." Então ele me contou sobre os gafanhotos.

— Gafanhotos?

— É. Você sabe o que está rolando com os gafanhotos? — perguntou Jojo.

— O quê?

— Eles estão se matando, todos. Porque esse verme parasita cresce dentro deles até se tornar, tipo, uma criatura aquática adulta, e, enquanto se desenvolve, assume o controle do cérebro do gafanhoto, daí o gafanhoto pensa, *Ei, eu gosto muito de água*, e então mergulha na água e morre. E isso tá acontecendo direto. Pode procurar no Google. Pesquisa "gafanhoto suicida". Enfim, a parada é que as elites estão matando a gente através dos felinos, e, por isso, você devia ficar longe deles.

Nora não pôde deixar de pensar como esta vida era diferente da versão que havia idealizado. Ela havia imaginado Izzy e ela a bordo de um navio perto de Byron Bay, maravilhadas com o esplendor das baleias jubarte, e, no entanto, ali estava ela, dividindo um apartamento que fedia a maconha em Sydney com uma teórica da conspiração que nem a deixava chegar perto de um gato.

— O que aconteceu com a Izzy?

Nora se deu conta de que havia feito a pergunta em voz alta.

Jojo pareceu confusa.

— Izzy? Sua velha amiga Izzy?

— É.

— Aquela que morreu?

As palavras chegaram tão depressa que Nora quase não conseguiu absorvê-las.

— Hã, o quê?

— A garota do acidente de carro?

— O quê?

Jojo continuava parecendo confusa enquanto espirais de fumaça pairavam à frente de seu rosto.

— Tá tudo bem, Nora? — Ela ofereceu o cigarro. — Quer também?

— Não, estou bem, obrigada.

Jojo soltou uma risadinha.

— Que milagre.

Nora pegou o celular. Entrou na internet. Digitou "Isabel Hirsh" no campo de busca. Em seguida, clicou em "Notícias".

Lá estava. Uma manchete. Acima de uma fotografia do rosto queimado de sol de Izzy, sorrindo.

BRITÂNICA MORTA
EM COLISÃO NA NSW

Uma mulher, 33 anos, foi morta, e três pessoas, hospitalizadas ao sul de Coffs Harbour, na noite passada, quando o Toyota Corolla da mulher bateu em um carro vindo na direção oposta, na Pacific Highway.

A motorista, identificada como a cidadã britânica Isabel Hirsh, morreu no local pouco antes das 21h. Ela era a única passageira do Toyota.

De acordo com a amiga com quem dividia apartamento, Nora Seed, Isabel estava voltando de Sydney para Byron Bay, a fim de comparecer à festa de aniversário de Nora. Isabel havia começado a trabalhar recentemente para a Byron Bay Tours Observação de Baleias.

"Estou completamente arrasada", disse Nora. "Nós viemos juntas para a Austrália faz só um mês, e Izzy tinha planejado ficar aqui o máximo de tempo possível. Ela era uma força da natureza tão grande, que parece impossível imaginar o mundo sem ela. Izzy estava tão empolgada com o novo trabalho. É tudo tão triste e difícil de entender."

Todos os passageiros do outro carro sofreram ferimentos, e o motorista — Chris Dale — teve de ser levado de helicóptero para o hospital em Baringa.

A polícia de Nova Gales do Sul pede que qualquer testemunha da colisão se apresente para ajudar na investigação.

— Ai, meu Deus — sussurrou Nora para si mesma, sentindo-se tonta. — Ah, Izzy.

Ela sabia que Izzy não estava morta em todas as suas vidas. Ou até nem na maioria delas. Mas, nesta aqui era real, e a dor que Nora sentia era real também. A dor era familiar, assustadora e repleta de culpa.

Antes que pudesse processar qualquer coisa direito, o celular tocou. Dizia "Trabalho".

Uma voz de homem. Um sotaque arrastado.

— Onde você está?

— O quê?

— Devia ter chegado aqui meia hora atrás.

— Onde?

— No terminal do ferry. Você vai vender os ingressos. Esse é o número certo, né? É com a Nora Seed que eu estou falando?

— É uma delas. — Nora suspirou, enquanto desaparecia devagar.

Aquário

A bibliotecária de olhar astuto estava de volta ao seu tabuleiro de xadrez e mal ergueu os olhos quando Nora retornou.

— Isso foi horrível.

A Sra. Elm abriu um sorriso irônico.

— Eis aí uma prova, não é mesmo?

— Prova de quê?

— De que você pode escolher as opções, mas não as consequências. Mas mantenho o que eu disse. Foi uma boa escolha. Só não foi o resultado desejado.

Nora estudou o rosto da Sra. Elm. Será que ela estava *se divertindo* com aquilo?

— Por que eu continuei lá? — perguntou Nora. — Por que não voltei pra casa depois que ela morreu?

A Sra. Elm deu de ombros.

— Você empacou. Estava de luto. Deprimida. Você sabe como a depressão funciona.

Aquilo fez sentido para Nora. Ela se lembrou de um estudo que havia lido, em algum lugar, sobre peixes. Os peixes são mais parecidos com os seres humanos do que a maioria das pessoas imagina.

Os peixes ficam deprimidos. Testes foram feitos com o peixe-zebra. Pegaram um aquário e desenharam uma linha horizontal na lateral, a meia altura, com um pincel marcador atômico. Os peixes deprimidos ficaram abaixo da linha. Mas, depois de receberem Prozac, esses mesmos peixes foram para cima da marca, para a parte superior do aquário, nadando de um lado para o outro, novinhos em folha.

Os peixes ficam deprimidos quando carecem de estímulos. Quando há carência de *tudo*. Quando ficam apenas ali, flutuando em um aquário que não se parece com nada.

Talvez a Austrália tenha sido seu aquário vazio, depois da morte de Izzy. Talvez ela não tenha tido nenhum incentivo para nadar acima da linha. E talvez até o Prozac — ou a fluoxetina — não tenha sido suficiente para ajudá-la a subir. Então ela ia simplesmente continuar naquele apartamento, com Jojo, e nunca mais se mudar até ser obrigada a deixar o país.

Talvez até suicídio teria sido uma escolha muito *ativa*. Talvez, em algumas vidas, você apenas flutue de um lado para o outro, sem nenhuma outra expectativa, e sequer tente mudar. Talvez esse seja o caso da maioria das vidas.

— Sei — concordou Nora, agora em voz alta. — Talvez eu tenha empacado. Talvez eu esteja empacada em todas as vidas. Quer dizer, talvez eu seja assim mesmo. Uma estrela-do-mar continua sendo uma estrela-do-mar em todas as vidas. Não existe uma vida em que uma estrela-do-mar seja professora de engenharia aeroespacial. E talvez não exista uma vida onde eu não esteja empacada.

— Na minha opinião, você está enganada.

— Tudo bem, então. Eu gostaria de experimentar a vida onde não estou empacada. Que vida seria essa?

— Não é você que deveria *me* dizer?

A Sra. Elm andou com uma rainha para comer um peão e, depois, virou o tabuleiro.

— Eu sou só a bibliotecária.

— As bibliotecárias sabem das coisas. Elas guiam você para os livros certos. Os mundos certos. Encontram os melhores lugares. Como ferramentas de busca com alma.

— Exato. Mas você também precisa saber do que gosta. O que digitar no campo de busca metafórico. E, às vezes, precisa experimentar algumas coisas antes que isso fique evidente.

— Não tenho estâmina suficiente. Não acho que vou conseguir fazer isso.

— A única maneira de aprender é vivendo.

— É o que você vive dizendo.

Nora expirou ruidosamente. Era interessante saber que podia expirar assim na biblioteca. Que se sentia inteira em seu corpo. Que as coisas pareciam normais. Porque este lugar não era *nada* normal. E seu corpo físico não estava ali. Não poderia estar. E, no entanto, estava, para todos os efeitos, porque ela estava — de algum modo — ali. Os pés apoiados no chão, como se a gravidade ainda existisse.

— Tá — disse ela. — Eu gostaria de uma vida onde sou bem-sucedida.

A Sra. Elm estalou a língua num gesto de desaprovação.

— Para alguém que leu vários livros, você não é muito específica com sua escolha de palavras.

— Foi mal.

— Sucesso. O que isso significa para você? Dinheiro?

— Não. Ou melhor, talvez. Mas essa não seria a característica determinante.

— Então, o que é sucesso?

Nora não fazia ideia do que era o sucesso. Ela vinha se sentindo um fracasso fazia tanto tempo.

A Sra. Elm sorriu com paciência.

— Você gostaria de consultar de novo *O livro dos arrependimentos*? Gostaria de refletir sobre aquelas más decisões que a desviaram do que quer que imagina ser sucesso?

Nora fez que não com a cabeça depressa, como um cão sacudindo a água dos pelos. Não queria ser confrontada com aquela interminável lista de erros e escolhas equivocadas. Já estava deprimida o suficiente. E, além do mais, conhecia bem seus arrependimentos. Arrependimentos não somem. Não são picadas de mosquito. Eles coçam para sempre.

— Não, não coçam — disse a Sra. Elm, lendo sua mente. — Você não se arrepende de como cuidou do seu gato. Nem se arrepende de não ter ido para a Austrália com Izzy.

Nora assentiu. A Sra. Elm tinha razão.

Ela se lembrou de quando nadou na piscina em Bronte Beach. De como tinha sido bom, em sua estranha familiaridade.

— Desde cedo você foi encorajada a nadar — disse a Sra. Elm.

— Fui.

— Seu pai sempre ficou feliz em levá-la até a piscina.

— Era uma das poucas coisas que deixava o meu pai feliz — disse Nora.

Ela havia associado a natação com a aprovação do pai e aproveitado a ausência de palavras faladas na água, porque era o oposto de seus pais gritando um com o outro.

— Por que desistiu da natação? — perguntou a Sra. Elm.

— Assim que comecei a vencer competições, me tornei *visível*, e eu não queria ser vista. Quanto mais de maiô, numa idade em que a pessoa fica obcecada com o próprio corpo. Alguém disse que eu tinha ombros de homem. Foi uma bobagem, mas tinha várias dessas bobagens e, nessa idade, você sente todas elas com muita intensidade. Na adolescência, eu teria ficado invisível numa boa. As pessoas me chamavam de "Peixe". E não era um elogio. Eu era tímida. Um dos motivos pelos quais eu preferia a biblioteca ao pátio ou às quadras de esportes da escola. Parece uma coisa pequena, mas ter aquele espaço ajudou de verdade.

— Nunca subestime a grande importância das coisas pequenas — disse a Sra. Elm. — Você deve sempre se lembrar disso.

Nora resgatou o passado na memória. Sua combinação de timidez e visibilidade quando adolescente tinha sido uma mistura problemática, mas ela jamais sofrera bullying de fato, provavelmente porque todo mundo conhecia o irmão dela. E Joe, embora não fosse do tipo durão, sempre foi considerado descolado e popular o suficiente para que a "sangue do seu sangue" ficasse imune à tirania do pátio da escola.

Ela venceu provas em competições locais, depois nacionais, mas, quando completou 15 anos, as coisas ficaram punk. Os treinos diários, voltas e mais voltas e mais voltas na piscina.

— Eu tive que desistir.

A Sra. Elm assentiu.

— E a ligação que você havia desenvolvido com seu pai se esgarçou e quase se rompeu por completo.

— Basicamente.

Ela podia ver a expressão no rosto do pai dentro do carro estacionado em frente ao Centro de Lazer de Bedford, numa manhã de domingo com chuviscos esparsos, enquanto ela lhe dizia que não queria mais competir. Aquele olhar de decepção e frustração sem tamanho.

— Mas você poderia ter uma vida de sucesso — dissera ele. Sim. Ela se lembrava agora. — Você nunca vai ser uma estrela do rock, mas isso aqui é *real*. E está bem na sua frente. Se continuar treinando, vai acabar nas Olimpíadas. Eu tenho certeza.

Nora tinha se irritado com ele por ter dito aquilo. Como se houvesse um caminho muito estreito para uma vida feliz, e o caminho fosse o que ele havia traçado para ela. Como se sua gestão da própria vida estivesse automaticamente errada. Mas o que ela não compreendia de todo, aos 15 anos, era como a sensação de arrependimento podia ser ruim, e o tamanho da dor que o pai sentia de estar tão perto da realização de um sonho que quase dava para tocar.

Verdade seja dita, o pai de Nora tinha sido um homem difícil.

Além de ser extremamente crítico com relação a tudo o que Nora fazia, a tudo o que Nora queria e a tudo em que Nora acreditava, exceto quando tinha a ver com a natação, ela também vivia com a sensação de que só estar na presença dele era cometer algum tipo de crime invisível. Desde a lesão no ligamento que interrompeu a carreira dele no rúgbi, seu pai acreditava que o universo conspirava contra ele. E ele considerava Nora, pelo menos era o que *ela* sentia, parte daquele mesmo plano universal. Daquele instante no estacionamento em diante, ela tivera a sensação de que era, de fato, apenas uma extensão da dor no joelho esquerdo dele. Uma ferida ambulante.

Mas talvez ele soubesse o que iria acontecer. Talvez pudesse prever o modo como um arrependimento levaria a outro, até que, de repente, isso fosse tudo o que ela era. Um livro inteiro de arrependimentos.

— Tá, Sra. Elm. Eu quero saber o que aconteceu na vida onde fiz o que o meu pai queria. Onde treinei tanto quanto seria humanamente possível. Onde nunca reclamava de acordar às cinco da manhã nem de ir dormir às nove da noite. Onde nadei todo dia e nunca pensei em desistir. Onde não me distraí com a música nem com a escrita de romances inacabados. Onde sacrifiquei todo o resto pelo nado livre. Onde não desisti. Onde fiz tudo certo para chegar às Olimpíadas. Eu quero que você me leve para onde estou *nessa* vida.

Por um instante, pareceu que a Sra. Elm não tinha prestado atenção ao minidiscurso de Nora, pois continuava franzindo a testa para o tabuleiro de xadrez, tentando encontrar uma saída para a estratégia dela mesma como adversária.

— A torre é a minha peça favorita — disse ela. — É aquela que você acha que não precisa vigiar. É uma peça simples. Você fica de olho na rainha, nos cavalos e no bispo, porque eles é que são traiçoeiros. Mas é a torre que com frequência te derruba. A simplicidade nunca é exatamente o que parece.

Nora se deu conta de que a Sra. Elm provavelmente não estava falando só de xadrez. Mas as prateleiras já estavam em movimento. Rápidas como trens.

— Esta vida que você pediu — explicou a Sra. Elm — fica um pouco mais distante do sonho do pub e da aventura na Austrália. Aquelas eram vidas mais próximas. Esta envolve muitas escolhas diferentes, voltando bem mais atrás no tempo. E por isso o livro está um pouco mais longe, entende?

— Entendo.

— As bibliotecas precisam de um sistema.

Os livros desaceleraram.

— Ah, aqui está.

Desta vez, a Sra. Elm não se levantou. Apenas ergueu a mão esquerda e um livro voou em sua direção.

— Como foi que a senhora fez isso?

— Não tenho a menor ideia. Agora, aqui está a vida que você pediu. Pode ir.

Nora pegou o livro. Leve, em bom estado, verde-limão. Ela abriu na primeira página. E, desta vez, se deu conta de que não estava sentindo absolutamente nada.

A última atualização de status que Nora havia postado antes de se ver entre a vida e a morte

Tô com saudade do meu gato. Tô cansada.

A vida bem-sucedida

Ela estava dormindo.

Um nada sem sonhos profundo, e agora — graças ao toque de um alarme de celular — acordou e não sabia onde estava.

O telefone mostrava que eram seis e meia da manhã. O brilho da tela fez com que Nora conseguisse enxergar um interruptor ao lado da cama. Ela acendeu a luz e viu que estava num quarto de hotel. Parecia bastante sofisticado, de um jeito impessoal e corporativo em tons de azul.

Uma pintura elegante e semiabstrata, quase um Cézanne, de uma maçã — ou quem sabe de uma pera —, estava pendurada na parede.

Havia uma garrafa cilíndrica de água mineral sem gás pela metade ao lado da cama. E uma caixa fechada de biscoitos amanteigados. Também alguns papéis impressos, grampeados. Algum tipo de agenda de compromissos.

Ela leu o conteúdo.

ITINERÁRIO PARA NORA SEED, INTEGRANTE DA
ORDEM DO IMPÉRIO BRITÂNICO, PALESTRANTE
CONVIDADA, CONFERÊNCIA DE PRIMAVERA
"INSPIRANDO SUCESSO" DA GULLIVER RESEARCH

8h45 — Encontrar com Priya Navuluri (da Gulliver Research) e Rory Longford (da Celebrity Speakers) e J no saguão do Hotel InterContinental

9h00 — Teste de som

9h05 — Teste de equipamentos técnicos

9h30 — Nora vai aguardar na área VIP ou assistir à primeira palestrante no salão principal (JP Blythe, criadora do aplicativo MeTime e autora de *Sua vida, suas regras*)

10h15 — Nora vai iniciar sua palestra

10h45 — Perguntas do público

11h00 — Encontro com fãs

11h30 — Término

Nora Seed, integrante da Ordem do Império Britânico.
Inspirando sucesso.

Então *existia* uma vida onde ela era bem-sucedida. Isso já era alguma coisa.

Nora ficou se perguntando quem seriam "J" e as outras pessoas que ela deveria encontrar no saguão do hotel. Em seguida, largou o papel e saiu da cama. Tinha tempo de sobra. Por que estava acordando às seis e meia? Talvez nadasse toda manhã. Aquilo faria sentido. Ela apertou um botão e as persianas abriram com um zumbido baixo, revelando uma vista do rio, de arranha-céus e do domo branco da O2 Arena. Ela nunca tinha apreciado esta vista específica deste ângulo específico. Londres. Canary Wharf. Do alto de cerca de vinte andares.

Ela foi ao banheiro — azulejos bege, boxe amplo, toalhas brancas felpudas — e percebeu que não se sentia tão mal como costumava se sentir pela manhã. Havia um espelho ocupando metade da parede oposta. Nora reagiu com perplexidade ao ver sua aparência. E então riu. Parecia tão absurdamente saudável. E forte. E, nesta vida, tinha um péssimo gosto para roupas de dormir (pijama xadrez verde e mostarda).

O banheiro era bem grande. Grande o bastante para poder deitar e fazer algumas flexões. Dez repetições seguidas — sem joelhos — sem nem ficar ofegante.

Então passou para a posição da prancha. E se manteve nela com apenas uma das mãos. Depois só com a outra, sem nem tremer. Em seguida, fez algumas flexões Burpee.

Sem qualquer dificuldade.

Uau.

Nora se levantou e deu uns tapinhas na barriga dura como pedra. E se lembrou de como tinha ficado esbaforida em sua vida raiz ao percorrer a rua principal, no que tinha sido, tecnicamente, tipo, ontem.

Ela não se sentia tão em forma desde a adolescência. Na verdade, *nunca* tinha se sentido tão em forma assim. Mais forte, com certeza.

Procurando no Facebook por "Isabel Hirsh", descobriu que sua ex-melhor amiga estava viva e ainda morava na Austrália, o que deixou Nora muito feliz. Ela nem ligou para o fato de as duas não serem amigas nas redes sociais, já que era muito provável que, nesta vida, Nora não tenha ido para a Universidade de Bristol. E, mesmo que tivesse, não teria feito o mesmo curso na faculdade. Foi uma certa lição de *humildade* se dar conta de que, muito embora *esta* Isabel Hirsh possa nunca ter conhecido Nora Seed, ainda estava fazendo a mesma coisa que fazia na vida raiz de Nora.

Deu uma olhada também no perfil de Dan. Ele estava (aparentemente) feliz, casado com uma instrutora de spinning chamada Gina. "Gina Lord (sobrenome de solteira Sharpe)". Os dois se casaram na Sicília.

Em seguida, Nora deu uma busca no Google em "Nora Seed".

Sua página na Wikipédia (ela tinha uma página na Wikipédia!) dizia que, de fato, ela havia participado das Olimpíadas. Duas vezes. E que tinha se especializado em nado livre. Nora havia conquistado a medalha de ouro nos 800 metros livres, com o tempo bizarro de oito minutos e cinco segundos, e a prata nos 400 metros.

Isso tinha acontecido quando Nora estava com 22 anos. Ela havia conquistado outra medalha de prata aos 26, em um revezamento 4 x 100 metros. Ficou ainda *mais* bizarro quando leu que foi a detentora, ainda que por pouco tempo, do recorde mundial para mulheres nos 400 metros nado livre, no Campeonato Mundial de Esportes Aquáticos. Depois disso, havia se aposentado das competições internacionais.

Ela havia se aposentado aos 28 anos.

Ao que parecia, Nora agora trabalhava para a BBC, como comentarista de eventos de natação, havia participado do programa de televisão *A Question of Sport*, escrito uma autobiografia intitulada *Nade ou afunde*, era técnica-assistente convidada da equipe de natação britânica e ainda nadava duas horas todos os dias.

Ela doava montanhas de dinheiro para a caridade — principalmente para o hospital do câncer Marie Curie — e tinha organizado uma maratona aquática beneficente ao redor do Brighton Pier para a Sociedade de Conservação Marítima. Desde que se aposentou da carreira profissional no esporte, havia atravessado o Canal da Mancha duas vezes.

Havia um link para um TED talk seu sobre a importância da estâmina no esporte, nos treinos e na vida. Acumulava mais de um milhão de visualizações. Quando começou a assistir ao vídeo, Nora teve a sensação de estar vendo outra pessoa falar. Esta mulher era confiante, dominava o palco, tinha ótima postura, sorria com naturalidade enquanto falava, e conseguia fazer a plateia sorrir, gargalhar, aplaudir e assentir com a cabeça, tudo na hora certa.

Nora nunca tinha imaginado que poderia ser assim, e tentou memorizar o que essa outra Nora estava fazendo, mas se deu conta de que nunca seria capaz disso.

— Pessoas com estâmina não são feitas de nenhum material diferente de ninguém — falava ela. — A única diferença é que elas têm um objetivo específico em mente, e a determinação para chegar até ele. Estâmina é essencial para manter o foco em uma vida cheia de distrações. É a habilidade de perseverar em uma tarefa quando o corpo e a mente estão no limite, a habilidade de manter a cabeça baixa, nadando em sua raia, sem olhar para os lados, sem se preocupar com quem pode te ultrapassar...

Quem diabos era *aquela pessoa*?

Ela avançou um pouco o vídeo, e essa outra Nora continuava a falar com a confiança de uma Joana D'Arc da autoajuda.

— Se você tem como objetivo ser algo que não é, vai sempre fracassar. Tenha como objetivo ser você. Parecer, agir e pensar como você. Ser a versão mais verdadeira de si. Abrace essa singularidade. Apoie, ame, trabalhe arduamente essa singularidade. E não dê a menor bola quando as pessoas ridicularizarem ou zombarem dela. A maioria das fofocas é inveja disfarçada. Mantenha a cabeça baixa. Mantenha a estâmina. Continue a nadar...

— Continue a nadar — murmurou Nora, ecoando esse outro eu e se perguntando se o hotel tinha piscina.

O vídeo desapareceu, e, um segundo depois, seu celular começou a vibrar. Um nome apareceu: "Nadia".

Ela não conhecia nenhuma Nadia em sua vida original. Não sabia se a visão desse nome teria inspirado uma reação de alegria ou de terror nesta versão de si mesma.

Só havia um jeito de descobrir.

— Alô?

— Querida. — Uma voz que não reconhecia. Uma voz que parecia íntima, mas não totalmente afetuosa. Tinha um sotaque. Talvez russo. — Espero que esteja tudo bem com você.

— Oi, Nadia. Obrigada. Tudo bem. Só estou aqui no hotel. Me preparando para a conferência. — Ela tentou passar animação na voz.

— Ah, é, a conferência. Quinze mil libras por uma palestra. Parece bom.

Parece um absurdo. Mas ela também se perguntou como Nadia — fosse quem fosse — sabia daquilo.

— Ah, é.

— Joe nos contou.

— Joe?

— É. Pois é... Então, preciso falar com você em algum momento sobre o aniversário do seu pai.

— O quê?

— Sei que ele adoraria que você viesse aqui nos visitar.

Todo o corpo dela ficou gelado e fraco, como se tivesse visto um fantasma.

Nora se lembrou do enterro do pai, de abraçar o irmão enquanto os dois choravam um no ombro do outro.

— Meu pai?

Meu pai. Meu falecido pai.

— Ele acabou de voltar do jardim. Quer trocar uma palavrinha com ele?

Isso era tão extraordinário, tão chocante, que estava totalmente fora de sincronia com seu tom de voz. Ela falou de modo casual, quase como se não fosse nada de mais.

— O quê?

— Quer falar com seu pai?

Ela demorou um pouco. De repente, perdeu o rebolado.

— Eu...

Mal conseguia falar. Ou respirar. Não sabia o que dizer. Tudo parecia irreal. Era como uma viagem no tempo. Como se ela tivesse caído e atravessado duas décadas.

Ficou tarde demais para responder porque o que ouviu em seguida foi Nadia dizendo:

— Aqui está ele...

Nora quase desligou. Talvez devesse ter desligado. Mas não desligou. Agora que sabia que era uma possibilidade, precisava ouvir a voz do pai de novo.

Primeiro, a respiração dele.

Em seguida:

— Oi, Nora, tudo bem?

Simples assim. Casual, vago, rotineiro. Era ele. Sua voz. A voz marcante que fora sempre tão cadenciada. Mas um pouco mais fina, talvez, um pouco mais fraca. Uma voz quinze anos mais velha do que deveria ser.

— Pai — disse ela, a voz um sussurro atordoado. — É você.

— Está tudo bem, Nora? A ligação está ruim? Quer tentar o FaceTime?

FaceTime. Ver o rosto dele. Não. Isso seria demais. Isso já era demais. Só de pensar que havia uma versão do pai viva numa época posterior à invenção do FaceTime. Seu pai pertencia a um mundo de telefones fixos. Quando ele morreu, estava apenas começando a se familiarizar com conceitos radicais como e-mails e mensagens de texto.

— Não — disse ela. — O problema era só eu mesma. Estava pensando em outra coisa. Estou um pouco distraída. Foi mal. Tudo bem com você?

— Tudo. Levamos Sally ao veterinário ontem.

Ela presumiu que Sally fosse uma cadela. Seus pais nunca tiveram cachorro nem nenhum outro animal de estimação. Nora havia implorado por um cão ou gato quando era pequena, mas o pai sempre dissera que "bicho prende muito a gente".

— O que tem de errado com ela? — perguntou Nora, tentando soar natural agora.

— O ouvido de novo. A infecção que não cansa de voltar.

— Ah, tá — disse ela, como se conhecesse Sally e seu ouvido problemático. — Pobre Sally. Eu... te amo, papai. E só queria dizer que...

— Você está bem, Nora? Você parece estar um pouco... emotiva.

— Eu só não disse... não *digo* isso tantas vezes quanto deveria. Só quero que você saiba que eu te amo. Você é um bom pai. E, numa outra vida, a vida onde eu desisti da natação, eu me arrependo muito de não ter feito isso.

— Nora?

Ela se sentia esquisita perguntando qualquer coisa a ele, mas precisava saber. As perguntas começaram a jorrar dela como água de um gêiser.

— Você está bem, pai?

— Por que eu não estaria?

— É só que. Sabe... Você costumava se queixar de dores no peito.

— Não senti mais nada desde que comecei a cuidar da saúde de novo. Isso faz anos. Você lembra. Quando adotei uma vida saudável? Andar com atletas olímpicos faz isso com você. Voltei à forma física que tinha quando jogava rúgbi. Já são quase dezesseis anos sem beber também. Colesterol e pressão sanguínea perfeitos, o médico disse.

— Ah, é, sim... Eu me lembro disso.

E, então, outro questionamento lhe ocorreu. Mas não tinha ideia de como perguntar aquilo. Por isso decidiu ser direta.

— Há quanto tempo você está com a Nadia mesmo?

— Você está tendo algum problema de memória ou coisa assim?

— Não. É... Sim, talvez. É que eu tenho pensado muito na vida ultimamente.

— Virou filósofa agora?

— Ué, eu me formei em filosofia.

— Quando?

— Deixa pra lá. Só não consigo me lembrar de como você e Nadia se conheceram.

Ela ouviu um suspiro estranho do outro lado da linha. Ele passou a falar com uma certa rudeza na voz.

— Você sabe como a gente se conheceu... Por que está trazendo isso tudo à tona? Foi alguma coisa que aquele terapeuta resolveu cutucar? Porque você sabe o que penso sobre o assunto.

Eu tenho um terapeuta.

— Foi mal, pai.

— Tudo bem.

— Só quero ter certeza de que você está feliz.

— Óbvio que estou. Tenho uma filha campeã olímpica e finalmente encontrei o amor da minha vida. E você está melhor. Da cabeça, digo. Depois de Portugal.

Nora queria saber o que havia acontecido em Portugal, mas antes tinha outra pergunta a fazer.

— E a mamãe? Não foi ela o amor da sua vida?

— Ela foi, um dia. Mas as coisas mudam, Nora. Ah, qual é, você já é bem grandinha.

— Eu...

Nora colocou o pai no viva-voz. Entrou de novo na sua página na Wikipédia. Como era de esperar, seus pais tinham se divorciado depois que o pai teve um caso com Nadia Vanko, mãe do nadador ucraniano Yegor Vanko. E, nesta linha do tempo, a mãe havia morrido mais cedo, em 2011.

E tudo porque Nora nunca havia se sentado naquele estacionamento em Bedford e dito ao pai que não queria mais participar de competições de natação.

Nora teve aquela sensação de novo. De que estava sumindo aos poucos. De que tinha concluído que esta vida não era para ela e por isso estava desaparecendo e voltando à biblioteca. Mas permaneceu onde estava. Ela se despediu do pai, encerrou a ligação e continuou a ler sobre si mesma.

Era solteira, embora tivesse tido um relacionamento de três anos com o medalhista olímpico americano Scott Richards, com quem morou por algum tempo na Califórnia, em La Jolla, San Diego. Agora morava na zona oeste de Londres.

Após ler a página completa, ela largou o celular e decidiu descobrir se havia uma piscina no hotel. Queria fazer o que estaria fazendo nesta vida, ou seja, nadando. E talvez a água fosse ajudá-la a pensar no que dizer.

Foi uma nadada excepcional, apesar de ter rendido pouca inspiração criativa, e a acalmou depois da experiência de conversar com o falecido pai. Nora tinha a piscina só para si e deu várias voltas nadando peito, sem precisar pensar. Era uma sensação tão empoderadora estar tão forte e em tão boa forma física, e ter tamanho domínio da água, que por um instante parou de se preocupar com o pai e de ter que dar uma palestra para a qual não estava exatamente preparada.

Mas, enquanto nadava, seu estado de espírito foi se modificando. Ela considerou aqueles anos que o pai tinha ganhado e a mãe perdido, e, ao pensar nisso, foi ficando cada vez mais zangada com ele, o que a impeliu a nadar ainda mais rápido. Nora sempre tinha imaginado que os pais eram orgulhosos demais para se divorciar, então, em vez disso, deixavam os ressentimentos crescerem por dentro, projetando-os nos filhos, principalmente em Nora. E nadar havia sido seu único passaporte para a aprovação.

Aqui, nesta vida que experimentava agora, Nora tinha seguido uma carreira para fazer o pai feliz, enquanto sacrificava seus relacionamentos, seu amor pela música, seus sonhos além de qualquer coisa que não envolvesse uma medalha, sua *vida*. E o pai havia retribuído tendo um caso com essa tal de Nadia, abandonado sua mãe, e continuava rude com ela. Depois de tudo isso.

Foda-se o pai. Pelo menos, esta versão dele.

Ao trocar para o nado livre, Nora se deu conta de que não era culpa sua que os pais jamais tivessem sido capazes de amá-la como seria esperado: incondicionalmente. Não era sua culpa o fato de sua mãe focar em cada defeito seu, começando pela assimetria de suas orelhas. Não. Começou muito antes disso, na verdade. O primeiro problema foi que Nora havia ousado, de algum modo, dar as caras no mundo num momento em que o casamento dos pais estava relativamente frágil. A mãe caiu em depressão e o pai se voltou para copos de uísque puro malte.

Nora deu mais trinta voltas, e sua mente se acalmou e ela começou a se sentir livre, sozinha com a água.

Quando por fim saiu da piscina e voltou para o quarto, vestiu as únicas peças de roupa limpas que havia no cômodo (um elegante terninho azul-marinho) e ficou olhando fixamente para o interior de sua mala. Ela sentiu a profunda solidão que emanava de dentro. Havia um exemplar de seu próprio livro. Na capa, ela exibia um olhar de determinação férrea, e estava com um maiô da equipe de natação da Grã-Bretanha. Nora ergueu o exemplar e viu, em letras miúdas, que tinha sido "escrito em parceria com Amanda Sands".

Amanda Sands, a internet lhe disse, era "ghost-writer de uma vasta gama de celebridades do mundo do esporte".

Em seguida, olhou para o relógio. Era hora de se dirigir para o saguão do hotel.

Paradas à sua espera, havia duas pessoas bem-vestidas que ela não reconheceu, e uma que com certeza sabia quem era. Ele usava terno e estava barbeado com perfeição nesta vida, o cabelo repartido de lado e impecável, mas era o Joe de sempre. As sobrancelhas de pelos castanhos ainda bem grossas. "É seu lado italiano", costumava dizer a mãe deles.

— Joe?

E tem mais, ele estava sorrindo para ela. Um enorme sorriso fraterno e singelo.

— Bom dia, maninha — disse ele, surpreso e um tanto sem jeito com a duração do abraço que ela estava lhe dando.

Quando o abraço chegou ao fim, ele a apresentou às outras duas pessoas que o acompanhavam.

— Esta é a Priya, da Gulliver Research, a empresa responsável pela organização da conferência, e este é o Rory, obviamente, da Celebrity Speakers.

— Oi, Priya! — disse Nora. — Oi, Rory. É um prazer.

— É, sim — disse Priya, sorrindo. — Estamos tão felizes em ter você aqui.

— Você fala como se nós dois nunca tivéssemos nos visto antes! — disse Rory, com uma risada estrondosa.

Nora saiu pela tangente.

— É, eu sei que *nós já* nos conhecemos, Rory. Eu estava só fazendo graça. Você conhece meu senso de humor.

— Você tem senso de humor?

— Boa, Rory!

— Tá — disse o irmão, olhando para ela e sorrindo. — Quer ver o espaço?

Ela não conseguia parar de sorrir. Ali estava o irmão. Seu irmão, que fazia dois anos que não via e com quem não tinha nem um pequeno vestígio de bom relacionamento fazia mais tempo ainda, com uma aparência saudável e feliz, e parecendo *gostar* dela de verdade.

— O espaço?

— É. O salão. Onde você vai dar a palestra.

— Está tudo pronto — acrescentou Priya, prestativa.

— É um salão enorme — disse Rory, em sinal de aprovação, enquanto segurava um copo descartável de café.

Nora então concordou e foi levada até uma grande sala de conferências azul, com um palco amplo e cerca de mil cadeiras vazias. Um técnico todo de preto se aproximou e perguntou:

— Qual você prefere? Lapela, de mão ou de cabeça?

— O quê?

— Que tipo de microfone você vai querer lá em cima?
— Ah!
— De cabeça — respondeu o irmão no lugar de Nora.
— É. De cabeça — disse Nora.
— Foi só um palpite — explicou o irmão —, depois daquele pesadelo com o microfone em Cardiff.
— Ah, é, total. Que pesadelo.
Priya estava sorrindo para ela, querendo perguntar alguma coisa.
— É impressão minha ou você não trouxe nenhum arquivo para a sua apresentação? Nenhum PowerPoint nem nada assim?
— Hmm, eu...
O irmão e Rory a encaravam, um pouco preocupados.
Obviamente, aquela era uma pergunta para a qual deveria saber a resposta, mas não sabia.
— Sim — disse ela, então notou a expressão do irmão. — Eu... não. Sim, eu não trouxe. Nenhum material de apoio visual.
E todos a olharam como se houvesse algo de errado com ela, mas Nora apenas sorriu.

Chá de hortelã

Dez minutos depois, ela estava sentada com o irmão em um lugar chamado "VIP Business Lounge", que não passava de uma pequena sala abafada, com algumas poltronas e uma mesa coberta com vários exemplares de jornais do dia. Uma dupla de homens de meia-idade de terno digitava qualquer coisa em laptops.

A essa altura, ela havia concluído que o irmão era seu empresário. E que já fazia sete anos que era seu empresário, desde que ela encerrara a carreira como nadadora profissional.

— Você está bem com tudo isso? — perguntou o irmão, depois de pegar duas bebidas na máquina de café. Ele rasgou um sachê, revelando um saquinho de chá. Hortelã. Ele o colocou no copo de água quente que havia buscado na máquina.

E então o entregou a Nora.

Ela nunca havia tomado chá de hortelã na vida.

— É pra mim?

— É, né? Era o único chá de ervas disponível.

No copo dele havia café, bebida que Nora desejava desesperadamente tomar. Talvez nesta vida ela não ingerisse cafeína.

Você está bem com tudo isso?

— Bem com tudo o quê? — perguntou Nora.

— A palestra, hoje.

— Ah, hmm, sim. Quanto tempo de duração mesmo?

— Quarenta minutos.

— Certo.

— É muito dinheiro. Eles tinham oferecido dez, mas eu consegui um aumento.

— Foi muito gentil da sua parte.

— Ué, eu ainda ganho meus vinte por cento. Não foi nenhum sacrifício.

Nora tentou pensar num gancho para desvendar o passado em comum dos dois. E em como poderia descobrir por que, nesta vida, eles estavam sentados lado a lado e se dando bem. Pode ter tido relação com dinheiro, mas seu irmão nunca tinha sido particularmente motivado por dinheiro. E, sim, ele havia ficado chateado quando Nora deu as costas para o contrato com a gravadora, mas aquilo tinha sido porque ele queria tocar guitarra nos Labyrinths pelo resto da vida e se tornar um astro do rock.

Depois de submergir o saquinho de chá algumas vezes, Nora o soltou na água.

— Às vezes você se pergunta como a vida da gente poderia ter sido diferente? Sabe, tipo, se eu não tivesse continuado com a natação?

— Na verdade, não.

— Quer dizer, o que você acha que estaria fazendo se não fosse meu empresário?

— Eu sou empresário de outras pessoas também, como você bem sabe.

— É, sim, eu sei. Óbvio.

— Acho que, muito provavelmente, eu não estaria empresariando ninguém sem você. Quer dizer, você foi a primeira. E me apresentou a Kai, depois a Natalie. E, em seguida, a Eli, então...

Ela fez que sim com a cabeça, como se tivesse alguma ideia de quem eram Kai, Natalie e Eli.

— Verdade, mas quem sabe você teria tomado outro rumo?

— Quem sabe? Ou ainda estaria em Manchester, não sei.

— Manchester?

— É. Você lembra como eu gostava de lá. Da faculdade.

Era muito difícil não parecer surpresa com tudo isso, com o fato de que este irmão com quem se dava bem, e com quem trabalhava, era também alguém que foi para a faculdade. Em sua vida raiz, o irmão fez o A-levels e participou do processo seletivo para cursar história na Universidade de Manchester, mas não conseguiu a pontuação de que precisava, provavelmente porque estava muito ocupado ficando chapado com Ravi toda noite. E, então, decidiu que não queria mais fazer faculdade.

Eles continuaram batendo papo por um tempo.

Em dado momento, ele se distraiu com o celular.

Nora percebeu que o protetor de tela era a foto de um homem sorridente, bonito e radiante, que ela nunca tinha visto antes. Notou a aliança no dedo anelar do irmão e fingiu uma expressão neutra.

— E aí, como anda a vida de casado?

Joe sorriu. Um sorriso de felicidade autêntico. Ela não o via sorrir assim fazia anos. Em sua vida raiz, Joe nunca teve sorte no amor. Embora ela tenha sabido que o irmão era gay desde a adolescência, ele não tinha se assumido oficialmente até os 22 anos. E nunca teve um relacionamento duradouro nem feliz. Ela sentiu uma pontada de culpa, por sua vida ter o poder de moldar a do irmão de formas tão significativas.

— Ah, você conhece o Ewan. O Ewan é o Ewan.

Nora retribuiu o sorriso como se conhecesse o Ewan e soubesse como ele era exatamente.

— É. Ele é ótimo. Estou tão feliz por vocês dois.

Joe riu.

— A gente já está casado há cinco anos. Você fala como se ele e eu tivéssemos acabado de ficar juntos.

— Não, eu só, você sabe, às vezes acho que vocês têm sorte. Tão apaixonados. E felizes.

— Ele quer um cachorro. — Joe sorriu. — É nossa discussão no momento. Quer dizer, eu não me importaria de ter um cachorro. Mas só se fosse adotado. E não iria querer um maldito moodle ou um bichon frisé. Ia querer um lobo. Você sabe, um cachorro que impõe respeito.

Nora lembrou de Voltaire.

— Animais são ótima companhia...

— É. Você ainda quer um cachorro?

— Quero. Ou um gato.

— Gatos são desobedientes demais — disse ele, soando como o irmão de que ela se lembrava. — Os cães conhecem o lugar deles.

— A desobediência é o verdadeiro fundamento da liberdade. Os obedientes serão escravos.

Ele reagiu com perplexidade.

— De onde veio *isso*? É uma citação?

— É. Henry David Thoreau. Você sabe, meu filósofo preferido.

— E desde quando você é ligada em filosofia?

Verdade. Nesta vida, ela não tinha se formado em filosofia. Enquanto seu eu raiz tinha ficado lendo a obra de Thoreau, de Lao-Tzu e de Sartre em um apartamento estudantil fedorento de Bristol, seu eu atual tinha subido ao pódio olímpico em Pequim. Bizarramente, ela se sentia tão triste pela versão de si mesma que jamais havia se apaixonado pela beleza simples de *Walden ou A vida nos bosques*, de Thoreau, ou pelo estoico *Meditações*, de Marco Aurélio, como sentira pena da versão de si mesma que não chegara a atingir seu potencial olímpico.

— Ah, sei lá... só vi umas coisas dele na internet.

— Ah. Legal. Vou dar uma pesquisada nele depois. Você podia colocar uma frase dessas no seu discurso.

Nora sentiu o sangue se esvair do rosto.

— Hmm, estou pensando em fazer algo diferente hoje, talvez. Acho que vou, hmm, improvisar um pouco.

Afinal de contas, improvisação era uma habilidade que ela vinha praticando.

— Outro dia vi um documentário muito legal sobre a Groenlândia. Me fez lembrar de quando você era obcecada pelo Ártico e recortava todas aquelas fotos de ursos-polares e tal.

— Pois é. A Sra. Elm dizia que a melhor forma de explorar o Ártico seria virando glaciologista. Então era isso que eu queria ser.

— Sra. Elm — sussurrou ele. — Esse nome não me é estranho.

— A bibliotecária da escola.

— Ah, é. Isso mesmo. Você vivia naquela biblioteca, né?

— Basicamente.

— Pensa só, se você não tivesse continuado com a natação, estaria na Groenlândia agora.

— Svalbard — disse ela.

— O quê?

— É um arquipélago norueguês. Bem no meio do Oceano Ártico.

— Tá, na Noruega então. Você estaria lá.

— Talvez. Ou talvez eu só estaria em Bedford ainda. Me lamentando. Desempregada. Tentando arranjar grana para pagar o aluguel.

— Não seja boba. Você sempre esteve destinada à grandeza.

Ela sorriu diante da inocência do irmão mais velho.

— Em algumas vidas, você e eu podemos nem nos dar bem.

— Bobagem.

— Espero que sim.

Joe pareceu ficar um pouco incomodado, e obviamente queria mudar de assunto.

— Ei, adivinha quem eu vi outro dia?

Nora deu de ombros, na esperança de que fosse alguém de quem tivesse ouvido falar.

— O Ravi. Você se lembra do Ravi?

Ela lembrou do Ravi dando um fora nela na loja de revistas, ontem mesmo.

— Ah, é. O Ravi.

— Pois é, eu esbarrei com ele.

— Em Bedford?

— Ha! Meu Deus, não. Faz anos que não vou lá. Não. Foi na estação de Blackfriars. Totalmente aleatório. Tipo, fazia mais de uma década que eu não via o cara. No *mínimo*. Ele quis ir a um pub. Então expliquei que sou abstêmio agora, e daí precisei explicar o lance do alcoolismo. E tudo mais. Que não toco numa taça de vinho nem num baseado há anos. — Nora assentiu como se aquilo não fosse uma bomba. — Desde que fiquei um trapo depois da morte da mamãe. Acho que ele pensou: "*Quem é esse cara?*" Mas ficou tudo bem. Ele levou na boa. Está trabalhando como cinegrafista agora. Ainda toca no tempo livre. Não rock. Pelo que parece, virou DJ. Lembra daquela banda que ele e eu montamos, muito tempo atrás? The Labyrinths?

Estava ficando cada vez mais fácil fingir não se lembrar das coisas direito.

— Ah, é. The Labyrinths. Sim. Direto do túnel do tempo.

— Pois é. Fiquei com a impressão de que ele sente saudade daquela época. Mesmo a gente sendo péssimo e eu não sabendo cantar direito.

— Mas e você? Às vezes tenta imaginar como teria sido se os Labyrinths tivessem estourado?

Ele riu, um pouco triste.

— Não sei o que qualquer coisa *teria sido*.

— Talvez vocês precisassem de mais uma pessoa. Eu tocava aquele teclado que mamãe e papai compraram para você.

— Sério? Quando é que você tinha tempo para isso?

Uma vida sem música. Uma vida sem ler os livros que ela tinha amado. Mas, também: uma vida onde se dava bem com o irmão. Uma vida onde não tinha precisado deixá-lo na mão.

— Enfim, Ravi mandou lembranças. E queria matar as saudades. Ele trabalha a apenas uma estação de metrô daqui. Então vai tentar vir para assistir à palestra.

— O quê? Ah. Isso é... Eu preferia que ele não viesse.

— Por quê?

— É que eu nunca gostei muito dele.

Joe franziu a testa.

— Sério? Não me lembro de você dizendo isso... Ele é gente boa. Um cara legal. Meio devagar quase parando, talvez, naquela época, mas parece ter tomado algum jeito...

Nora ficou inquieta.

— Joe?

— O quê?

— Sabe quando a mamãe morreu?

— Sei.

— Onde eu estava?

— Como assim? Está tudo bem com você hoje, maninha? Os novos comprimidos estão funcionando?

— Comprimidos?

Ela abriu a bolsa e começou a vasculhar. Viu um pequeno frasco de antidepressivos dentro dela. O coração afundou dentro do peito.

— Eu só queria saber. Eu via muito a mamãe antes de ela morrer?

Joe franziu a testa. Continuava o mesmo Joe. Ainda incapaz de decifrar a irmã. Ainda querendo fugir da realidade.

— Você sabe que a gente não estava lá. Foi tudo muito rápido. Ela não contou pra gente que estava doente daquele jeito. Pra nos proteger. Ou talvez porque não queria que a gente dissesse pra ela parar de beber.

— Beber? A mamãe bebia?

A preocupação de Joe se intensificou.

— Maninha, você está com amnésia? Ela traçava uma garrafa de gim por dia desde que a Nadia entrou em cena.

— É. Verdade. Eu lembro.

— Além do mais, você estava pra competir nos campeonatos europeus e ela não queria atrapalhar...

— Jesus. Eu devia ter estado lá. Um de nós devia ter estado lá, Joe. Nós dois...

A expressão dele ficou fria de repente.

— Você nunca foi tão chegada à mamãe assim, né? Por que esse súbito...

— Eu me aproximei dela. Quer dizer, eu teria me aproximado dela. Eu...

— Você está me assustando. Está agindo como se fosse outra pessoa.

Nora assentiu.

— É, eu... eu só... É, acho que você tem razão... Acho que são os comprimidos...

Ela se lembrou da mãe, nos seus últimos meses de vida, dizendo: "Eu não sei o que teria feito sem você." Com certeza tinha dito o mesmo para Joe. Mas, nesta vida, ela não teve o apoio de nenhum dos dois.

Então Priya adentrou o ambiente. Sorrindo, segurando o celular e uma prancheta.

— Está na hora — avisou ela.

A árvore que é a nossa vida

Cinco minutos depois, Nora estava de volta à enorme sala de conferências do hotel. Pelo menos mil pessoas assistiam à primeira palestrante encerrar sua apresentação. A autora de *De zero à esquerda a herói*. O livro de cabeceira de Dan em outra vida. Mas, enquanto se sentava na cadeira reservada para ela, na primeira fila, Nora não prestava atenção, na verdade. Estava muito chateada por causa da mãe, muito nervosa por causa do discurso, então só captou uma palavra aqui outra ali, que boiavam em sua mente como croutons num minestrone. "Fato pouco conhecido", "ambição", "o que pode surpreender vocês é", "se eu posso fazer", "duros golpes".

Estava difícil respirar nesta sala. O ar cheirava a perfume almiscarado e a carpete novo.

Ela tentou ficar calma.

Inclinando-se na direção do irmão, ela sussurrou:

— Acho que não vou conseguir fazer isso.

— O quê?

— Acho que estou tendo um ataque de pânico.

Ele olhou para ela, sorrindo, mas com uma dureza no olhar que ela se lembrava de outra vida, quando teve um ataque de pânico antes de um dos primeiros shows deles com os Labyrinths, num pub em Bedford.

— Você vai ficar bem.

— Não sei se consigo fazer isso. Me deu um branco.

— Você está pensando demais.

— Eu sofro de ansiedade. Não sei pensar de menos.

— Ah, qual é. Não deixa a gente na mão.

Não deixa a gente na mão.

— Mas...

Ela tentou pensar em alguma música.

Cantar uma música na cabeça sempre a havia ajudado a se acalmar.

Uma melodia veio à mente. Ela ficou ligeiramente constrangida por dentro quando se deu conta de que a canção em sua mente era "Beautiful Sky". Uma música feliz e cheia de esperança que ela não cantava fazia muito tempo. *"The sky grows dark / The black over blue / Yet the stars still dare / To shine for..."* O céu escurece. O preto sobre o azul se vê. Mas as estrelas ainda ousam brilhar por você.

Mas, então, a pessoa sentada ao lado de Nora — uma mulher de negócios bem-vestida, na casa dos 50 anos e a fonte do perfume almiscarado — se inclinou para ela e murmurou:

— Sinto muito pelo que aconteceu com você. Você sabe, aquela coisa em Portugal...

— Que coisa?

A resposta da mulher foi abafada pelo público explodindo em aplausos nesse exato instante.

— O quê? — perguntou ela outra vez.

Mas era tarde demais. Nora estava sendo chamada ao palco, e o irmão a cutucava com o cotovelo.

A voz do irmão, quase berrando:

— Eles querem você. Vai logo.

Hesitante, Nora se encaminhou para o púlpito que havia no palco, indo em direção ao próprio rosto projetado no enorme telão atrás, o sorriso triunfante, a medalha dourada no pescoço.

Ela nunca tinha gostado de ser observada.

— Oi — disse Nora, nervosa, ao microfone. — É um prazer estar aqui hoje...

Cerca de mil rostos a encaravam, na expectativa.

Ela jamais havia falado para tantas pessoas ao mesmo tempo. Nem na época dos Labyrinths, eles nunca tocaram para mais de cem pessoas, e, ainda assim, ela restringia o falatório entre as músicas ao mínimo possível.

Quando trabalhava na Teoria das Cordas, embora fosse perfeitamente capaz de conversar com os clientes, mal abria a boca nas reuniões de funcionários, mesmo que não houvesse mais de cinco pessoas no ambiente. Na faculdade, enquanto Izzy sempre tirava de letra as apresentações de trabalho, Nora sofria por antecipação durante várias semanas.

Joe e Rory a encaravam perplexos.

A Nora que ela havia visto no TED talk não era esta Nora, e ela duvidava de que algum dia poderia se tornar aquela pessoa. Não sem ter feito tudo o que a outra Nora fizera.

— Oi. Meu nome é Nora Seed.

Sua intenção não era ser engraçada, mas a sala inteira riu. Obviamente, ela dispensava apresentações.

— A vida é estranha — disse ela. — O jeito como a vivemos toda de uma vez. Numa linha reta. Mas esse não é o todo, na verdade. Porque a vida não é feita só das coisas que a gente faz, mas das coisas que a gente não faz também. E cada momento da nossa vida é um tipo de... bifurcação.

Ainda nada.

— Pensem bem. Pensem no jeito que começamos... como essa coisa definida. Como a semente de uma árvore plantada na terra. E então... nós crescemos... crescemos... e, no início, somos um tronco...

Absolutamente nada.

— Mas, então, a árvore, a árvore que é a nossa vida, produz ramos. E pensem em todos esses ramos saindo do tronco em diferentes alturas. E pensem em todos esses ramos se ramificando novamente, indo em direções às vezes opostas. Pensem nesses ramos se tornando outros ramos, e estes se transformando em pequenos galhos. E pensem na extremidade de cada um desses pequenos galhos, todos em lugares diferentes, tendo começado do mesmo ponto. A vida é assim, mas numa escala maior. Novos ramos se formam a cada segundo de cada dia. E, do nosso ponto de vista, do ponto de vista de cada um, a sensação é de que é tipo um... tipo um *continuum*. Cada pequeno galho percorreu uma única trajetória. Mas ainda existem outros galhos. E também existem outros "hojes". Outras vidas que teriam sido diferentes se você tivesse seguido em outras direções num momento anterior. Esta é uma árvore da vida. Muitas religiões e mitologias citam a árvore da vida. Existe no budismo, no judaísmo e no cristianismo. Muitos filósofos e escritores também falaram sobre metáforas de árvores. Para Sylvia Plath, a existência seria uma figueira, e cada vida que ela poderia viver, seja a de mulher casada e feliz, seja a de poeta bem-sucedida, era um figo doce e suculento, mas ela não tinha como provar todos os figos doces e suculentos, então eles simplesmente apodreciam bem na sua frente. Pensar em todas as outras vidas que não vivemos é de enlouquecer qualquer um. Por exemplo, na maioria das minhas vidas, eu não estou aqui, neste palco, falando de sucesso... Na maioria delas, não sou nem medalhista de ouro olímpica.

Ela se lembrou de algo que a Sra. Elm havia lhe dito na Biblioteca da Meia-Noite.

— Fazer uma coisa de maneira diferente é, com frequência, o mesmo que fazer tudo de maneira diferente. Ações não podem ser desfeitas dentro de uma existência, não importa o quanto se tente...

As pessoas prestavam atenção agora. Obviamente precisavam de uma Sra. Elm em suas vidas.

— A única maneira de aprender é vivendo.

Ela continuou naquela linha por mais vinte minutos, relembrando o máximo possível do que a Sra. Elm havia lhe dito, e então baixou o olhar para as mãos, que brilhavam sob a luz branca do púlpito.

Conforme assimilava a visão de uma fina linha de carne saliente e cor-de-rosa, ela soube que a cicatriz era autoinfligida, o que a fez perder o fio da meada. Ou melhor: a fez encontrar outro.

— E... a questão é... a questão é que... o caminho que a gente considera o mais bem-sucedido a seguir, na verdade não é. Porque muitas vezes nossa visão de sucesso vem de alguma noção falsa e externa de conquista, seja uma medalha olímpica, o marido ideal, um bom salário. E existem todas essas métricas que a gente tenta alcançar. Quando, na real, o sucesso não é algo que se possa medir, e a vida não é uma corrida que se possa vencer. É tudo... uma grande bobagem, na verdade...

Definitivamente, a plateia parecia desconfortável agora. Estava evidente que essa não era a palestra que estavam esperando. Nora esquadrinhou o público e viu um rosto sorrindo para ela. Demorou um segundo, considerando o fato de que ele estava bem elegante com uma camisa azul de algodão e o cabelo mais curto do que estava em sua vida em Bedford, para que ela se desse conta de que era o Ravi. Este Ravi parecia amigável, mas ela não conseguia apagar a imagem do outro Ravi, aquele que havia saído da loja resmungando por não poder comprar uma revista e a culpando por isso.

— Sabe, eu sei que vocês estavam esperando pelo meu TED talk sobre o caminho para o sucesso. Mas a verdade é que o sucesso é uma ilusão. É tudo uma ilusão. Quer dizer, sim, existem coisas que a gente pode superar. Por exemplo, eu sou uma pessoa que tem medo de falar em público e, no entanto, aqui estou, num palco. Olhem para mim... num palco! E faz pouco tempo que uma pessoa me disse que meu problema não é, na verdade, medo de palco. Meu problema é *medo da vida*. E sabem do que mais? Essa pessoa tinha razão. Porque a vida é assustadora, e é assustadora por uma razão, e a razão é que não importa qual ramo de uma vida a gente vive, somos sempre a mesma árvore podre. Eu queria ser muitas coisas na vida. Todo tipo de coisa. Mas, se sua vida está podre, continuará podre, não importando o que você faça. A umidade deteriora aquela coisa inútil por inteiro...

Joe deslizava a mão em frente ao pescoço desesperadamente, num gesto de "corta".

— Enfim, sejam bons e... Só sejam bons. Sinto que está chegando a hora de ir embora, então apenas gostaria de dizer que amo meu irmão Joe. Te amo, irmão, e amo todo mundo nesta sala, e foi muito legal estar aqui.

E o momento que disse que foi legal estar ali também foi o momento que não estava mais lá.

Erro de sistema

Ela chegou de volta à Biblioteca da Meia-Noite.

Mas, desta vez, estava um pouco longe das estantes. No arremedo de escritório que tinha avistado antes, em um dos corredores mais largos. A mesa estava coberta por bandejas organizadoras, repletas de pilhas bagunçadas de papéis e caixas, e pelo computador.

O computador era um caixote bege de aparência antiquada, posicionado ao lado dos papéis. Do mesmo tipo que a Sra. Elm teria tido um dia em sua biblioteca escolar. Ela estava ao teclado agora, digitando com urgência, olhando fixamente para o monitor quando Nora parou atrás dela.

As luzes acima — as mesmas lâmpadas na extremidade de fios pendurados — piscavam enlouquecidamente.

— Meu pai estava vivo por minha causa. Mas também tinha tido um caso, e minha mãe morreu mais cedo, e eu me dava bem com meu irmão porque nunca o deixei na mão, mas ele ainda era o mesmo, na verdade, e só estava de bem comigo naquela vida porque eu o estava ajudando a ganhar dinheiro e... e... não foi o sonho olímpico que eu imaginei. Eu continuava a mesma. E alguma coisa tinha acontecido em Portugal. Eu provavelmente tinha tentado me matar ou algo assim... Existem outras vidas mesmo ou são só os objetos de cena que mudam?

Mas a Sra. Elm não estava escutando. Nora notou algo sobre a mesa. Uma velha caneta-tinteiro cor de laranja. Exatamente igual à que Nora um dia usara na escola.

— Alô? Sra. Elm, está me ouvindo?

Algo estava errado.

A expressão da bibliotecária era de tensão. Ela leu para si mesma o que apareceu na tela.

— Erro de sistema.

— Sra. Elm? Oi? Iu-hu! Está me vendo?

Nora deu um tapinha no ombro dela. E funcionou.

A expressão no rosto da Sra. Elm foi de puro alívio quando ela se virou do computador.

— Ah, Nora, você chegou aqui?

— Estava esperando que eu não chegasse? Achou que aquela vida seria a que eu quereria viver?

Ela balançou a cabeça sem mexê-la. Se é que isso era possível.

— Não. Não é isso. É só que parecia frágil.

— O que parecia frágil?

— A transferência.

— Transferência?

— Do livro para cá. Da *vida que escolheu* para cá. Parece que existe um problema. Um problema com o sistema inteiro. Algo além do meu controle imediato. Algo *externo*.

— Quer dizer, na minha vida real?

Ela olhou de volta para a tela.

— É. Veja bem, a Biblioteca da Meia-Noite só existe porque você existe. Em sua vida raiz.

— Então eu estou morrendo?

A Sra. Elm parecia exasperada.

— É uma possibilidade. Quer dizer, é uma possibilidade que nós estejamos chegando ao fim das possibilidades.

Nora se lembrou de como tinha se sentido bem nadando na piscina. Cheia de energia e viva. E, então, algo aconteceu dentro dela. Uma sensação estranha. Um aperto no estômago. Uma mudança *física*. Uma mudança nela. A ideia da morte de repente a incomodou. Naquele exato instante, as luzes pararam de piscar e brilharam com intensidade.

A Sra. Elm entrelaçou as mãos enquanto lia a nova informação no monitor.

— Ah, voltou. Isso é bom. A falha desapareceu. Estamos funcionando bem de novo. Graças, acredito, a *você*.

— O quê?

— O computador diz que a causa raiz no servidor foi temporariamente consertada. E você é a causa raiz. Você é o servidor. — Ela sorriu.

Nora piscou, e, quando abriu os olhos, tanto ela quanto a Sra. Elm estavam em outra parte da biblioteca. Em meio às fileiras de estantes outra vez. Paradas, rígidas, sem jeito, uma de frente para a outra.

— Certo. Agora, relaxe — disse a Sra. Elm, antes de expirar longa e expressivamente.

Ficou evidente que falava consigo mesma.

— Minha mãe morreu em datas distintas em diferentes vidas. Eu gostaria de uma vida em que ela ainda estivesse aqui. Essa vida existe?

A atenção da Sra. Elm se voltou para Nora.

— Talvez sim.

— Ótimo.

— Mas você não pode ir até lá.

— Por quê?

— Porque esta biblioteca tem a ver com as *suas* decisões. Não havia nenhuma escolha que você pudesse ter feito que levaria sua mãe a estar viva além do dia de ontem. Sinto muito.

Uma lâmpada piscou acima da cabeça de Nora. Mas o restante da biblioteca não se alterou.

— Você precisa refletir sobre outra coisa, Nora. O que havia de bom na última vida?

Nora assentiu.

— Nadar. Eu gostei de nadar. Mas não acho que eu era feliz naquela vida. Não sei se sou feliz de verdade em nenhuma vida.

— O objetivo é a felicidade?

— Não sei. Acho que quero que minha vida tenha algum significado. Quero fazer algo de bom.

— Você quis ser glaciologista um dia. — A Sra. Elm pareceu se lembrar.

— Verdade.

— Você falava muito nisso. Dizia que estava interessada no Ártico, então sugeri que se tornasse glaciologista.

— Eu lembro. Eu me animei de cara. Mas meus pais nunca gostaram da ideia.

— Por quê?

— Não sei bem. Eles me incentivavam a nadar. Pelo menos meu pai fazia isso. Mas os dois reagiam de um jeito esquisito a qualquer coisa que tivesse a ver com o mundo acadêmico.

Nora sentiu uma tristeza profunda, um frio no estômago. Desde seu nascimento, foi acolhida pelos pais de um modo diferente do irmão.

— Fora a natação, Joe era o filho incentivado a correr atrás das coisas — confessou ela à Sra. Elm. — Minha mãe me demovia de qualquer ideia que pudesse me afastar de casa. Diferente do meu pai, ela nem insistia que eu nadasse. Mas, com certeza, deve haver uma vida onde eu não dei ouvidos à minha mãe e onde agora sou uma pesquisadora no Ártico. Longe de tudo. Com um propósito. Ajudando o planeta. Estudando o impacto da mudança climática. Na linha de frente.

— Quer que eu encontre essa vida para você?

Nora suspirou. Ainda não tinha ideia do que queria. Mas, pelo menos, o Círculo Ártico seria diferente.

— Tá. Quero.

Svalbard

Nora acordou em uma cama estreita na pequena cabine de um navio. Sabia que estava em um navio por causa do balanço, e, na verdade, havia sido o balanço, por mais suave que fosse, que a tinha acordado. A cabine era simples e básica. Ela vestia um suéter de lã grosso e calças térmicas. Ao tirar o cobertor, sentiu dor de cabeça. A boca estava tão seca que as bochechas pareciam grudadas nos dentes. Ela tossiu, uma tosse forte, carregada, e se sentiu a um milhão de braçadas do corpo de uma atleta olímpica. Seus dedos cheiravam a tabaco. Nora se sentou e deu de cara com uma mulher robusta, o cabelo loiro-claro e o rosto castigado pelo tempo, sentada na outra cama, olhando para ela.

— *God morgen*, Nora.

Ela sorriu. E torceu para que nesta vida ela não fosse fluente em qualquer que fosse a língua escandinava falada pela mulher.

— Bom dia.

Ela notou a garrafa de vodca pela metade e uma caneca no chão perto da mulher. Um calendário de cães (abril: springer spaniel) estava apoiado na cômoda entre as camas. Havia três livros em cima dela. O mais perto da mulher dizia *Princípios da mecânica glaciar*. Os do lado de Nora: *Guia de uma naturalista para o Ártico* e uma edição clássica da Penguin de *A saga dos Volsungos*. Ela notou algo mais. Estava frio. Bem frio. O frio que quase queima, que dá problema nos dedos dos pés e das mãos e enrijece as bochechas. Mesmo estando num ambiente interno. Com várias camadas de roupa térmica. De suéter. Com as barras de dois aquecedores elétricos de um laranja bem incandescente. Cada expiração virava uma nuvem de fumaça.

— Por que está aqui, Nora? — indagou a mulher, num inglês com sotaque carregado.

Uma pergunta capciosa quando se desconhecia onde era o "aqui".

— Está meio cedo para filosofar, né? — Nora riu, nervosa.

Ela viu uma parede de gelo pela escotilha, erguendo-se do mar. Estava ou no extremo sul ou no extremo norte. Em algum extremo do planeta.

A mulher continuava a encará-la. Nora não fazia ideia se eram amigas ou não. A mulher parecia durona, direta, rude, mas provavelmente era uma forma interessante de companhia.

— Não quero saber de filosofar. Nem quero saber o que fez você entrar para a pesquisa glaciológica. Mas, pode ser a mesma coisa. Quer dizer, por que você escolheu se afastar ao máximo da civilização? Isso você nunca me contou.

— Não sei — respondeu ela. — Eu gosto de frio.

— Ninguém gosta *deste* frio. A não ser que seja sadomasoquista.

A mulher tinha razão. Nora pegou o suéter ao pé da cama e o vestiu por cima do que já estava usando. Enquanto o fazia, ela viu, ao lado da garrafa de vodca, um crachá jogado no chão.

Ingrid Skirbekk
Professora de Geociências
Instituto de Pesquisa Polar Internacional

— Não sei, Ingrid. É que eu gosto de geleiras, acho. Quero entender mais sobre elas. Por que estão... derretendo.

Ela não estava parecendo uma especialista em geleiras, a julgar pelas sobrancelhas erguidas de Ingrid.

— E quanto a você? — perguntou ela, esperançosa.

Ingrid suspirou. Esfregou a palma com o polegar.

— Depois que Per morreu, não suportei continuar em Oslo. Todas aquelas pessoas que não eram ele, sabe? Tinha essa cafeteria que a gente costumava frequentar, na faculdade. A gente se sentava junto; junto, mas em silêncio.

Um silêncio feliz. Lendo jornais, tomando café. Era difícil evitar lugares como esses. A gente andava por todo lado. Sua alma problemática vagava em todas as ruas... Eu vivia dizendo à lembrança dele que desse o fora, mas não adiantava. O luto é uma desgraça. Se eu tivesse ficado um pouco mais, teria odiado a humanidade. Então, quando surgiu um cargo de pesquisadora em Svalbard, eu pensei, tipo, essa é a minha salvação... Eu queria estar em algum lugar onde ele nunca havia pisado. Queria um lugar onde não tivesse de sentir o fantasma dele. Mas a verdade é que só funciona pela metade, sabe? Lugares são lugares, e lembranças são lembranças, e a vida é a maldita vida.

Nora processou tudo aquilo. Evidentemente, Ingrid estava confiando isso a alguém que achava que conhecia mais ou menos bem, e, no entanto, Nora não passava de uma desconhecida. Era esquisito. Errado. Essa deve ser a pior parte de ser espião, pensou ela. A emoção que as pessoas depositavam em você, como um mau investimento. Você sente como se roubasse algo delas.

Ingrid sorriu, interrompendo seus pensamentos.

— Enfim, obrigada por ontem à noite... Foi uma boa conversa. Tem um monte de gente babaca nesse navio, e você não é babaca.

— Ah. Obrigada. Nem você.

E foi aí que Nora viu a arma, um enorme rifle com um robusto cabo de madeira, encostado à parede do outro lado da cabine, sob os ganchos para pendurar casacos.

De certo modo, aquela visão a alegrou. Teve a sensação de que seu eu de 11 anos teria se orgulhado. Ela estava, ao que parecia, *vivendo uma aventura*.

Hugo Lefèvre

Nora atravessou com sua dor de cabeça de ressaca um corredor de madeira sem decorações até um pequeno refeitório, que cheirava a arenque em conserva e onde alguns cientistas pesquisadores estavam tomando o café da manhã.

Ela se serviu de café preto e um pouco de pão de centeio seco e rançoso, e se sentou.

Ao seu redor, para além da janela, estava a mais incrivelmente bela paisagem que tinha visto na vida. Ilhas de gelo, como rochas de um branco puro e cristalino, eram visíveis em meio à névoa. Havia dezessete outras pessoas no refeitório, contou Nora. Onze homens, seis mulheres. Nora estava sozinha a uma mesa, mas, em cinco minutos, um homem de cabelo curto, e com uma barba por fazer que em dois dias viraria uma barba cheia, se juntou a ela. Ele estava de parca, como a maioria das pessoas ali, mas parecia não ter sido feito para usar aquilo, como se se sentisse mais à vontade na Riviera de short de grife e camisa polo cor-de-rosa. Ele sorriu para Nora. Ela tentou traduzir o sorriso, entender o tipo de relacionamento que tinham. Ele a observou por alguns instantes, então arrastou sua cadeira para se sentar em frente a ela. Nora procurou por um crachá, mas ele não usava um. Ela se perguntou se deveria saber o nome dele.

— Meu nome é Hugo — disse ele, para o alívio dela. — Hugo Lefèvre. Você é Nora, certo?

— Certo.

— Eu a vi por aí, em Svalbard, no centro de pesquisa, mas a gente nunca se falou. Enfim, só queria dizer que li seu artigo sobre geleiras pulsantes e fiquei impressionado.

— Sério?

— Sério. Quer dizer, sempre me fascinou essa coisa: por que elas fazem isso aqui, e em nenhum outro lugar? É um fenômeno tão estranho.

— A vida é cheia de fenômenos estranhos.

Conversar era algo tentador, mas perigoso. Nora abriu um pequeno sorriso educado e olhou pela janela. As ilhas de gelo se transformaram em ilhas de verdade. Pequenas colinas pontudas cobertas de neve, como o topo de montanhas, ou placas de terra mais planas e escarpadas. E, para além delas, a geleira que Nora tinha visto da escotilha da cabine. Dava para ter uma melhor noção da proporção dela agora, embora o topo estivesse escondido sob uma camada de nuvens. Outras partes dela estavam totalmente livres de névoa. Era incrível.

Você olha uma foto de uma geleira na televisão ou numa revista e vê uma massa branca lisa. Mas isso aqui era tão texturizado como uma montanha. Preto-amarronzado e branco. E havia variedades infinitas daquele branco, toda uma miscelânea visual de variações — branco-branco, branco-azulado, branco-turquesa, branco-dourado, branco-prateado, branco-translúcido — convertida em algo absurdamente vívido e impressionante. Com certeza mais impressionante que o café da manhã.

— Deprimente, né? — perguntou Hugo.

— O quê?

— O fato de o dia nunca acabar.

Nora se sentiu incomodada com essa observação.

— Em que sentido?

Ele esperou um segundo para responder.

— A luz do dia que não termina — respondeu ele, antes de dar uma mordida num biscoito seco. — De abril em diante. É como viver um dia sem fim... Odeio essa sensação.

— Nem me fale.

— Era de imaginar que colocariam cortinas nas escotilhas. Quase não dormi desde que pisei neste navio.

Nora assentiu.

— Quanto tempo faz isso mesmo?

Ele riu. Um riso gostoso. De boca fechada. Civilizado. Sem chegar a ser uma risada.

— Eu bebi demais com a Ingrid ontem. A vodca roubou minha memória.

— Tem certeza de que foi a vodca?

— O que mais teria sido?

O olhar dele era de curiosidade, e fez Nora se sentir automaticamente culpada.

Ela olhou para Ingrid, que estava tomando o seu café e digitando no laptop. Nora desejou ter se sentado com ela agora.

— Bom, essa foi nossa terceira noite — disse Hugo. — A gente vem rodeando o arquipélago desde domingo. É, domingo. Foi quando partimos de Longyearbyen.

Nora fez uma expressão de quem já sabia de tudo isso.

— A sensação é de que já se passou uma eternidade desde domingo.

O navio parecia estar virando. Nora foi forçada a se inclinar um pouco na cadeira.

— Vinte anos atrás, quase não havia mar aberto em Svalbard em abril. Dá uma olhada agora. É como navegar pelo Mediterrâneo.

Nora tentou fazer seu sorriso parecer relaxado.

— Não exatamente.

— Enfim, fiquei sabendo que sobrou pra você hoje?

Nora tentou manter a expressão neutra, o que não foi difícil.

— Sobrou?

— Você é a olheira, não é?

Ela não fazia ideia do que ele estava falando, mas teve medo do brilho em seu olhar.

— Sim — respondeu ela. — Sim, sou. Sou a olheira.

Os olhos de Hugo se arregalaram em choque. Ou num choque fingido. Era difícil dizer quando se tratava dele.

— A *olheira*?

— Sim?

Nora queria desesperadamente saber o que um olheiro fazia ali de fato, na verdade, mas não podia perguntar.

— *Bonne chance* — desejou Hugo, com um olhar desafiador.

— *Merci* — rebateu Nora, olhando para a luz pura do Ártico e para uma paisagem que só tinha visto em revistas. — Estou pronta para um desafio.

Andando em círculos

Uma hora depois e Nora estava em uma extensão de rocha coberta de neve. Mais para um arrecife do que para uma ilha. Um lugar tão pequeno e inóspito que não tinha nome, embora uma ilha maior — ameaçadoramente batizada de Ilha do Urso — fosse visível do outro lado do mar glacial. Ela estava parada ao lado de uma embarcação. Não o *Lance*, o navio em que tinha tomado o café da manhã — aquele estava ancorado em segurança no mar aberto —, mas o pequeno bote motorizado que havia sido arrastado para fora da água por um homem só, um armário de homem chamado Rune que, apesar do nome escandinavo, falava o inglês arrastado da costa oeste americana.

Aos pés dela havia uma mochila amarelo-fluorescente. E, no chão, o rifle Winchester que estivera apoiado na parede da cabine. Essa arma era *sua*. Nesta vida, ela possuía uma arma de fogo. Perto da arma havia uma panela com uma concha dentro. Na mão, segurava outra arma, menos mortal — uma pistola de sinalização pronta para disparar um sinalizador.

Nora havia descoberto que tipo de "olheira" ela seria. Enquanto nove dos cientistas conduziriam um trabalho de campo sobre rastreamento climático nesta minúscula ilha, ela ficaria de olho em ursos-polares. Aparentemente, esta era uma perspectiva bastante real. E, se avistasse um, a primeira coisa que tinha de fazer era disparar o sinalizador. Isso serviria a um duplo propósito: a) afugentar o urso e b) alertar os outros.

Não era um plano infalível. Humanos eram uma saborosa fonte de proteína e os ursos não eram conhecidos por seu medo, principalmente nos últimos anos, quando a perda do habitat e das fontes de alimento os tornou ainda mais vulneráveis, forçando-os a ser mais imprudentes.

— Assim que você disparar o sinalizador — disse o mais velho do grupo, um homem de feições angulosas e sem barba chamado Peter, que era o líder de campo e que falava em um estado de *fortissimo* permanente —, bata com a concha na panela. Bata enlouquecidamente e grite. A audição deles é sensível. São como gatos. Nove em dez vezes, o barulho afugenta os ursos.

— E a outra vez em dez?

Ele fez um movimento com a cabeça para baixo, indicando o rifle.

— Você mata o urso. Antes que ele mate você.

Nora não era a única com uma arma. Todos carregavam uma. Eram cientistas armados. Por fim, Peter riu e Ingrid deu tapinhas nas costas dela.

— Espero de verdade — começou Ingrid, com uma risada rouca — que você não seja comida. Eu sentiria saudades. Contanto que não esteja menstruada, deve ficar bem.

— Jesus. O quê?

— Eles conseguem farejar o sangue a um quilômetro de distância.

Outra pessoa — alguém tão fortemente agasalhado que era impossível dizer quem era, mesmo se já o conhecesse — lhe desejou "boa sorte" em uma voz distante e abafada.

— Voltaremos em cinco horas... — disse Peter para ela. Ele riu de novo, e Nora torceu para que ele estivesse brincando. — Ande em círculos para se manter aquecida.

E então eles se foram, caminhando pelo terreno rochoso e desaparecendo na névoa.

Por uma hora, nada aconteceu. Nora andou em círculos. Pulou do pé esquerdo para o direito. A névoa rareou um pouco, e ela estudou a paisagem. Ficou se perguntando por que não retornava à biblioteca. Afinal de contas, parecia meio que numa *merda*. Com certeza, havia vidas onde ela estava sentada ao lado de uma piscina pegando sol, neste exato instante. Vidas onde estava tocando alguma música, ou tomando um banho quente de banheira com essência de lavanda, ou no meio de uma transa incrível num terceiro encontro, ou lendo um livro numa praia do México, ou comendo num restaurante com estrela Michelin, ou perambulando pelas ruas de

Paris, ou se perdendo em Roma, ou contemplando, tranquilamente, um templo nos arredores de Kyoto, ou sentindo o cálido aconchego de um relacionamento feliz.

Na maioria das vidas, no mínimo estaria fisicamente *confortável*. E, no entanto, sentia algo novo aqui. Ou algo velho, que havia enterrado. A paisagem glacial era um lembrete de que ela era, acima de qualquer coisa, um ser humano vivendo em um planeta. Quase tudo que ela havia feito em sua vida, se deu conta — quase tudo que havia comprado, trabalhado para conseguir e consumido —, a tinha afastado cada vez mais do entendimento de que ela e todos os seres humanos eram, na verdade, apenas uma entre nove milhões de espécies.

"Se alguém avança com confiança", havia escrito Thoreau em *Walden ou A vida nos bosques*, "na direção de seus sonhos, e tenta viver a vida que imaginou, há de deparar com um sucesso inesperado a qualquer momento." Ele também observou que parte daquele sucesso era produto da solidão. "Nunca encontrei companhia tão boa companheira quanto a solidão."

E Nora sentia o mesmo naquele momento. Embora tivesse sido deixada sozinha por apenas uma hora até agora, nunca havia vivenciado este grau de solidão antes, em meio a um ambiente natural tão despovoado.

Ela havia pensado, em suas horas noturnas e suicidas, que a solidão fosse o problema. Mas isso porque não tinha sido uma solidão de verdade. A mente solitária na cidade movimentada anseia por conexão porque acredita que a conexão humano-humano é o sentido de tudo. Mas, em meio à natureza pura (ou o "tônico selvagem", como Thoreau o chamava), a solidão assumia um caráter diferente. Tornava-se, em si mesma, um tipo de conexão. Uma conexão entre si mesma e o mundo. E entre ela e ela mesma.

Nora se lembrou de uma conversa que tivera com Ash, aquele cara alto, desengonçado e fofo que vivia à procura de livros de partituras novos para seu violão.

O papo não tinha sido na loja, mas no hospital, quando a mãe dela estava doente. Pouco depois de o câncer nos ovários ter sido diagnosticado, ela havia precisado de cirurgia. Nora tinha levado a mãe a todas as consultas no Hospital Geral de Bedford, e segurado a mão dela mais vezes naquelas poucas semanas do que em todo o restante do relacionamento das duas.

Enquanto a mãe estava na cirurgia, Nora esperou na cantina do hospital. E Ash — de jaleco e a reconhecendo como a pessoa com quem tinha conversado várias vezes na Teoria das Cordas — viu que ela parecia preocupada e parou para bater papo.

Ash trabalhava no hospital como cirurgião geral, e ela acabou fazendo várias perguntas sobre o tipo de coisa que ele operava (naquele dia, em particular, ele havia removido um apêndice e um duto biliar). Também perguntou a ele sobre o tempo de recuperação normal pós-cirurgia e a duração dos procedimentos, e ele foi bastante tranquilizador. Os dois acabaram conversando por um longo tempo sobre todo tipo de coisa, o que ele pareceu sentir que era do que ela precisava. Ele falou algo sobre não pesquisar demais sobre sintomas no Google. E aquilo tinha levado os dois a falar sobre redes sociais — ele acreditava que quanto mais as pessoas se conectavam em redes sociais, mais solitária a sociedade se tornava.

— É por isso que hoje em dia todo mundo se odeia — argumentou ele. — Porque está todo mundo sobrecarregado de amigos que não são amigos. Já ouviu falar do número de Dunbar?

E então ele havia lhe contado sobre um homem chamado Robin Dunbar, da Universidade de Oxford, que tinha descoberto que os seres humanos foram programados para conhecer apenas cento e cinquenta pessoas, já que esse era o tamanho médio das comunidades de caçadores-coletores.

— E o *Domesday Book* — havia lhe dito Ash, sob a forte iluminação da cantina do hospital —, se você olhar o conteúdo dele, desse censo que foi feito lá atrás, em 1086, o tamanho médio de uma comunidade inglesa era de cento e cinquenta pessoas. Menos em Kent. Onde era de cem pessoas. Eu sou de Kent. A gente tem um DNA antissocial.

— Eu já fui a Kent — rebatera Nora. — Reparei nisso. Mas gosto dessa teoria. Eu consigo conhecer essa quantidade de pessoas no Instagram em uma hora.

— Exatamente. Nada saudável! Nosso cérebro não dá conta disso. E é por isso que, mais que nunca, a gente sente falta de uma interação cara a cara. E... é por isso que eu nunca vou comprar meus livros de partitura para violão com as músicas de Simon & Garfunkel on-line!

Ela sorriu ao lembrar disso, mas foi trazida de volta à realidade da paisagem do Ártico pelo som alto de uma pancada na água.

A alguns metros dela, entre o arrecife rochoso onde estava e a Ilha do Urso, havia outra pequena rocha, ou agrupamento de rochas, despontando da água. Algo parecia estar emergindo da espuma do mar. Algo pesado, se debatendo contra a pedra com um grande peso molhado. Com o corpo todo tremendo, ela se preparou para disparar o sinalizador, mas não era um urso-polar. Era uma morsa. A fera gorda, enrugada e marrom se arrastou sobre o gelo, e então parou para encará-la. Ela (ou ele) parecia ter uma idade bem avançada, mesmo para uma morsa. A morsa não sentia vergonha, e podia sustentar um olhar por um período indefinido de tempo. Nora teve medo. Ela só sabia duas coisas sobre morsas: que podiam ser ferozes e que não ficavam sozinhas por muito tempo.

Provavelmente, havia outras morsas prestes a sair da água.

Ela se perguntou se deveria disparar o sinalizador.

A morsa ficou onde estava, como um fantasma de si mesma na luz granulada, mas, lentamente, desapareceu atrás de um véu de névoa. Minutos se passaram. Nora estava com sete camadas de roupas, mas suas pálpebras pareciam estar enrijecendo e correndo o risco de congelar se as deixasse fechadas por muito tempo. De vez em quando ouvia as vozes dos outros pairando até ela e, por um momento, seus colegas de trabalho voltaram para tão perto que deu para ver alguns deles. Silhuetas na névoa, curvadas sobre o chão, lendo amostras de gelo com equipamentos que ela não teria entendido. Mas logo desapareceram de novo. Ela comeu uma das barras de proteína que havia em sua mochila. Estava fria e dura como um caramelo *toffee*. Verificou o celular, mas não havia sinal.

Estava tudo muito silencioso.

O silêncio a fez se dar conta de quanto barulho havia nos outros lugares do mundo. Aqui, o som tinha significado. Você ouvia algo e tinha de prestar atenção.

Enquanto mastigava, escutou outro barulho de mergulho na água, mas dessa vez vindo de outra direção. A combinação de névoa e pouca luz tornava difícil ver. Mas não era uma morsa. Aquilo ficou óbvio quando ela percebeu que a silhueta se movendo em sua direção era grande. Maior que uma morsa e muito maior que qualquer ser humano.

Um momento de crise extrema
no meio do nada

— Ai, *merda* — sussurrou Nora, para o tempo frio.

A frustração de não encontrar uma biblioteca quando você precisa muito de uma

A névoa se dissipou e revelou um imenso urso-polar, de pé, bem ereto. O animal caiu sobre as quatro patas e continuou a se deslocar na direção dela com uma velocidade surpreendente e uma elegância pesada e aterrorizante. Nora não fez nada. Sua mente ficou paralisada pelo pânico. Ela estava tão imóvel quanto o permafrost no qual pisava.

Merda.
Merda merda.
Merda merda puta merda.
Merda merda merda merda merda.

Por fim, o instinto de sobrevivência entrou em ação, e Nora ergueu a pistola, apertou o gatilho, e o sinalizador subiu como um minúsculo cometa e sumiu na água, o brilho desaparecendo junto com a sua esperança. A criatura continuava avançando em sua direção. Ela caiu de joelhos e começou a bater a concha na panela, gritando a plenos pulmões.

— URSO! URSO! URSO!

O urso parou por um instante.

— URSO! URSO! URSO!

E recomeçou a andar.

O barulho não estava funcionando. O urso estava perto. Ela se perguntou se conseguiria alcançar o rifle, caído no gelo, um pouco longe demais. Dava para ver as enormes patas do urso, armadas de garras, comprimindo a rocha coberta de neve. A cabeça baixa, os olhos pretos fixos nela.

— BIBLIOTECA! — gritou Nora. — SRA. ELM! POR FAVOR, ME LEVA DE VOLTA! ESTA É A VIDA ERRADA! MUITO, MUITO, *MUITO* ERRADA! ME LEVA DE VOLTA! EU NÃO QUERO UMA AVENTURA! ONDE ESTÁ A BIBLIOTECA?! EU QUERO A BIBLIOTECA!

Não havia ódio no olhar do urso-polar. Nora era apenas comida. Carne. Havia uma lição de humildade naquele tipo de terror. O coração dela batia como um baterista atingindo o *crescendo*. O fim da música. E, enfim, naquele momento, ficou incrivelmente nítido para ela.

Ela não queria morrer.

E esse era o problema. Diante da morte, a vida parecia mais atraente, e se a vida parecia mais atraente, como poderia voltar para a Biblioteca da Meia-Noite? Ela tinha que se sentir frustrada e decepcionada em uma vida, não só com medo dela, para poder tentar de novo com algum outro livro.

Lá estava a morte. Uma morte violenta e indiferente na forma de urso, encarando-a com seus olhos pretos. E ela teve certeza, mais do que qualquer certeza que já teve na vida, de que não estava pronta para morrer. Essa constatação cresceu além do próprio medo enquanto ela continuava ali, cara a cara com um urso-polar, ele mesmo faminto e desesperado para continuar vivendo, e bateu a concha na panela. Com mais força. Um bang-bang-bang rápido e em *staccato*.

Eu. Não. Estou. Com. Medo.
Eu. Não. Estou. Com. Medo.
Eu. Não. Estou. Com. Medo.
Eu. Não. Estou. Com. Medo.
Eu. Não. Estou. Com. Medo.
Eu. Não. Estou. Com. Medo.

O urso parou e a encarou, do mesmo modo que a morsa tinha feito. Ela olhou para o rifle. É. Estava longe demais. Quando conseguisse pegá-lo e descobrir como manuseá-lo, já seria tarde. De qualquer forma, ela duvidava de que seria capaz de matar um urso-polar. Por isso, bateu a concha na panela.

Nora fechou os olhos, ansiando pela biblioteca enquanto seguia fazendo barulho. Quando os abriu, o urso estava mergulhando de cabeça na água. Ela continuou batendo na panela mesmo depois que a criatura tinha desaparecido. Cerca de um minuto depois, ela ouviu os humanos chamando seu nome através da névoa.

Ilha

Ela estava em choque. Mas era um tipo de choque ligeiramente diferente do que os outros no bote imaginavam. Não era o choque de ter estado perto da morte. Era o choque de se dar conta de que, na verdade, ela queria viver.

Eles passaram por uma pequena ilha fervilhando de natureza. Líquen verde espalhado sobre as rochas. Pássaros — pequenos mergulhões e papagaios-do-mar agrupados — unidos contra o vento ártico. A vida sobrevivendo contra todas as probabilidades.

Nora deu um gole no café que Hugo lhe entregou, fresquinho da garrafa dele. Segurando a garrafa com mãos frias, mesmo com três pares de luvas.

Fazer parte da natureza era fazer parte da vontade de viver.

Quando você fica muito tempo num lugar, esquece como o mundo é grande e vasto. Não tem noção da extensão de suas longitudes e latitudes. Assim como, supôs ela, é difícil ter noção da vastidão dentro de qualquer pessoa.

Mas, assim que você sente essa vastidão, assim que algo a revela, a esperança surge, quer você queira ou não, e se agarra a você tão teimosamente quanto um líquen se agarra a uma rocha.

Permafrost

A temperatura do ar em Svalbard estava esquentando duas vezes mais rápido que o ritmo global. A mudança climática acontecia mais depressa aqui do que em quase qualquer outro ponto da Terra.

Uma mulher, com uma touca de lã roxa que cobria até as sobrancelhas, falava sobre ter visto um dos icebergs dar uma cambalhota — algo que aconteceu aparentemente porque as águas aquecidas tinham dissolvido sua base, tornando o topo mais pesado.

Um outro problema era que o permafrost em terra firme estava degelando, amolecendo o terreno, ocasionando deslizamentos e avalanches que poderiam destruir as casas de madeira de Longyearbyen, a maior cidade de Svalbard. Também havia o risco de corpos virem à tona no cemitério local.

Era inspirador estar entre esses cientistas que tentavam descobrir em detalhes o que acontecia com o planeta, tentavam observar a atividade climática e glacial, e que faziam isso para informar e para proteger a vida na Terra.

De volta ao navio, Nora estava sentada em silêncio no refeitório enquanto todos se mostravam solidários pelo encontro com o urso. Ela se sentiu incapaz de lhes dizer que estava grata pela experiência. Apenas sorria educadamente e tentava ao máximo evitar se engajar em conversas.

Esta vida era intensa, sem meio-termo. Fazia dezessete graus negativos no momento, e ela quase tinha sido devorada por um urso-polar. Então, talvez o problema em sua vida raiz tenha sido, em parte, a falta de emoção.

Ela havia chegado a imaginar que a mediocridade e a decepção eram seu destino.

De fato, Nora sempre tivera a impressão de que descendia de uma longa linhagem de arrependimentos e esperanças desfeitas que pareciam ecoar em cada geração.

Por exemplo, seu avô materno se chamava Lorenzo Conte. Ele havia abandonado a Apúlia — o belo salto na bota italiana — pela efervescente Londres dos anos 1960.

Como outros homens na desolada cidade portuária de Brindisi, ele emigrou para a Grã-Bretanha, trocando a vida no Adriático por um emprego na London Brick Company. Lorenzo, em sua ingenuidade, imaginou que teria uma vida maravilhosa — faria tijolos durante o dia e, à noite, iria esbarrar com os Beatles e andar pela Carnaby Street de braços dados com Jean Shrimpton ou Marianne Faithfull. O único problema era que, apesar do nome, a London Brick Company não ficava em Londres, na verdade. A sede situava-se a cem quilômetros ao norte, em Bedford, que, mesmo com todos os seus modestos encantos, não se mostrou tão efervescente quanto Lorenzo esperava. Mas ele negociou um meio-termo com seus sonhos e se estabeleceu lá. O trabalho podia não ser glamoroso, mas pagava as contas.

Lorenzo se casou com uma inglesa da região, chamada Patricia Brown, que também estava se acostumando com as decepções da vida, tendo trocado o sonho de ser atriz pelo mundano teatro cotidiano de esposa suburbana, e cujas habilidades culinárias viveriam para sempre à sombra fantasmagórica da falecida sogra apuliana e seu lendário espaguete, o qual, aos olhos de Lorenzo, jamais poderia ser suplantado.

Com um ano de casados, os dois tiveram uma filha — a mãe de Nora — a quem chamaram de Donna.

Donna cresceu em meio às contínuas discussões dos pais e, como consequência, havia encarado o casamento como algo não apenas inevitável, mas também inevitavelmente infeliz. Ela trabalhou como secretária em um escritório de advocacia e depois como oficial de comunicações no conselho de Bedford, mas, então, teve uma experiência que nunca foi discutida, pelo menos não com Nora. Ela havia vivenciado alguma espécie de colapso nervoso — o primeiro de vários — que a fez ficar em casa, e, embora tenha se recuperado, nunca voltou a trabalhar.

Aquilo foi o bastão invisível de fracasso que a mãe tinha lhe passado, e Nora o havia segurado por muito tempo. Talvez fosse a razão de ela ter desistido de tantas coisas. Porque estava gravado em seu DNA que ela tinha que fracassar.

Nora pensava nisso enquanto o navio singrava as águas do Ártico e enquanto gaivotas — gaivotas-tridácticas, segundo Ingrid — voavam acima deles.

Dos dois lados de sua família havia uma crença tácita de que a vida tinha como objetivo ferrar com eles. O pai de Nora, Geoff, havia levado uma vida que com certeza parecia ter errado o alvo.

Ele fora criado apenas pela mãe, pois o pai havia morrido de ataque cardíaco quando ele tinha 2 anos, fato cruelmente escondido por trás de suas primeiras lembranças. A avó paterna de Nora havia nascido no interior da Irlanda, mas emigrado para a Inglaterra para se tornar faxineira de escola, mal conseguindo dinheiro suficiente para comprar comida, quanto mais para qualquer coisa parecida com *diversão*.

Geoff tinha sofrido bullying desde pequeno, mas cresceu, tanto em altura quanto em largura, e colocou aqueles valentões em seu devido lugar. Trabalhou duro e se mostrou bom no futebol, no arremesso de peso e, principalmente, no rúgbi. Integrou o time juvenil do Bedford Blues, tornando-se seu melhor jogador, e teve sua grande chance na equipe principal, até que uma lesão do ligamento colateral interrompeu sua trajetória. Ele então se tornou professor de educação física e alimentou um ressentimento silencioso contra o universo. Sempre sonhava em viajar, mas nunca fazia muito mais do que assinar a *National Geographic* e passar um ou outro feriado fora, em algum lugar das Cíclades — Nora se lembrava do pai em Naxos, tirando uma foto do Templo de Apolo ao pôr do sol.

Mas talvez fosse isso o que todas as vidas eram. Talvez até as que parecem valer a pena ou ser perfeitamente intensas fossem iguais, no fim das contas.

Hectares de decepção, monotonia, mágoas e rivalidades, mas com flashes de encanto e beleza. Talvez aquele fosse o único significado que importava. Ser o mundo, testemunhando a si mesmo. Talvez não tenha sido a falta de conquistas que tenha tornado os pais dela infelizes, mas sim a expectativa da conquista, para começo de conversa. Na verdade, ela não tinha a menor ideia de nada disso. Mas, naquele navio, ela se deu conta de uma coisa. Ela havia amado os pais mais do que imaginara, e, ali mesmo, ela os perdoou completamente.

Uma noite em Longyearbyen

Levaram duas horas para voltar ao pequeno porto de Longyearbyen, a cidade mais ao norte da Noruega — e do mundo —, com uma população de cerca de duas mil pessoas.

Nora sabia desses detalhes básicos de sua vida raiz. Afinal de contas, tinha sido fascinada por esta parte do mundo desde os 11 anos, mas seu conhecimento não se estendia muito além dos artigos de revista que lera, e ainda ficava nervosa ao conversar.

No entanto, a viagem de navio de volta tinha transcorrido bem, porque sua inabilidade para discutir as amostras de plantas, rochas e gelo que eles haviam coletado, ou para entender expressões como "estrias glaciais em leito rochoso de basalto" e "isótopos pós-glaciais", foi atribuída ao choque do encontro com o urso-polar.

E ela *estava* meio que em choque, era verdade. Mas, de novo, não o choque que os colegas imaginavam. O choque não havia resultado do fato de ela achar que estava prestes a morrer. Estava à beira da morte desde que botou os pés na Biblioteca da Meia-Noite. Não, o choque estava no fato de ela ter sentido como se estivesse prestes a *viver*. Ou, pelo menos, que se podia imaginar querendo estar viva de novo. E queria fazer algo de bom com aquela vida.

A vida de um ser humano, de acordo com o filósofo escocês David Hume, não é mais importante para o universo que a de uma ostra.

Mas se era importante o suficiente para David Hume colocar aquele pensamento no papel, então talvez fosse importante o suficiente para almejar fazer algo de bom. Ajudar a preservar a vida, em todas as suas formas.

Em seu entender, o trabalho que esta outra Nora e seus parceiros cientistas vinham fazendo tinha a ver com determinar a velocidade com que o gelo e as geleiras estavam derretendo na região, para calcular a taxa de aceleração da mudança climática. Havia mais coisas em jogo, mas aquele era o cerne da questão, até onde Nora podia ver.

Então, nesta vida, ela estava fazendo sua parte para salvar o planeta. Ou, pelo menos, para monitorar a devastação contínua do planeta a fim de alertar as pessoas para os fatos da crise ambiental. Aquilo era potencialmente deprimente, mas também uma coisa boa e recompensadora de se fazer, refletiu. Havia propósito. Havia significado.

Eles ficaram impressionados também. Os outros. Com a história do urso-polar. Nora era uma espécie de heroína — não de um jeito nadadora-medalhista-olímpica, mas de outro modo igualmente gratificante.

Ingrid apoiou o braço nos ombros dela.

— Você é a guerreira da panela. E acho que precisamos comemorar seu destemor e nossas descobertas potencialmente inovadoras com um prato de comida. Um belo prato de comida. E um pouco de vodca. O que me diz, Peter?

— Um belo prato de comida? Em Longyearbyen? Eles têm isso aqui?

E acabou que eles tinham.

Pisando em terra firme, foram a um restaurante chamado Gruvelageret, em uma sofisticada cabana de madeira debruçada sobre uma estrada solitária, em um austero vale nevado. Ela bebeu cerveja do Ártico e surpreendeu os colegas de trabalho ao comer a única opção vegana de um cardápio que incluía filé de rena e hambúrguer de alce. Nora devia estar com a aparência cansada, porque vários deles fizeram esse comentário, mas talvez fosse só o fato de não haver muitos momentos nos quais ela pudesse participar com confiança da conversa. Ela se sentia como uma aluna de autoescola num cruzamento movimentado, esperando, tensa, por um pedaço de pista livre e segura.

Hugo estava lá. Aos olhos dela, ainda parecia que ele preferia estar em Antibes ou St. Tropez. Ela se sentiu um pouco inquieta enquanto ele a encarava, um pouco observada demais.

Na caminhada apressada de volta à acomodação terrestre deles, que lembrava a Nora os dormitórios da universidade, mas em uma escala menor, mais nórdica, amadeirada e minimalista, Hugo correu para alcançá-la e andar ao seu lado.

— É interessante — disse ele.

— O que é interessante?

— Como no café da manhã hoje você não sabia quem eu era.

— Por quê? Você também não sabia quem eu era.

— Sabia, sim. A gente ficou batendo papo umas duas horas ontem.

Nora se sentiu dentro de alguma armadilha.

— Ficou?

— Eu fiquei te olhando na hora do café, antes de me aproximar, e vi que você estava diferente hoje.

— Isso é esquisito, Hugo. Ficar olhando as mulheres tomando o café da manhã.

— E reparei em algumas coisas.

Nora ajeitou o cachecol para cobrir o rosto.

— Está frio demais. A gente pode conversar sobre isso amanhã?

— Reparei que você estava improvisando. O dia inteiro você não se comprometeu com nada do que disse.

— Não é verdade. Só estou abalada. Você sabe, o urso.

— *Non. Ce n'est pas ça*. Estou falando de antes do urso. E de depois do urso. E do dia todo.

— Não sei do que você está...

— Esse olhar. Já vi esse olhar em outras pessoas. E reconheceria isso em qualquer lugar.

— Não sei do que você está falando.

— Por que as geleiras pulsam?

— O quê?

— É a sua área de estudo. É por isso que está aqui, não é?

— A ciência ainda não tem uma resposta conclusiva sobre o assunto.

— Ok. *Bien*. Me fala o nome de uma das geleiras daqui. Geleiras têm nome. Diz um... Kongsbreen? Nathorstbreen? Soa familiar?

— Não estou a fim de ter esse papo.

— Porque você não é a mesma pessoa que era ontem, é?

— Nenhum de nós é — argumentou Nora, bruscamente. — Nosso cérebro muda. Chama-se neuroplasticidade. Dá um tempo. Não vem com essa de querer dar aula de geleira para uma glaciologista, Hugo.

Hugo pareceu recuar, e ela se sentiu um pouco culpada. Houve um minuto de silêncio. Apenas o som do triturar da neve sob os pés deles. Estavam quase de volta ao alojamento, os outros não muito atrás.

Mas, então, ele falou.

— Eu sou como você, Nora. Visito vidas que não são minhas. Estou nesta aqui há cinco dias. Mas já estive em muitas outras. Foi me dada uma oportunidade, uma rara oportunidade, de fazer isso. Estou deslizando entre vidas faz um bom tempo.

Ingrid segurou o braço de Nora.

— Ainda tenho um pouco de vodca — anunciou ela, quando alcançaram a porta. Ela trazia o cartão magnético em sua luva e o encostou no leitor digital. A porta se abriu.

— Ouça — sussurrou Hugo, de modo conspiratório. — Se quiser saber mais, me encontre na cozinha comunitária em cinco minutos.

E Nora sentiu o coração acelerar, mas, dessa vez, não tinha concha nem panela para bater. Não *gostava* tanto assim desse Hugo, mas estava intrigada demais para não ouvir o que ele tinha a dizer. E também queria saber se ele era confiável.

— Tá — disse ela. — Te vejo lá.

Expectativa

Nora sempre teve dificuldade em se aceitar como era. Desde pequena, tinha a sensação de que não era boa o suficiente. Seus pais, que carregavam ambos as próprias inseguranças, haviam alimentado essa sua percepção.

Ela ficou imaginando agora como seria se aceitar incondicionalmente. Cada erro que já havia cometido na vida. Cada marca em seu corpo. Cada sonho não realizado ou cada dor sentida. Cada desejo ou anseio reprimido.

Ela imaginou como seria aceitar tudo. Da mesma forma como aceitava a natureza. Do mesmo jeito que aceitava uma geleira ou um papagaio-do-mar ou o salto de uma baleia.

Ela imaginou se vendo como apenas mais uma genial aberração da natureza. Como um animal senciente qualquer, dando o melhor de si.

E, ao fazer isso, ela imaginou como era ser livre.

Vida e morte e a função de onda quântica

Com Hugo, não era uma biblioteca.
— É uma locadora de vídeos — explicou ele, apoiado no armário de aparência frágil onde ficava guardado o café. — É idêntica à locadora que eu costumava frequentar nos arredores de Lyon, onde cresci. O nome dela era Vidéo Lumière. Os irmãos Lumière são heróis na cidade e existem várias coisas batizadas em homenagem a eles. Foi lá que inventaram o cinema. Enfim, não é essa a questão: a questão é que cada vida que eu escolho é uma velha fita VHS que toco ali mesmo na loja, e, quando começa, ou seja, quando o filme começa, é quando eu desapareço.

Nora reprimiu uma risadinha.
— Qual é a graça? — perguntou Hugo, um tanto magoado.
— Nada. Nada não. É só que parece meio engraçado. Uma videolocadora.
— Ah, é? E uma biblioteca, isso é totalmente adequado?
— É mais adequado, sim. Quer dizer, pelo menos as pessoas ainda leem livros. Quem vê fitas de vídeo hoje em dia?
— Interessante. Eu não sabia que havia essa coisa de esnobismo entre vidas. Você é uma fonte de saber.
— Foi mal, Hugo. Tá, vou fazer uma pergunta adequada. Tem mais alguém lá? Uma pessoa que te ajuda a escolher cada vida?

Ele assentiu.
— Tem, sim. É meu tio Philippe. Ele morreu há alguns anos. E nunca nem trabalhou em videolocadora. Não tem a menor lógica.

Nora contou para ele sobre a Sra. Elm.
— Uma bibliotecária de escola? — zombou Hugo. — Isso é bem engraçado também.

Nora o ignorou.

— Você acha que eles são fantasmas? Guias espirituais? Anjos da guarda? O que eles são?

Parecia tão ridículo estar falando daquele jeito no meio de uma instalação científica.

— Eles são — gesticulou Hugo, como se tentasse colher o termo correto do ar — uma interpretação.

— Interpretação?

— Já conheci outros como nós — disse Hugo. — Sabe, eu tô nesse intervalo há um tempão. Encontrei alguns outros *sliders*. É assim que eu chamo esse pessoal. A nós, digo. Somos *sliders*. Temos uma vida raiz na qual estamos apoiados em algum lugar, inconscientes, suspensos entre a vida e a morte, e então chegamos a um lugar. E é sempre algo diferente. Uma biblioteca, uma videolocadora, uma galeria de arte, um cassino, um restaurante... O que isso te diz?

Nora deu de ombros. E refletiu. Ouvindo o zumbido do aquecimento central.

— Que é tudo besteira? Que nada disso é real?

— Não. Porque o modelo é sempre o mesmo. Por exemplo: tem sempre mais alguém lá, tipo um guia. É sempre uma pessoa só. Elas são alguém que ajudou a pessoa em um momento significativo da vida. O cenário é sempre um lugar com valor sentimental. E geralmente rola uma conversa sobre vidas raiz ou ramos.

Nora se lembrou de como a Sra. Elm a consolou quando seu pai morreu. Ficando com ela, confortando-a. Foi provavelmente a maior demonstração de carinho que havia recebido de alguém na vida.

— E tem sempre uma gama infinita de opções — continuou Hugo. — Uma quantidade infinita de fitas de vídeo, ou livros, ou pinturas, ou refeições... Agora sou cientista. E vivi muitas vidas científicas. Na minha vida raiz, sou formado em biologia. Em outra vida, ganhei o prêmio Nobel de química. Fui um biólogo marinho tentando proteger a Grande Barreira de Coral. Mas meu ponto fraco sempre foi a física. A princípio, eu não sabia como descobrir o que estava acontecendo comigo. Até conhecer uma mulher em uma de minhas vidas que passava pelo mesmo que estamos passando, e que em sua vida raiz era física quântica. Professora Dominique Bisset, da Universidade de Montpellier. Ela me explicou tudo. A interpretação dos muitos mundos da física quântica. Então isso significa que...

Um homem de pele rosada, barba ruiva e rosto simpático cujo nome Nora desconhecia entrou na cozinha para lavar uma xícara de café e sorriu para os dois.

— Vejo vocês amanhã — disse ele, com um leve sotaque americano (talvez canadense), antes de se afastar com suas pantufas.

— Sim — disse Nora.

— Até amanhã — disse Hugo, antes de retomar, num tom mais sussurrado, sua linha de raciocínio. — A função de onda universal é real, Nora. Foi o que a professora Bisset falou.

— O quê?

Hugo levantou um dedo. Um gesto ligeiramente irritante do tipo espera-só-um-minuto. Nora resistiu à tentação de segurar o dedo dele e torcê-lo.

— Erwin Schrödinger...

— Aquele do gato.

— É. O cara do gato. Ele disse que, na física quântica, cada possibilidade alternativa ocorre *simultaneamente*. Todas ao mesmo tempo. No mesmo lugar. Sobreposição quântica. O gato na caixa está tanto vivo quanto morto. Você poderia abrir a caixa e ver se ele está vivo ou morto, a princípio, mas, em certo sentido, mesmo depois que a caixa é aberta, o gato ainda está vivo e morto. Cada universo existe por cima de todos os outros universos. Como um milhão de fotos em papel vegetal, todas com ligeiras variações dentro do mesmo quadro. A interpretação dos muitos mundos da física quântica sugere a existência de uma quantidade infinita de universos paralelos divergentes. A cada momento da sua vida, você entra num novo universo. Com cada decisão que toma. E, tradicionalmente, imaginava-se que não poderia haver comunicação nem transferência entre esses mundos, mesmo eles acontecendo no mesmo espaço, mesmo acontecendo literalmente a milímetros de nós.

— Mas, e quanto a nós? É isso que estamos fazendo.

— Exatamente. Eu estou aqui, mas também sei que não estou aqui. Também estou deitado num hospital em Paris, tendo um aneurisma. E também estou saltando de paraquedas no Arizona. E viajando pelo sul da Índia. E degustando vinhos em Lyon, e deitado num iate na Côte d'Azur.

— Eu sabia!

— *Vraiment?*

Ele era, Nora decidiu, bem bonito.

— Você parece combinar mais com um passeio pela Croisette, em Cannes, do que com uma aventura no Ártico.

Ele espalmou a mão direita parecendo uma estrela-do-mar.

— Cinco dias! Estou nesta vida faz cinco dias. É meu recorde. Talvez esta seja a vida certa pra mim...

— Interessante. Você vai ter uma vida bem fria.

— E, quem sabe? Talvez seja a vida certa pra você também... Quer dizer, se o urso não te mandou de volta pra biblioteca, talvez nada mais mande. — Ele começou a encher a chaleira. — A ciência nos diz que a "zona cinzenta" entre a vida e a morte é um lugar misterioso. Existe um ponto singular no qual não somos nem uma coisa nem outra. Ou melhor, somos as duas coisas. Vivos e mortos. E, naquele momento entre os dois binários, às vezes, apenas às vezes, nos transformamos num gato de Schrödinger, que pode não só estar vivo ou morto, como pode ser cada possibilidade quântica que existe em linha com a função de onda universal, incluindo a possibilidade na qual estamos conversando em uma cozinha comunitária em Longyearbyen, à uma da manhã...

Nora estava assimilando tudo aquilo. Ela pensou em Volts, imóvel e sem vida embaixo da cama e deitado junto ao meio-fio.

— Mas, às vezes, o gato está simplesmente morto e morto.

— O quê?

— Nada. É só que... meu gato morreu. E eu tentei uma outra vida, e mesmo naquela ele ainda estava morto.

— Que triste. Passei por algo parecido com um labrador. Mas a questão é que existem outros como nós. Vivi tantas vidas que já encontrei alguns deles. Às vezes, só desabafar, falar sobre o que está acontecendo, é o suficiente para encontrar outros como você.

— É loucura pensar que existem outras pessoas que poderiam ser... como você nos chamou?

— *Sliders*?

— É. Isso aí.

— Bom, é possível, mas acho que somos raros. Uma coisa que reparei é que as outras pessoas que conheci, uns doze, por aí, eram mais ou menos da nossa idade. Na faixa dos trinta, quarenta ou cinquenta. Uma tinha 29, *en fait*. Todas sentiram em algum momento um desejo profundo de ter feito as coisas de um jeito diferente. Tinham arrependimentos. Algumas pensavam que estariam melhor mortas, mas também tinham uma vontade de viver como outra versão de si mesmas.

— A vida de Schrödinger. Ao mesmo tempo viva e morta em sua própria mente.

— *Exactement!* E o que quer que esses arrependimentos tenham feito com nosso cérebro, qualquer... como é que se diz mesmo?... "evento neuroquímico" que tenha acontecido, aqueles anseios confusos de vida-e-morte foram, de algum modo, suficientes para nos colocar nesse *intervalo*.

A chaleira começou a fazer mais barulho, a água começando a entrar em ebulição, como os pensamentos de Nora.

— Por que é sempre só uma pessoa que a gente vê? No lugar. Na biblioteca. Enfim.

Hugo deu de ombros.

— Se eu fosse um cara religioso, diria que é Deus. E como Deus provavelmente é alguém que não se pode ver ou compreender, então Ele... ou Ela... ou seja qual for o pronome apropriado... incorpora a forma de uma pessoa boa que conhecemos em vida. E se eu não fosse religioso, o que não sou, diria que o cérebro humano não consegue lidar com a complexidade de uma função de onda quântica aberta, e por isso organiza e traduz essa complexidade em algo que ele entenda. Uma bibliotecária numa biblioteca. Um tio querido numa videolocadora. *Et cetera*.

Nora havia lido sobre multiversos e entendia um pouco de psicologia da gestalt. De como o cérebro humano absorve informações complexas sobre o mundo e as simplifica, de modo que, quando uma pessoa olha para uma árvore, ele traduz a massa de folhas e ramos intrincadamente complexa nessa coisa chamada "árvore". Ser humano é resumir o mundo continuamente em uma história compreensível que mantém as coisas simples.

Ela sabia que *tudo* o que os seres humanos veem é uma simplificação. Uma pessoa enxerga o mundo em três dimensões. Isso é uma simplificação. Os seres humanos são fundamentalmente criaturas limitadas e generalizadoras, vivendo no piloto automático, que tornam retas as ruas curvas em sua mente, o que explica por que se perdem o tempo todo.

— É, tipo, como os humanos nunca veem o ponteiro dos segundos do relógio no meio do tique-taque — disse Nora.

— O quê?

Ela viu que o relógio de Hugo era do tipo analógico.

— Tenta. Simplesmente não dá. A mente não vê aquilo com o que não consegue lidar.

Hugo assentiu enquanto estudava o próprio relógio.

— Então — continuou Nora —, seja lá o que existe entre universos, é bem provável que não seja uma biblioteca, mas, pra mim, esse é o jeito mais fácil de apreender isso. Essa seria a minha hipótese. Eu vejo uma versão simplificada da verdade. A bibliotecária é apenas um tipo de metáfora mental. A coisa toda é.

— Não é fascinante? — perguntou Hugo.

Nora suspirou.

— Na última vida, eu falei com meu falecido pai.

Hugo abriu o pote de café solúvel e despejou uma colher em cada uma das canecas.

— E eu não bebia café. Tomei um chá de hortelã.

— Que horror.

— Deu pro gasto.

— Outra coisa que é estranha — disse Hugo. — Em qualquer momento desta conversa, você ou eu poderíamos desaparecer.

— Você já viu isso acontecer? — Nora pegou a caneca que Hugo lhe oferecia.

— Já. Algumas vezes. É bizarro. Mas ninguém mais nota. As lembranças do que aconteceu no último dia ficam um pouco imprecisas para a pessoa, mas você ficaria surpresa. Se voltasse para a biblioteca agora mesmo, e eu continuasse aqui conversando com você na cozinha, diria algo como, "Me deu um branco... do que a gente estava falando mesmo?", e então eu me daria conta do que tinha acontecido e responderia que estávamos falando de geleiras, e você me bombardearia com fatos sobre elas. E seu cérebro iria preencher as lacunas e construir uma narrativa sobre o que acabou de acontecer.

— Tá, mas e quanto ao urso-polar? E quanto ao jantar de hoje? Eu... essa outra eu... ela se lembraria do que eu comi?

— Não necessariamente. Mas já vi acontecer. É incrível o que o cérebro consegue completar. E o que ele não tem problemas em esquecer.

— Então, como eu era? Ontem, digo.

Ele a encarou. Tinha belos olhos. Nora se sentiu momentaneamente puxada para a órbita dele, como um satélite sendo puxado para a órbita da Terra.

— Sofisticada, charmosa, inteligente, linda. Mais ou menos como agora.

Ela deu uma risada.

— Para de ser tão francês assim.

Silêncio constrangedor.

— Quantas vidas você já teve? — perguntou ela, por fim. — Quantas experimentou?

— Vidas demais. Quase trezentas.

— Trezentas?

— Já fui tantas coisas. Em todos os continentes da Terra. E, mesmo assim, não encontrei a vida certa pra mim. Me resignei a continuar assim desse jeito. Não vai ter nunca uma vida que eu queira viver de verdade pra sempre. Fico curioso demais. Sinto um desejo incontrolável de viver de outro modo. E não precisa fazer essa cara. Não é triste. Sou feliz no limbo.

— Mas e se um dia a videolocadora não existir mais? — Nora pensou na Sra. Elm em pânico por causa do computador e nas luzes piscando na biblioteca. — E se um dia você desaparecer pra sempre? Antes de encontrar a vida ideal?

Ele deu de ombros.

— Então vou morrer. O que significa que eu teria morrido de qualquer jeito. Na vida que eu vivia antes. Eu meio que gosto de ser um *slider*. Gosto da imperfeição. Gosto de manter a morte como opção. Gosto de nunca precisar me acomodar.

— Acho que minha situação é diferente. Minha morte parece ser mais iminente. Se eu não encontrar uma vida para viver logo, acho que vai ser meu fim.

Ela explicou o problema que havia tido da última vez, com sua transferência de volta.

— Ah. É, bom, isso pode ser ruim. Mas pode não ser. Você percebe que existem infinitas possibilidades aqui? Quer dizer, o multiverso não engloba apenas alguns universos. Não dá pra contar nos dedos de uma das mãos a quantidade de universos. Nem nas duas mãos. Não são milhões, nem bilhões, nem trilhões de universos. Ele engloba uma quantidade *infinita* de universos. Até com você dentro deles. Você poderia ser você em qualquer versão do mundo, por mais improvável que tal mundo fosse. Você só está limitada pela sua imaginação. Você pode ser bem criativa com os arrependimentos que quer reverter. Uma vez reverti um arrependimento por não ter feito algo que havia sonhado quando adolescente: cursar engenharia aeroespacial e ser astronauta. E, então, em uma vida, eu me tornei astronauta. Não fui ao espaço. Mas virei alguém que tinha ido, mesmo que por pouco tempo. O que você precisa lembrar é que isso é uma oportunidade, e é rara, e a gente pode apagar qualquer erro que tenha cometido, viver qualquer vida que queira. Qualquer vida. Pode sonhar alto... Você pode ser qualquer coisa que quiser. Porque em alguma vida, você já é.

Ela tomou um gole do café.

— Entendo.

— Mas nunca vai viver se ficar procurando pelo sentido da vida — declarou ele, sabiamente.
— Você está citando Camus.
— Você me pegou.
Ele a encarava. Nora não se importava mais com a intensidade dele, mas começou a se preocupar com a própria.
— Eu fui estudante de filosofia — revelou ela, da forma mais displicente que conseguiu, evitando o olhar dele.
Ele estava mais perto dela agora. Havia algo igualmente irritante e atraente em Hugo. Ele exalava uma amoralidade arrogante que fazia seu rosto ser algo a ser beijado ou estapeado, dependendo das circunstâncias.
— Em uma vida, nós nos conhecemos há anos e somos casados... — disse ele.
— Na maioria das vidas, eu nem te conheço — argumentou Nora, agora sustentando o olhar dele.
— Isso é tão triste.
— Não acho.
— Sério?
— Sério. — Ela sorriu.
— Nós somos especiais, Nora. Fomos escolhidos. Ninguém nos entende.
— Ninguém entende ninguém. Não fomos escolhidos.
— A única coisa que explica eu continuar nesta vida é você...
Ela chegou para a frente e o beijou.

Quando me acontece alguma coisa, prefiro estar presente

Foi uma sensação muito agradável. Tanto o beijo quanto saber que podia ser ousada assim. A consciência de que tudo o que poderia lhe acontecer já havia acontecido em outro lugar, em alguma vida, meio que a absolvia um pouco das decisões. Essa era simplesmente a realidade da função de onda universal. O que quer que estivesse acontecendo poderia — ponderou ela — ser colocado na conta da física quântica.

— Eu não divido quarto com ninguém — disse ele.

Nora o encarava sem medo agora, como se enfrentar um urso-polar tivesse lhe dado uma certa capacidade de dominação que nunca soubera existir antes.

— Bem, Hugo, talvez você possa romper esse hábito.

Mas o sexo acabou sendo uma decepção. Uma frase de Camus lhe veio à mente, bem no meio do ato.

Eu talvez não estivesse certo do que realmente me interessava, mas estava totalmente certo do que não me interessava.

Provavelmente, não era um bom sinal de como o encontro noturno deles estava se desenrolando, o fato de ela estar pensando em filosofia existencialista, ou de aquela citação em particular ter sido a que pipocou em sua mente. Mas não foi Camus que também disse "Quando me acontece alguma coisa, prefiro estar presente"?

Hugo, concluiu ela, era uma pessoa estranha. Para um homem que havia sido tão íntimo e profundo em suas conversas, ele parecia bastante dissociado do momento. Talvez, ao viver tantas vidas quanto as que ele tinha vivido, a única pessoa com quem você conseguia manter qualquer tipo de relacionamento íntimo era você mesmo. Nora teve a sensação de que ela podia nem mesmo ter estado ali.

E, em alguns instantes, não estava.

Deus e outros bibliotecários

— Quem é você?
— Você sabe meu nome. Eu sou a Sra. Elm. Louise Isabel Elm.
— Você é Deus?
Ela sorriu.
— Eu sou quem eu sou.
— E quem é você?
— A bibliotecária.
— Mas você não é uma pessoa de verdade. Você é só um... *mecanismo*.
— Não somos todos?
— Não desse jeito. Você é o produto de alguma estranha interação entre minha mente e o multiverso, alguma simplificação da função de onda quântica ou sei lá o quê.

A Sra. Elm pareceu perturbada com aquela sugestão.
— Qual é o problema?

Nora lembrou do urso-polar enquanto olhava para o piso amarelo-amarronzado.
— Eu quase morri.
— E, lembre-se, se você morrer numa vida, não haverá volta para cá.
— Isso não é justo.
— A biblioteca tem normas rígidas. Os livros são preciosos. Precisa manuseá-los com cuidado.
— Mas essas são outras vidas. Outras variantes de mim. Não eu *eu*.
— Sim, mas enquanto *você* as experimenta, é *você* quem tem que sofrer as consequências.
— Para ser bem honesta, eu acho isso uma droga.

O sorriso da bibliotecária se curvou nos cantos, como uma folha caída.

— Isso é interessante.

— O que é interessante?

— O fato de você ter mudado completamente sua atitude em relação à morte.

— O quê?

— Você queria morrer, e agora não quer mais.

Ocorreu a Nora que a Sra. Elm podia estar perto de ter alguma razão, embora não completamente.

— Bom, eu ainda acho que minha vida atual não vale a pena ser vivida. Na verdade, essa experiência só serviu para confirmar isso.

Ela balançou a cabeça negativamente.

— Não acho que você pense isso de verdade.

— Penso, sim. Foi por isso que falei.

— Não. *O livro dos arrependimentos* está ficando mais leve. Tem muito espaço em branco nele agora... Parece que você passou a vida inteira dizendo coisas que não pensa de verdade. Essa é uma das suas barreiras.

— Barreiras?

— É. Você tem muitas. Elas te impedem de ver a verdade.

— Sobre o quê?

— Sobre si mesma. E você precisa mesmo começar a tentar. Tentar enxergar a verdade. Porque é importante.

— Eu achei que houvesse uma quantidade infinita de vidas pra escolher.

— Você precisa escolher a vida onde seria mais feliz. Ou em breve não haverá nenhuma opção.

— Eu conheci uma pessoa que vem fazendo isso há um tempão, e ele ainda não encontrou uma vida com a qual ficasse satisfeito...

— O privilégio de Hugo é um que talvez você não tenha.

— Hugo? Como você...

Mas, então, ela se lembrou de que a Sra. Elm sabia muito mais do que deveria.

— Você precisa escolher com cuidado — continuou a bibliotecária. — Um dia, a biblioteca pode não estar mais aqui, e será o seu fim.

— Quantas vidas eu tenho?

— Isto não é uma lâmpada mágica, e eu não sou um gênio. Não há um número fixo. Pode ser uma. Pode ser uma centena. Mas você só tem essa quantidade infinita de vidas para escolher enquanto a Biblioteca da Meia-Noite continuar, bem, à *meia-noite*. Porque enquanto ela permanece à meia-noite, sua vida, sua vida raiz, continua em algum lugar entre a vida e a morte. Se o tempo avançar aqui, significa que algo muito — ela teve bastante tato ao completar a frase — *decisivo* aconteceu. Algo que causará a demolição da Biblioteca da Meia-Noite e nos levará com ela. Sendo assim, eu teria muito cuidado, se fosse você. Tentaria pensar muito bem sobre onde quero estar. Você obviamente fez algum progresso, isso é visível. Parece ter se dado conta de que a vida pode valer a pena se você encontrar a vida certa para viver. Mas você não quer que essa porta se feche antes de ter a chance de atravessá-la.

As duas ficaram em silêncio por um longo tempo, enquanto Nora observava todos os livros ao seu redor. Todas as possibilidades. Calma e vagarosamente, ela avançou pelo corredor, imaginando o que existiria sob a capa de cada livro, e desejando que as lombadas verdes oferecessem alguma pista.

— Que livro você quer pegar agora? — soou a voz da Sra. Elm às suas costas.

Nora se lembrou das palavras de Hugo na cozinha.

Pode sonhar alto.

A bibliotecária tinha um olhar penetrante.

— Quem *é* Nora Seed? E o que ela quer?

Quando Nora pensava em seu acesso mais próximo à felicidade, a resposta era a música. Sim, ela ainda tocava piano e teclado às vezes, mas tinha desistido de *compor*. Tinha desistido de cantar. Ela se lembrou daquelas primeiras apresentações em pubs, tocando "Beautiful Sky". Lembrou do irmão se divertindo no palco com ela, Ravi e Ella.

Então agora sabia exatamente que livro pedir.

Fama

Ela suava. Foi a primeira coisa que reparou. Seu corpo estava sob o efeito da adrenalina, e a roupa, colada à pele. Havia pessoas à sua volta, algumas delas com guitarras. E barulho. Um ruído humano vasto e poderoso — um rugido de vida tomando forma e ritmo aos poucos. Transformando-se num canto.

Havia uma mulher diante dela, enxugando seu rosto com uma toalha.

— Obrigada — agradeceu Nora, sorrindo.

A mulher pareceu ficar atônita, como se tivesse acabado de ouvir a fala de uma deusa.

Nora reconheceu o homem segurando as baquetas. Era Ravi. O cabelo estava tingido num loiro-platinado, e ele usava um terno índigo de corte bem definido, com o peito à mostra onde a camisa deveria estar. Parecia uma pessoa completamente diferente daquela que estivera folheando revistas de música na loja de Bedford ontem mesmo, ou do cara com camisa azul e jeito de executivo na plateia da sua catastrófica palestra no Hotel InterContinental.

— Ravi — disse ela —, você está ótimo!

— O quê?

Ele não a ouvira com todo aquele barulho, mas ela precisava fazer uma outra pergunta agora.

— E Joe? — perguntou ela, quase gritando.

Por um instante, Ravi pareceu confuso, ou perplexo, e Nora se preparou para alguma verdade terrível. Mas nenhuma veio.

— O de sempre, acho. Jogando conversa fora com a imprensa estrangeira.

Nora não tinha ideia do que estava acontecendo. Aparentemente Joe ainda fazia parte do grupo, mas não a ponto de se apresentar no palco com eles. E se ele não estava na banda *em si*, então, o que quer que tivesse feito com que ele deixasse a banda não havia sido o suficiente para fazer com que ele saísse de cena completamente. Enfim, pelo que Ravi disse, e do jeito como falou, Joe ainda era parte da equipe. Mas Ella, não. O baixo estava a cargo de um homem grande e musculoso, com cabeça raspada e tatuagens. Ela queria saber mais, só que agora com certeza não era uma boa hora.

Ravi agitou a mão no ar, apontando para o que Nora podia ver agora ser um palco bem grande.

Ela estava maravilhada. Não sabia o que sentir.

— Hora do bis — disse Ravi.

Nora tentou pensar. Fazia muito tempo que ela não se apresentava em público. E, mesmo naquela época, o público se resumia a umas doze pessoas desinteressadas, no porão de um pub.

Ravi se aproximou.

— Tá tudo bem, Nora?

O tom dele era irritadiço. O modo como disse o nome dela parecia carregar o mesmo tipo de ressentimento que ela havia captado quando esbarrara com ele ontem naquela vida bem diferente.

— Tá — disse ela, aos gritos agora. — É só que... Não tenho ideia do que tocar no bis.

Ravi deu de ombros.

— O de sempre.

— Hmm. É. Tá. — Nora tentou pensar.

Ela olhou para o palco. Viu um imenso telão com as palavras THE LABYRINTHS piscando e girando para a multidão ensandecida. *Uau*, ela pensou. *Nós somos grandes*. Grandes a ponto de lotar um estádio. Ela viu um piano e o banco no qual estivera sentada antes. Os integrantes da banda cujos nomes ela desconhecia estavam prestes a voltar ao palco.

— Onde é que a gente tá mesmo? — perguntou ela, acima do barulho da plateia. — Me deu um branco agora.

Foi o cara grande de cabeça raspada segurando o baixo que respondeu.

— São Paulo.

— A gente tá no Brasil?

Eles olharam para ela como se estivesse louca.

— Onde você esteve nos últimos quatro dias?

— "Beautiful Sky" — disse Nora, deduzindo que provavelmente ainda recordava a maior parte da letra. — Vamos tocar essa.

— *De novo?* — Ravi gargalhou, o rosto brilhando de suor. — Acabamos de tocar essa tem dez minutos.

— Tá. Então... — disse Nora, a voz um grito acima dos pedidos de bis da multidão. — Peraí. Tive uma ideia. Que tal a gente fazer algo inesperado? Dar uma mudada. Fiquei me perguntando se a gente não podia tocar uma música diferente dessa vez.

— A gente tem que tocar "Howl" — disse outra integrante da banda. Uma guitarra azul-turquesa pendurada no ombro. — A gente sempre toca "Howl".

Nora nunca tinha ouvido falar de "Howl" na vida.

— É, eu sei — blefou —, mas vamos dar uma mudada. Fazer algo que eles não estão esperando. Vamos surpreender essa galera.

— Você está pensando muito, Nora — comentou Ravi.

— Eu não sei pensar pouco.

Ele deu de ombros.

— E aí? O que a gente vai tocar?

Nora não estava conseguindo pensar direito. De repente, ela se lembrou de Ash e dos livros dele de partitura para violão com as músicas de Simon & Garfunkel.

— A gente vai tocar "Bridge Over Troubled Water".

Ravi pareceu não acreditar.

— O quê?

— Acho que a gente deve tocar essa. Vai surpreender a galera.

— Eu amo essa música — disse a integrante feminina. — E sei tocar.

— Todo mundo sabe, Imani — replicou Ravi, com desdém.

— Exatamente — disse Nora, tentando ao máximo soar como uma estrela do rock. — Vamos mandar ver.

Via Láctea

Nora subiu ao palco.

No início, não conseguiu ver os rostos, porque os holofotes estavam virados para ela, e, para além daquele brilho intenso, tudo parecia uma grande escuridão. Exceto por uma hipnotizante Via Láctea de flashes de câmeras e lanternas de celular.

Mas ela conseguia ouvi-los.

Os seres humanos, quando há uma quantidade suficiente deles juntos, agindo em uníssono, se tornam algo de outro mundo. O rugido coletivo a fez imaginar um outro tipo de animal. A princípio, era meio ameaçador, como se ela fosse o Hércules encarando a Hidra de muitas cabeças querendo matá-lo, mas este era um rugido de total apoio, e o poder dele deu a Nora um tipo de força.

Nora se deu conta, naquele momento, de que era capaz de muito mais coisas do que imaginava.

Selvagens e livres

Nora estendeu as mãos para o piano, sentou-se no banco e aproximou o microfone um pouco mais.

— Obrigada, São Paulo — agradeceu ela. — Nós amamos vocês.

E o Brasil rugiu em resposta.

Isso, aparentemente, era poder. O poder da fama. Como aqueles ícones pop que ela havia visto nas redes sociais, que escreviam uma única palavra e conseguiam milhões de curtidas e compartilhamentos. A fama absoluta acontecia quando alguém alcançava o ponto em que parecer um herói, um gênio ou um deus exigia um esforço mínimo. Mas o outro lado da moeda é que era uma coisa instável. Com a mesma facilidade, era possível cair em desgraça e parecer um demônio ou vilão, ou simplesmente um babaca.

O coração dela acelerou, como se estivesse prestes a subir na corda bamba.

Agora conseguia ver alguns rostos na multidão, milhares deles, emergindo da escuridão. Minúsculos e desconhecidos, os corpos vestidos quase invisíveis. Ela olhava para vinte mil cabeças sem corpo.

Sua boca estava seca. Mal podia falar, e se perguntou como iria conseguir cantar. Ela se lembrou de Dan fingindo se retrair enquanto cantava para ele.

O barulho da multidão diminuiu.

Tinha chegado a hora.

— Tá — disse ela. — Aqui vai uma música que vocês já devem ter ouvido antes.

Que bobagem dizer aquilo, ela se deu conta. Todos ali haviam comprado ingresso para esse show porque, provavelmente, já tinham ouvido muitas daquelas músicas antes.

— É uma música que significa muito pra mim.

O lugar entrou em erupção. Eles gritavam, rugiam, batiam palmas e cantavam. A reação foi fenomenal. Por um instante, ela se sentiu como Cleópatra. Uma Cleópatra totalmente apavorada.

Ao ajustar as mãos em posição para mi bemol maior, teve a atenção desviada para uma tatuagem em seu antebraço sem pelos, desenhada com uma caligrafia lindamente inclinada. Era uma frase de Henry David Thoreau. *Todas as coisas boas são selvagens e livres.* Ela fechou os olhos e jurou não os abrir até terminar a música.

E entendeu por que Chopin gostava tanto de tocar no escuro. Era tão mais fácil assim.

Selvagens, pensou. *Livres.*

Enquanto cantava, ela se sentiu viva. Ainda mais viva do que tinha se sentido nadando em seu corpo de campeã olímpica.

Nora se perguntou por que havia sentido tanto medo daquilo, de cantar para uma multidão. Era uma sensação maravilhosa.

Ravi se aproximou no fim da música, enquanto ainda estavam no palco.

— Porra, isso foi incrível, cara — gritou ele em seu ouvido.

— Ah, que bom — disse ela.

— Agora vamos fechar com chave de ouro, com "Howl".

Ela balançou a cabeça negativamente e falou depressa ao microfone, antes que mais alguém pudesse dizer alguma coisa.

— Obrigada pela presença, galera! Espero que tenham se divertido. Voltem com cuidado pra casa.

— Voltem com cuidado pra casa? — disse Ravi no ônibus, na volta para o hotel. Ela não se lembrava de ele ser tão babaca assim. Ele parecia infeliz.

— Qual é o problema? — perguntou ela.

— Não combina com você.

— Não?

— Bem diferente do que você fez em Chicago.

— Por quê? O que eu fiz em Chicago?

Ravi riu.

— Você foi vítima de lobotomia?

Ela olhou para o celular. Nesta vida, tinha o modelo mais moderno de todos.

Uma mensagem de Izzy.

Era a mesma mensagem que havia recebido na vida com Dan, no pub. Não bem uma mensagem, mas uma foto de baleia. Na verdade, pode ter sido uma foto ligeiramente diferente de baleia. Aquilo era interessante. Por que continuava amiga de Izzy nesta vida, e não em sua vida raiz? Afinal de contas, tinha quase certeza de que não estava casada com Dan nesta vida. Examinou a mão e ficou aliviada ao constatar um vazio no dedo anelar.

Nora deduziu que devia ser porque já era megafamosa com os Labyrinths *antes* de Izzy resolver ir para a Austrália, então a decisão de Nora de não ir junto deve ter sido mais compreensível. Ou talvez Izzy simplesmente gostasse da ideia de ter uma amiga famosa.

Izzy escreveu algo abaixo da foto da baleia.

Todas as coisas boas são selvagens e livres.

Ela devia saber da tatuagem.

Outra mensagem de Izzy.

"Espero que o Brasil tenha sido um estouro. Tenho certeza de que vocês arrasaram! E muito obrigada mesmo por ter arrumado o ingresso para Brisbane. Estou impactada, como se diz por aqui."

Havia alguns emojis de baleias, corações, mãos em agradecimento, um microfone e algumas notas musicais.

Nora verificou o Instagram. Nesta vida, tinha 11,3 milhões de seguidores.

E, *puta merda*, ela estava muito gata. O cabelo naturalmente preto exibia tipo uma mecha branca. Sua maquiagem era vampiresca. E tinha um piercing no lábio. Parecia cansada, mas deduziu ser resultado de viver em turnê. Era um tipo glamoroso de cansaço. Como se ela fosse a tia descolada da Billie Eilish.

Ela tirou uma selfie e viu que, embora não tivesse ficado igual a como aparecia nas fotos carregadas de estilo e filtros postadas em seu feed, pois aquelas haviam sido tiradas em ensaios fotográficos para revistas, ainda estava mais gata do que jamais imaginou que poderia ficar em sua existência. Assim como em sua vida australiana, também postava poemas on-line. A diferença era que, nesta vida, cada um tinha meio milhão de curtidas. Um dos poemas até se chamava "Fogo", mas era diferente do outro.

    Ela tinha um fogo dentro de si.
    E se perguntou se o fogo era para aquecê-la ou destruí-la.
    Então ela se deu conta.
    O fogo não tinha propósito.
    Apenas ela poderia ter.
    O poder era seu.

Uma mulher se sentou ao seu lado. A mulher não fazia parte da banda, mas parecia ser importante. Devia ter uns 50 anos, mais ou menos. Talvez fosse a empresária do grupo. Talvez trabalhasse para a gravadora. Tinha um ar de mãe exigente. Mas começou com um sorriso.

— Jogada de mestre — disse ela. — O lance do Simon & Garfunkel. Você está nos *trending topics* da América do Sul.

— Legal.

— Fiz posts sobre isso nas suas redes.

Ela tinha dito aquilo como se fosse uma coisa perfeitamente normal.

— Ah. Tá. Ok.

— Tem umas entrevistas de última hora no hotel hoje à noite. E o dia vai começar cedo amanhã... O voo para o Rio decola de manhã, e depois serão oito horas de imprensa. Tudo no hotel.

— Rio?

— Você está inteirada da agenda da turnê pra essa semana, né?

— Hmm, mais ou menos. Você poderia refrescar a minha memória?

Ela suspirou, bem-humorada, como se fosse a cara da Nora não ter ideia dos detalhes da agenda.

— Sem problemas. Rio amanhã. Duas noites. Então uma última noite no Brasil, com um show em Porto Alegre. As próximas paradas são Santiago, no Chile, Buenos Aires, na Argentina, e depois Lima, no Peru. E essa é a última perna da América do Sul. Na semana que vem começa a perna da Ásia: Japão, Hong Kong, Filipinas e Taiwan.

— Peru? A gente é famoso no Peru?

— Nora, vocês já foram ao Peru, lembra? Ano passado. Eles ficaram loucos. Todos os quinze mil. Vai ser no mesmo lugar. O hipódromo.

— O hipódromo. Sim. É. Eu me lembro. Foi uma noite legal. Bem... legal.

Era com um hipódromo que esta vida aqui parecia, ela se deu conta. Uma enorme pista de corrida de cavalos. Mas não fazia ideia de quem ela era nessa analogia, o jóquei ou o cavalo.

Ravi deu um tapinha no ombro da mulher.

— Joanna, a que horas é o podcast amanhã?

— Ai, droga. Na verdade, é hoje à noite. Mudança de planos. Foi mal. Esqueci de avisar. Mas eles só precisam mesmo falar com a Nora. Então você pode ir dormir cedo, se quiser.

Ravi deu de ombros, desanimado.

— Ah, tá. Ok.

Joanna suspirou.

— Não desconte em mim. Apesar de que não seria a primeira vez...

Nora se perguntou de novo onde estaria o irmão, mas a tensão entre Joanna e Ravi fez parecer errado perguntar algo cuja resposta ela já deveria saber. Então olhou pela janela conforme o ônibus seguia pela avenida de quatro pistas. A luz traseira de carros, caminhões e motos brilhava no escuro, como vigilantes olhos vermelhos. A distância, arranha-céus com pequenos quadrados de luz contrastavam com a paisagem carregada do céu noturno de nuvens escuras. Um sombrio exército de árvores ladeava a avenida e o canteiro central, dividindo o tráfego em duas direções.

Se ela ainda continuasse nesta vida amanhã à noite, teria de se apresentar em um show completo, com músicas que, em sua maioria, ela desconhecia. Não pôde deixar de se perguntar com que rapidez conseguiria decorar as letras.

O celular tocou. Uma chamada de vídeo. Quem ligava era "Ryan".

Joanna viu o nome e sorriu.

— Melhor você atender.

E assim ela o fez, mesmo não tendo a menor ideia de quem era esse Ryan, e a imagem na tela meio desfocada não ajudando muito.

Mas, então, lá estava ele. Um rosto que ela havia visto, em filmes e em sonhos, inúmeras vezes.

— Ei, babe. Ligando pra saber como tá minha amiga. A gente ainda é amigo, né?

Ela também conhecia aquela voz.

Americana, rouca, charmosa. Famosa.

Ela ouviu Joanna sussurrando para alguém no ônibus:

— Ela está numa ligação com o Ryan Bailey.

Ryan Bailey

Ryan Bailey.

Tipo, *o* Ryan Bailey. Tipo, aquele Ryan Bailey das suas fantasias, onde eles conversavam sobre Platão e Heidegger em meio a uma nuvem de vapor na banheira de água quente dele em West Hollywood.

— Nora? O que foi? Você tá com uma cara assustada.

— Hmm, é. Eu... é... Eu... Eu só... Estou aqui... num ônibus... Um grande... em turnê... é... Oi.

— Adivinha onde eu estou?

Ela não fazia ideia do que dizer. "Na banheira de água quente" não parecia uma resposta apropriada.

— Sinceramente, não sei.

Ele girou o celular para mostrar a construção vasta e de aparência luxuosa, completa com mobílias coloridas, azulejos de terracota e uma cama de dossel coberta com um mosquiteiro.

— Nayarit, México. — Ele pronunciou México numa tentativa de sotaque espanhol, falando o *x* como *rr*. Tanto a aparência quanto a voz dele eram um pouco diferentes do Ryan Bailey dos filmes. Um pouco mais inchada. Um pouco mais arrastada. Mais bêbado, talvez? — No set. Me chamaram pra gravar *O bar 2*.

— *O bar da última chance 2*? Ah, eu quero tanto ver o primeiro.

Ele riu como se ela tivesse contado a piada mais hilária do planeta.

— Ainda afiada como sempre, Nono.

Nono?

— Estou na Casa de Míta — continuou ele. — Lembra? O fim de semana que passamos aqui? Eles me colocaram no mesmo casarão. Lembra? Estou tomando uma margarita de mezcal em sua homenagem. Onde você está?

— Brasil. Acabamos de tocar em São Paulo.

— Uau! Mesmo continente. Maneiro. Isso é, sim, maneiro.

— Foi muito bom — disse ela.

— Você tá falando de um jeito formal.

Nora estava ciente de que metade do ônibus ouvia a conversa. Ravi a encarava enquanto bebia uma garrafa de cerveja.

— É só que eu tô... você sabe... no ônibus... Tem gente em volta.

— Gente — suspirou ele, como se aquilo fosse um palavrão. — Sempre tem gente em volta. Essa é a merda do problema. Mas, enfim, eu tenho pensado muito ultimamente. Sobre o que você disse no Jimmy Fallon...

Nora tentava agir como se cada frase que ele dizia não fosse um animal correndo na frente do ônibus.

— O que eu disse?

— Você sabe, sobre como as coisas seguiram o curso delas. Entre a gente. Como não ficou nenhum ressentimento. Só queria te agradecer por ter falado isso. Porque eu sei que sou uma pessoa difícil da porra. Eu sei. Mas estou trabalhando nisso. Meu terapeuta novo é bom pra caralho.

— Isso é... ótimo.

— Sinto sua falta, Nora. A gente teve bons momentos. Mas a vida é mais do que uma transa maravilhosa.

— É — concordou Nora, tentando segurar as rédeas da imaginação. — Com certeza.

— Tudo com a gente foi ótimo. Mas você teve razão em botar um ponto final. Fez a coisa certa, segundo a ordem cósmica das coisas. Não existe *rejeição*, só *redirecionamento*. Você sabe, eu tenho pensado um bocado. Sobre o cosmos. Estou afinado com ele. E o cosmos vem me dizendo que preciso dar um jeito em mim. É o equilíbrio, cara. O que a gente teve foi muito intenso e as nossas vidas são muito intensas, e é como a terceira lei do movimento de Darwin. Sobre uma ação gerar uma reação. Alguma coisa tinha que ceder. E foi você que viu isso e agora nós dois somos só partículas flutuando no universo, que um dia podem se reconectar no Chateau Marmont...

Ela não tinha ideia do que dizer.

— Acho que foi o Newton.

— O quê?

— A terceira lei do movimento.

Ele inclinou a cabeça, como um cão confuso.

— O quê?

— Nada não. Não tem importância.

Ele suspirou.

— Enfim, vou terminar esta margarita. Porque tenho treino logo cedo. Mezcal, sabe. Não tequila. Preciso me manter puro. Contratei um novo personal trainer. Um cara do MMA. Ele é intenso.

— Ok.

— E Nono...

— Sim?

— Você pode me chamar daquele apelido carinhoso mais uma vez?

— Hmm...

— Você sabe, aquele.

— Óbvio. É. Sim. — Ela tentou adivinhar qual seria. *Ry-ry? Rissole? Platão?* — Mas não posso.

— Gente?

Ela olhou ao redor, exagerando na expressão facial.

— Exatamente. Gente. E, você sabe, agora que você e eu seguimos em frente, cada um com a sua vida, isso parece um pouco... nada a ver.

Ele abriu um sorriso melancólico.

— Ouça. Eu vou estar lá no show de encerramento, em LA. Primeira fila. Staples Center. Você não vai conseguir me impedir, entendeu?

— Isso é tão legal da sua parte.

— Amigos para sempre?

— Amigos para sempre.

Ao perceber que a conversa chegava ao fim, Nora sentiu a necessidade súbita de fazer uma pergunta.

— Você curtia mesmo filosofia?

Ele arrotou. Foi estranho o choque de se dar conta de que Ryan Bailey era um ser humano em um corpo humano produtor de gás.

— O quê?

— Filosofia. Alguns anos atrás, quando interpretava Platão em *Os atenienses*, você deu uma entrevista e disse que lia muito sobre filosofia.

— Eu leio a *vida*. E a vida é uma filosofia.

Nora não tinha ideia do que ele queria dizer, mas, bem no fundo, estava orgulhosa desta outra versão de si mesma por ter dado o pé na bunda de um famoso astro de cinema.

— Acho que na época você disse que lia Martin Heidegger.

— Quem é Martin Hot Dog? Ah, deve ter sido só coisa pra imprensa. Você sabe, a gente fala todo tipo de merda.

— É. Verdade.

— Adiós, amiga.

— Adiós, Ryan.

E então ele sumiu da tela e Joanna sorria para ela, sem dizer nada.

Havia um ar professoral e confiável em Joanna. Ela ficou se perguntando se esta versão de si mesma gostava de Joanna. Mas então se lembrou de que estava prestes a participar de um podcast representando uma banda cujos nomes de metade dos integrantes ela desconhecia. Assim como o título de seu último álbum. Ou de *qualquer um* dos álbuns deles.

O ônibus encostou em frente a um hotel grandioso no meio de um bosque. Carros sofisticados com vidro fumê. Árvores decoradas com fios de luz led. Uma arquitetura de outro planeta.

— É um antigo palácio — explicou Joanna. — Projetado por um grande arquiteto brasileiro. Esqueci o nome dele. — Ela pesquisou no celular. — Oscar Niemeyer — disse, depois de um instante. — Modernista. Esse aqui é mais luxuoso que o restante da sua obra. Melhor hotel do Brasil...

Em seguida, Nora viu uma pequena multidão, as pessoas com celulares em braços estendidos filmando sua chegada.

Você pode ter tudo e não sentir nada.
@NoraLabyrinth, 74.8K Retweets, 485.3K Likes

Uma bandeja de prata com pães de mel

Era uma loucura pensar que esta vida coexistia com as suas outras no multiverso, simplesmente como mais uma nota em um acorde.

Nora achava quase impossível acreditar que, enquanto em uma vida ela estava com dificuldade de pagar o aluguel, em outra era causa de tamanha empolgação entre pessoas de todo o mundo.

O grupo de fãs que havia filmado a chegada do ônibus da turnê ao hotel agora aguardava pelos autógrafos. Não pareciam ligar para os outros integrantes da banda, mas estavam desesperados para interagir com Nora.

Ela ficou olhando para uma das fãs enquanto avançava pelo cascalho em direção ao grupo. A garota tinha tatuagens e usava uma roupa que a fazia parecer uma melindrosa dentro de uma versão cyberpunk de uma guerra pós-apocalíptica. O cabelo seguia o estilo do de Nora, com a mesma mecha branca.

— Nora! Noraaaah! Oi! A gente te ama, rainha! Obrigada por vir ao Brasil! Você arrebenta! — E, em seguida, puxou o coro: — Nora! Nora! Nora!

Enquanto ela dava autógrafos numa caligrafia ilegível, um homem de vinte e poucos anos tirou a camisa de malha e pediu que ela assinasse em seu ombro.

— É para uma tatuagem — explicou ele.

— Sério? — perguntou ela, assinando o nome no corpo do rapaz.

— Este é o ponto alto da minha vida — derramou-se ele. — Meu nome é Francisco.

Nora se perguntou como a assinatura dela na pele dele escrita com uma caneta permanente podia ser o ponto alto da existência do garoto.

— Você salvou minha vida. "Beautiful Sky" salvou minha vida. Essa música. É tão poderosa.

— Ah. Ah, uau! "Beautiful Sky"? Você conhece "Beautiful Sky"?

O fã explodiu numa gargalhada.

— Você é tão engraçada! Por isso sou seu fã! Te amo demais! Se eu conheço "Beautiful Sky"? Essa foi boa!

Nora não sabia o que dizer. Aquela musiquinha que ela havia escrito aos 19 anos enquanto fazia faculdade em Bristol tinha mudado a vida de uma pessoa no Brasil. Isso era extraordinário.

E esta era, evidentemente, a vida para a qual estava destinada. Ela duvidava muito de que teria de voltar algum dia para a biblioteca. Podia muito bem se acostumar com esta vida em que era adorada pelos fãs. Era melhor que estar em Bedford, sentada no ônibus 77, cantarolando melodias tristes para a janela.

Ela posou para selfies.

Uma jovem parecia à beira das lágrimas. Trazia uma enorme foto de Nora beijando Ryan Bailey.

— Fiquei tão triste quando você terminou com ele!

— Eu sei, é, foi triste. Mas, você sabe, essas coisas acontecem. É uma... curva de aprendizado.

Joanna apareceu ao seu lado e gentilmente a tirou dali, encaminhando-a para o hotel.

Quando chegou ao elegante saguão cheirando a jasmim (mármore, lustres, vasos de flores), ela viu que o restante da banda já estava no bar. Mas onde estava o irmão? Talvez continuasse jogando conversa fora com a imprensa em algum outro lugar.

Quando começou a se dirigir para o bar, ela se deu conta de que todos — concierge, recepcionistas, hóspedes — a acompanhavam com o olhar.

Nora estava prestes a aproveitar a oportunidade para perguntar sobre o paradeiro do irmão quando Joanna acenou para um homem com uma camisa de malha com THE LABYRINTHS escrito numa fonte retrô de filme de ficção científica. O cara devia ter uns quarenta e poucos anos, com uma barba que começava a ficar grisalha e um cabelo que começava a rarear, mas pareceu intimidado pela presença de Nora. Ele fez uma pequena mesura quando cumprimentou Nora com um aperto de mão.

— Meu nome é Marcelo — disse ele. — Muito obrigado por concordar em dar essa entrevista pra gente.

Nora notou outro homem atrás de Marcelo — mais jovem, com piercings, tatuagens e um enorme sorriso — segurando um equipamento de gravação.

— A gente tinha reservado um canto sossegado no bar — avisou Joanna. — Mas tem meio que... muita gente lá. Acho que seria melhor fazer isso na suíte da Nora.

— Ótimo — concordou Marcelo. — Ótimo, ótimo.

Enquanto andavam até o elevador, Nora olhou para trás, para o bar, e viu os outros integrantes da banda.

— Sabe, talvez você queira conversar com os outros também? — sugeriu ela para Marcelo. — Eles se lembram de coisas que eu não lembro. Um monte de coisas.

Marcelo sorriu, fazendo que não com a cabeça.

— Funciona melhor assim, acho...

— Ah, tá — disse ela.

Todos os olhos estavam virados para eles enquanto esperavam pelo elevador. Joanna se inclinou para Nora.

— Você tá bem?

— Sim. Tô. Por quê?

— Não sei. É só que... você parece diferente hoje.

— Diferente como?

— Só... diferente.

Quando entraram no elevador, Joanna pediu a uma mulher, uma que Nora reconheceu do ônibus, que pegasse algumas bebidas no bar — duas cervejas para os podcasters, uma água mineral gasosa para Nora e uma caipirinha para ela.

— E leve tudo pra suíte da Nora, Maya.

Talvez eu seja abstêmia nessa vida, pensou Nora, conforme saía do elevador e caminhava pelo carpete cor-de-rosa fofo até a suíte.

E, então, ao entrar, tentou agir como se tudo fosse perfeitamente normal. Este ambiente gigante que levava a outro ambiente gigante que levava a um banheiro gigante. Havia um imenso buquê de flores para ela, com um cartão assinado pelo gerente do hotel.

Uau, ela quase disse em voz alta, enquanto olhava ao redor, para a mobília luxuosa, as enormes cortinas do teto ao chão, a impecável cama branca do tamanho de um hectare, a TV igual a uma tela de cinema, a garrafa de champanhe no gelo, a bandeja de prata cheia de "pães de mel típicos do Brasil", como dizia o cartão.

— Não que você vá provar nenhum deles — disse Joanna, pegando uma das guloseimas da bandeja. — Agora que está nessa nova dieta. Harley mandou que eu ficasse de olho em você.

Nora observou Joanna morder um deles e se perguntou como uma dieta podia ser boa se não incluía algo tão evidentemente delicioso quanto um pão de mel brasileiro. Ela não fazia ideia de quem era Harley, mas já sabia que não gostava dela.

— Também... só pra você saber, os incêndios continuam em Los Angeles e as autoridades estão evacuando metade de Calabasas agora, mas, com sorte, não vai chegar a uma altura como a da sua casa...

Nora não sabia se ficava feliz com a ideia de ter uma casa em LA ou preocupada com que ela estivesse prestes a ser consumida pelo fogo.

Os dois caras do podcast levaram um tempinho para montar o equipamento. E Nora afundou no amplo sofá na sala de estar da suíte enquanto Joanna — limpando alguns farelos em volta da boca com as unhas bem manicuradas — explicava que aquele podcast sobre música, *O som*, era o mais popular do Brasil.

— Excelente perfil demográfico — disse Joanna, entusiasmada. — E os números são estratosféricos. Vale totalmente a pena.

E ela ficou ali, observando tudo como uma mamãe falcão, enquanto o podcast começava.

O podcast das revelações

— Então... esse tem sido um ano louco pra você — começou Marcelo, num inglês excelente.

— Ah, é. Tem sido uma loucura — concordou Nora, tentando soar como uma estrela.

— Agora, se a gente puder falar sobre o álbum... *Pottersville*. Você compôs todas as músicas, né?

— Basicamente, é — arriscou Nora, encarando o pequeno e familiar sinal na mão esquerda.

— Nora compôs todas elas — interveio Joanna.

Marcelo assentiu enquanto o outro rapaz, mantendo o sorriso largo, ajustava os canais de áudio no laptop.

— Acho que "Feathers" é minha faixa favorita — confessou Marcelo, quando as bebidas chegaram.

— Fico feliz que tenha gostado dela.

Nora tentou pensar num modo de escapar desta entrevista. Uma dor de cabeça? Enjoo?

— Mas antes quero falar da sua primeira música de trabalho, "Stay Out of My Life". Parecia uma declaração tão pessoal.

Nora abriu um sorriso forçado.

— A letra diz tudo, na verdade.

— Tem havido certa especulação sobre se ela se refere à... como é a expressão jurídica mesmo?

— Ordem de restrição de aproximação — ajudou Joanna.

— Isso! À ordem de restrição de aproximação.

— Hmm — disse Nora, surpresa. — Então. Eu prefiro colocar tudo pra fora na música. Acho difícil conversar sobre esse tipo de coisa.

— É, eu entendo. É só que, na entrevista que você deu recentemente para a *Rolling Stones*, você falou um pouco sobre o seu ex-namorado, Dan Lord, e mencionou como foi difícil conseguir essa medida protetiva contra ele, depois que ele ficou te *stalkeando*... Ele não tentou invadir a sua casa? Depois disse aos repórteres que foi ele que escreveu a letra de "Beautiful Sky"?

— Jesus.

Ela ficou dividida entre o riso e as lágrimas, e conseguiu, de algum modo, reprimir os dois.

— Eu compus a música quando ainda estava com o Dan. Mas ele não curtiu. Não gostava que eu participasse da banda. Ele odiava a banda. Odiava meu irmão. Odiava o Ravi. Odiava a Ella, que fazia parte da formação original. Enfim, o Dan era muito ciumento.

Aquilo era tão surreal. Em uma vida, a vida que a princípio ele tinha querido tanto, Dan estava tão entediado com o relacionamento conjugal deles que tinha um caso, enquanto *nesta* vida ele andava invadindo sua casa porque não conseguia engolir o sucesso dela.

— Ele é um babaca — disse Nora. — Tem algum xingamento melhor em português para um cara desses?

— Babaca já define bem, acho.

— Tem cuzão também — acrescentou o cara mais novo, com uma expressão impassível no rosto.

— É, então, ele é um cuzão. E acabou se mostrando alguém completamente diferente. É estranho. O modo como as pessoas agem de um jeito diferente quando sua vida muda. É o preço da fama, acho.

— E você compôs uma música chamada "Henry David Thoreau". Não se vê muita música em homenagem a filósofos por aí...

— Eu sei. Então, quando eu fazia faculdade de filosofia, ele era meu filósofo preferido. Por isso a minha tatuagem. E o título me pareceu um pouco melhor que "Immanuel Kant".

Ela estava pegando o jeito. Não era tão difícil assim encenar uma vida, quando era a vida para a qual estava destinada.

— E "Howl", óbvio. Que música foda. Primeiro lugar nas paradas de sucesso em vinte e dois países. Vencedora do Grammy de melhor vídeo, com um elenco de astros de Hollywood de primeira linha. Imagino que você já tenha se cansado de falar dela, né?

— Pois é.

Joanna foi se servir de outro pão de mel.

Marcelo sorriu, com simpatia, mas insistiu.

— Pra mim ela parecia tão visceral. A música, digo. Como se você estivesse botando tudo mesmo pra fora. Depois descobri que você compôs a música na mesma noite em que demitiu seu ex-empresário. Antes da Joanna. Quando você descobriu que ele estava te roubando...

— É. Aquilo não foi legal — ela improvisou. — Foi uma tremenda traição.

— Eu era um grande fã dos Labyrinths antes de "Howl". Mas essa me tocou fundo. Essa e "Lighthouse Girl". Foi com "Howl" que eu pensei: *Nora Seed é um gênio*. A letra é bem abstrata, mas o modo como você exprime sua raiva é tão suave, comovente e poderoso, tudo ao mesmo tempo. É uma fusão de The Cure no início da carreira com Frank Ocean, passando pelos Carpenters e por Tame Impala.

Nora tentou, mas não conseguiu, imaginar como diabos soaria aquilo.

Ele começou a cantarolar, para surpresa de todos.

— *"Silence the music to improve the tune / Stop the fake smiles and howl at the moon."*

Nora sorriu e assentiu com a cabeça, como se conhecesse a letra.

— Pois é. Pois é. Eu estava só... uivando.

A expressão no rosto de Marcelo ficou séria. Ele parecia sinceramente preocupado com ela.

— Você passou por tanta merda nesses últimos anos. *Stalkers*, maus empresários, falsas tretas, um processo judicial, problemas com direitos autorais, o rompimento complicado com Ryan Bailey, a recepção do último álbum, a reabilitação, aquele incidente em Toronto... aquela vez que você desmaiou de exaustão em Paris, algumas perdas familiares, drama, drama, drama. E todo o escrutínio da mídia. Por que acha que a imprensa te odeia tanto?

Nora começou a se sentir um pouco enjoada. Então a fama era isso? Como um coquetel ao mesmo tempo doce e amargo de adoração e agressão? Não era de espantar que tantas pessoas famosas saíssem dos trilhos quando os trilhos viravam em todas as direções. Era como ser beijada e esbofeteada ao mesmo tempo.

— Eu... eu não sei... é muito louco isso...

— Quer dizer, alguma vez você se pergunta como sua vida teria sido se tivesse escolhido seguir outro caminho?

Nora ouviu aquilo enquanto observava o movimento das bolhas em sua água mineral.

— Acho que é fácil imaginar que existem caminhos mais fáceis — respondeu ela, se dando conta de algo pela primeira vez. — Mas talvez não existam caminhos fáceis. Só caminhos. Em uma vida, eu posso ser casada. Em outra, posso estar trabalhando numa loja. Posso ter aceitado o convite de um cara fofo para um café. Em outra, posso estar pesquisando geleiras no Círculo Ártico. Em outra, posso ser campeã olímpica de natação. Quem sabe? A cada segundo de cada dia a gente entra num novo universo. E a gente passa tanto tempo desejando que a vida fosse diferente, se comparando com outras pessoas e com outras versões de nós mesmos, quando, na verdade, a maioria das vidas contém um certo grau de coisas boas e um certo grau de coisas ruins.

Marcelo, Joanna e o outro rapaz a encaravam com os olhos arregalados, mas ela estava com a corda toda. Sem freio.

— Existem padrões na vida... Ritmos. É tão fácil, quando presos numa vida só, imaginar que períodos de tristeza, de perdas, de fracasso ou de medo são resultado daquela existência em particular. Que é um subproduto de viver de uma determinada maneira, em vez de simplesmente *viver*. Quer dizer, as coisas seriam bem mais fáceis se a gente entendesse que não existe um certo modo de viver que nos torne imunes à tristeza. E que a tristeza é parte intrínseca do tecido da felicidade. Não dá pra ter uma sem a outra.

Obviamente, elas vêm em diferentes graus e doses. Mas não há uma vida sequer em que a pessoa possa existir num estado permanente de felicidade absoluta. E imaginar que existe uma vida assim só acrescenta mais infelicidade à nossa vida.

— Essa é uma ótima resposta — disse Marcelo, quando teve certeza de que ela havia terminado. — Mas hoje, no show, eu diria que você parecia feliz. Quando tocou "Bridge Over Troubled Water" em vez de "Howl", aquilo foi uma declaração tão poderosa. Foi como afirmar: *Eu sou forte*. Você parecia estar dizendo para nós, seus fãs, que estava bem. E, então, como vai a turnê?

— Ela vai muito bem. E, é, eu pensei em passar a mensagem de que, você sabe, eu estou aqui, vivendo minha melhor vida. Mas sinto saudade de casa depois de um tempo.

— Qual delas? — perguntou Marcelo, com um discreto sorriso. — Quer dizer, você se sente mais em casa em Londres, Los Angeles ou na Costa Amalfitana?

Aparentemente, esta vida aqui era onde ela tinha a maior pegada de carbono.

— Não sei. Acho que em Londres.

Marcelo tomou fôlego, como se a pergunta seguinte fosse ser feita debaixo da água. Ele coçou a barba.

— Tá, mas imagino que deva ser difícil pra você, já que sei que você dividia aquele apartamento com o seu irmão?

— Por que seria difícil?

Joanna lhe lançou um olhar curioso por cima do drinque.

Marcelo a olhou com um olhar carinhoso e emocionado. Seus olhos pareciam marejados.

— Quer dizer — continuou ele, depois de dar um golinho na cerveja —, seu irmão era uma parte tão importante da sua vida, uma parte tão importante da banda...

Era.

Tamanho horror em uma palavra tão pequena. Como uma pedra mergulhando na água.

Ela se lembrou de quando perguntou a Ravi sobre o irmão antes do bis.

— Ele ainda está entre nós. Estava aqui hoje.

— Ela quer dizer que ainda sente a presença dele — explicou Joanna.
— Todos eles sentem a presença de Joe. Ele era um espírito tão forte. Problemático, mas forte... Foi uma tragédia o modo como a bebida e as drogas e a própria vida o venceram no fim...

— Como assim? — perguntou Nora.

Ela não estava mais encenando uma vida. Precisava mesmo saber.

Marcelo parecia estar com pena dela.

— Você sabe, faz só dois anos desde a morte dele... desde a overdose dele...

Nora reagiu com perplexidade.

Ela não voltou instantaneamente à biblioteca porque não tinha assimilado aquela informação. Ela se levantou, atordoada, e cambaleou para fora da suíte.

— Nora? — Joanna ria, nervosa. — Nora?

Ela entrou no elevador e foi até o bar. Até Ravi.

— Você disse que Joe estava jogando conversa fora com a imprensa.

— O quê?

— Você disse. Eu perguntei o que Joe estava fazendo, e você respondeu, "jogando conversa fora com a imprensa estrangeira".

Ele largou a cerveja e a encarou, como se fosse um enigma.

— E eu estava certo. Ela estava jogando conversa fora com os jornalistas.

— Ela?

Ele apontou para Joanna, que exibia uma expressão horrorizada ao sair do elevador para o saguão do hotel.

— É. A Jo. Ela estava com a imprensa.

E Nora sentiu a tristeza como um soco na boca do estômago.

— Ai, não — disse ela. — Ai, Joe... ai, Joe... ai...

E o bar do hotel desapareceu. A mesa, os drinques, Joanna, Marcelo, o cara do som, os hóspedes, Ravi, os outros, o piso de mármore, o barman, os garçons, os lustres, as flores, tudo se tornou um grande nada.

"Howl"

To the winter forest
And nowhere to go
This girl runs
From all she knows

The pressure rises to the top
The pressure rises (it won't stop)

They want your body
They want your soul
They want fake smiles
That's rock and roll
The wolves surround you
A fever dream
The wolves surround you
So start the scream

Howl, into the night,
Howl, until the light,
Howl, your turn to fight,
Howl, just make it right

Howl howl howl howl

(Motherfucker)

You can't fight for ever
You have to comply
If your life isn't working
You have to ask why

(Falado)
Remember
When we were young enough
Not to fear tomorrow
Or mourn yesterday
And we were just
Us
And time was just
Now
And we were in
Life
Not rising through
Like arms in a sleeve
Because we had time
We had time to breathe

The bad times are here
The bad times have come
But life can't be over
When it hasn't begun
The lake shines and the water's cold
All that glitters can turn to gold
Silence the music to improve the tune
Stop the fake smiles and howl at the moon

Howl, into the night,
Howl, until the light,
Howl, your turn to fight,
Howl, just make it right

Howl howl howl howl*

(Repetir até o som ir sumindo)

---

* Para a floresta de inverno / E sem lugar aonde ir / Essa garota corre / De tudo que conhece / A pressão chega ao máximo / A pressão sobe (não para) / Querem seu corpo / Querem sua alma / Querem seus falsos sorrisos / Isso é rock and roll / Os lobos ao redor / Um sonho febril / Os lobos ao redor / Então comece a gritar / Uive, para a noite, / Uive, até a luz / Uive, sua vez de lutar / Uive, precisa acertar / Uive Uive Uive Uive / (Filho da puta) / Não pode lutar para sempre / Precisa ceder / Se sua vida não está funcionando / Precisa perguntar por quê / Lembre / Quando éramos jovens o bastante / Para não temer o amanhã / Ou lamentar o ontem / E apenas éramos / Nós / E a hora era apenas / Agora / E estávamos / Vivendo / Não passando / Como braços em uma manga / Porque tínhamos tempo / Tínhamos tempo de respirar / Os tempos difíceis estão aqui / Os tempos difíceis chegaram / Mas a vida não pode acabar / Quando nem começou / O lago brilha e a água está fria / Tudo que brilha pode virar ouro / Silencie a música para melhorar o tom / Pare de fingir sorrisos e uive para a lua / Uive, para a noite / Uive, até a luz / Uive, sua vez de lutar / Uive, precisa acertar / Uive uive uive uive (*N. da T.*)

Amor e dor

— Eu odeio este... processo — disse Nora à Sra. Elm, com toda a sua força. — Eu quero que isso PARE!

— Silêncio, por favor — pediu a Sra. Elm, com um cavalo branco na mão, se concentrando na próxima jogada. — Isto aqui é uma biblioteca.

— Nós somos as únicas pessoas neste lugar!

— Essa não é a questão. Continua sendo uma biblioteca. Quando você está numa catedral, fica em silêncio porque está numa catedral, não porque há outras pessoas lá. É o mesmo caso da biblioteca.

— Tá — disse Nora, baixinho. — Eu não gosto disso. Quero que pare. Quero cancelar minha inscrição aqui. Quero devolver o meu cartão da biblioteca.

— Você *é* o cartão da biblioteca.

Nora voltou à questão original.

— Eu quero que pare.

— Não, não quer.

— Quero, sim.

— Então por que ainda está aqui?

— Porque não tenho escolha.

— Acredite em mim, Nora. Se você não quisesse mesmo estar aqui, não estaria. Foi o que eu te disse desde o início.

— Não gosto disso.

— Por quê?

— Porque é muito doloroso.

— Por que é doloroso?

— Porque é real. Em uma vida, meu irmão está morto.

A expressão no rosto da bibliotecária ficou séria de novo.

— E em uma vida, em uma das vidas de Joe, você está morta. Será que isso seria doloroso para ele?

— Duvido. Ele não quer saber mais de mim. Tem a própria vida e me culpa por ela não ter dado em nada.

— Então, tudo isso tem a ver com o seu irmão?

— Não. Tem a ver com tudo. Parece impossível viver sem machucar as pessoas.

— Parece impossível porque é impossível.

— Então por que viver?

— Bem, para ser justa, morrer também machuca as pessoas. Que vida você quer escolher agora?

— Não quero.

— O quê?

— Não quero outro livro. Não quero outra vida.

A Sra. Elm empalideceu, como tinha acontecido tantos anos antes, ao receber a ligação sobre o pai de Nora.

Nora sentiu um tremor sob os pés. Um pequeno terremoto. Ela e a Sra. Elm se seguraram nas estantes enquanto livros caíam ao chão. As luzes piscaram e depois se apagaram completamente. O xadrez e a mesa tombaram.

— Ah, não! — exclamou a Sra. Elm. — De novo, não.

— Qual é o problema?

— Você sabe qual é o problema. Este lugar inteiro existe por sua causa. Você é a fonte de energia. Quando há uma interrupção significativa nessa fonte de energia, a biblioteca fica em perigo. É você, Nora. Está desistindo no pior momento possível. Não pode desistir, Nora. Você tem mais a oferecer. Mais oportunidades para vivenciar. Existem tantas versões de você ainda. Lembre-se de como se sentiu depois do urso-polar. Lembre-se de como queria viver.

O urso-polar.

O urso-polar.

— Até essas experiências ruins estão servindo a um propósito, não vê?

Ela via. Os arrependimentos que ela vinha carregando quase a vida inteira não faziam sentido.

— Vejo.

O pequeno terremoto enfraqueceu.

Agora havia livros espalhados por toda parte, pelo chão todo.

A luz tinha voltado, mas ainda piscava.

— Sinto muito — disse Nora.

Ela começou a tentar pegar os livros para colocá-los no lugar.

— Não — disparou a Sra. Elm. — Não toque nos livros. Solte-os.

— Foi mal.

— E pare de se desculpar. Você pode me ajudar com isso aqui. É mais seguro.

Ela ajudou a Sra. Elm a recolher as peças de xadrez, arrumando-as no tabuleiro para uma nova partida, colocando a mesa de volta no lugar também.

— E quanto a esses livros todos no chão? A gente vai simplesmente deixar tudo jogado?

— Por que está tão preocupada com eles? Achei que queria que desaparecessem completamente.

A Sra. Elm podia muito bem ser só um mecanismo que existia a fim de simplificar a intrincada complexidade do universo quântico, mas neste exato instante — sentada entre as prateleiras desfalcadas perto de seu tabuleiro de xadrez, arrumado para uma nova partida — parecia triste, sábia e infinitamente humana.

— Não foi minha intenção ser assim tão dura com você — desculpou-se a Sra. Elm, por fim.

— Tá tudo bem.

— Eu me lembro quando a gente começou a jogar xadrez na biblioteca da escola. Você costumava perder suas peças mais importantes logo de cara — disse ela. — Você botava a rainha ou a torre em jogo, e elas eram comidas. E então você agia como se o jogo estivesse perdido porque só te restavam peões e um ou dois cavalos.

— Por que está lembrando disso agora?

A Sra. Elm viu um fio solto na blusa e o enfiou dentro da manga, mas então pensou melhor e o deixou solto outra vez.

— Você precisa entender uma coisa se quiser ganhar uma partida de xadrez algum dia — continuou ela, como se Nora não tivesse nada mais importante em que pensar. — E o que você precisa entender é o seguinte: o jogo só acaba quando termina. Não acaba se ainda há um único peão no tabuleiro. Se um dos lados tem apenas um peão e o rei, e o outro todas as peças, o jogo continua. E, mesmo que você seja um peão, e talvez todos sejamos, então deve se lembrar de que o peão é a mais mágica das peças. Pode parecer pequeno e banal, mas não é. Porque um peão nunca é só um peão. Um peão é uma rainha em potencial. Tudo o que você precisa fazer é encontrar um jeito de avançar. Uma casa por vez. E você pode chegar ao outro lado e desbloquear todos os tipos de poder.

Nora olhou para os livros ao seu redor.

— Então, o que você está dizendo é que só me restaram os peões no jogo?

— Estou dizendo que a coisa que parece mais banal pode acabar sendo aquela que leva você à vitória. É preciso continuar. Como aquele dia no rio. Lembra?

É óbvio que ela lembrava.

Quantos anos tinha? Devia estar com uns 17, pois já não participava de competições de natação. Foi um período difícil em que o pai vivia irritado com ela, e a mãe, quase muda em uma de suas crises de depressão. O irmão tinha voltado da faculdade de artes para passar o fim de semana com Ravi. Para mostrar para os amigos os pontos turísticos da gloriosa Bedford. Joe tinha improvisado uma festa à beira do rio, com música, cerveja e uma tonelada de maconha e de garotas frustradas porque Joe não estava interessado nelas. Nora havia sido convidada, bebido demais e, de algum modo, acabou conversando com Ravi sobre natação.

— Então você consegue atravessar o rio a nado? — perguntou Ravi a ela.

— Óbvio.

— Duvido — dissera outra pessoa.

E então, em um momento de estupidez, Nora encarou aquilo como um desafio. E, quando seu irmão mais velho, chapado e completamente bêbado, percebeu o que ela estava fazendo, era tarde demais. O nado já ia longe.

Enquanto Nora se lembrava daquilo, o corredor no fim desta ala da biblioteca se transformou de pedra em água corrente. E, embora as estantes ao seu redor continuassem no lugar, do piso sob seus pés brotaram tufos de grama, e o teto virou céu. Mas, ao contrário de quando ela desapareceu em outra versão do presente, a Sra. Elm e os livros permaneceram. Nora estava meio na biblioteca, meio imersa na própria memória.

Ela olhava fixamente para alguém no rio-corredor. Era seu eu mais jovem na água, conforme os últimos raios de sol de verão se dissolviam em escuridão.

Equidistância

O rio estava frio, e a correnteza, forte.

Ela se lembrou, enquanto observava a si mesma, da dor nos ombros e nos braços. Do peso imobilizante deles, como se estivesse usando uma armadura. Nora se lembrou de não entender como, apesar do esforço, a silhueta dos plátanos permanecia teimosamente do mesmo tamanho, assim como a margem parecia à mesma distância. Ela se lembrou de engolir um pouco da água suja. E de olhar ao redor, para a outra margem, a margem de onde havia mergulhado, agora o lugar de onde estava se observando junto à versão mais jovem do irmão e dos amigos dele, alheios à presença de seu eu atual e às prateleiras de ambos os lados.

Nora se lembrou de como, em seu delírio, havia pensado na palavra "equidistante". Uma palavra que pertencia à segurança analítica da sala de aula. Equidistante. Um tipo de palavra tão neutro, tão matemático, e que se transformou em ideia fixa, se repetindo como um mantra frenético conforme ela usava o que lhe restava de força para se manter quase exatamente onde estava. Equidistante. Equidistante. Equidistante. Não alinhada a uma margem nem à outra.

Era assim que ela havia se sentido na maior parte da vida.

Presa bem no meio. Lutando, se debatendo, simplesmente tentando sobreviver sem saber para onde ir. Nem com que caminho se comprometer sem arrependimentos.

Ela olhou para a margem do outro lado — agora com a inclusão de estantes, mas ainda com a imensa silhueta de um plátano inclinado sobre a água como um pai e uma mãe preocupados, o vento soprando em suas folhas.

— Mas você se comprometeu — disse a Sra. Elm, obviamente tendo ouvido os pensamentos de Nora. — E sobreviveu.

O sonho de outra pessoa

— A vida é sempre um ato — disse a Sra. Elm, enquanto as duas olhavam o irmão de Nora sendo puxado para trás à beira da água pelos amigos. E ele olhando para uma garota, cujo nome Nora já tinha esquecido fazia muito tempo, que ligava para os serviços de emergência. — E você agiu quando foi preciso. Nadou até aquela margem. Conseguiu sair sozinha do rio. Quase botou os bofes pra fora de tanto tossir e teve hipotermia, mas atravessou o rio, contra todas as probabilidades. Você encontrou algo dentro de si.

— Encontrei, sim. Bactérias. Fiquei doente durante várias semanas. Engoli uma quantidade muito grande daquela água suja.

— Mas sobreviveu. Teve esperança.

— É, bom, a cada dia que passava eu perdia um pouco dela.

Nora baixou o olhar, vendo a grama se recolher no piso de pedra, e o ergueu a tempo de ver a última gota de água cintilar e desaparecer e o plátano se dissolver no ar juntamente com seu irmão, os amigos dele e a versão jovem dela.

A biblioteca ficou com a mesma aparência de biblioteca outra vez. Mas agora os livros estavam todos de volta às estantes, e as luzes haviam parado de piscar.

— Eu fui tão burra, nadando ali, só pra tentar impressionar aquelas pessoas. Sempre achei que o Joe era melhor que eu. Queria que ele gostasse de mim.

— Por que achava que ele era melhor que você? Porque seus pais pensavam assim?

Nora se incomodou com a franqueza da Sra. Elm. Mas talvez ela tivesse razão.

— Eu sempre tive que fazer o que eles queriam que eu fizesse para conseguir impressionar os dois. Joe tinha as questões dele, obviamente. E eu não entendi aquelas questões de verdade até descobrir que ele era gay, mas dizem que a rivalidade entre irmãos tem mais a ver com os pais que com os irmãos em si, e eu sempre tive a sensação de que meus pais simplesmente davam mais força para os sonhos dele.

— Como na música?

— É. Quando Ravi e ele resolveram que queriam ser astros do rock, mamãe e papai compraram uma guitarra para o Joe, e depois um teclado.

— E o que aconteceu?

— A parte da guitarra deu certo. Ele aprendeu a tocar "Smoke On The Water" na primeira semana, mas não era muito chegado a teclado, e decidiu que não queria aquele trambolho no quarto.

— E foi então que você o herdou — disse a Sra. Elm, mais como afirmação do que como pergunta. Ela *sabia*. Óbvio que sabia.

— Foi.

— O teclado foi transferido para o seu quarto, e você o recebeu como um amigo, e começou a aprender a tocar com uma determinação inabalável. Você gastava a mesada em manuais, *Mozart para iniciantes* e *Beatles para piano*. Porque você gostava. Mas também porque queria impressionar seu irmão mais velho.

— Eu nunca te contei nada disso.

Um sorriso irônico.

— Não se preocupe. Eu li o livro.

— Tá. Sim. É. Entendi.

— Pode ser que você precise parar de se preocupar com a aprovação dos outros, Nora — sussurrou a Sra. Elm, o que aumentou o efeito e a intensidade da sua fala. — Você não precisa de uma permissão por escrito, como precisava na escola, para ser...

— É. Já entendi.

E ela entendia de verdade.

Cada vida que havia experimentado até agora desde que pisara na biblioteca tinha sido, na verdade, o sonho de outra pessoa. A vida de casados no pub fora o sonho do Dan. A viagem para a Austrália fora o sonho da Izzy, e seu arrependimento por não ter ido se devia mais à culpa por deixar a amiga na mão do que um lamento seu. O sonho de ser campeã de natação pertencia ao pai. E, tá, era verdade que ela demonstrara interesse pelo Ártico e por ser glaciologista quando jovem, mas isso havia sido bastante influenciado por suas conversas com a própria Sra. Elm na biblioteca da escola. E os Labyrinths, bem, aquilo sempre tinha sido o sonho do irmão.

Talvez não houvesse uma vida perfeita para ela, mas, em algum lugar, com certeza, existia uma vida que valia a pena ser vivida. E se fosse para encontrar a vida que de fato valia a pena ser vivida, Nora se deu conta de que precisaria lançar uma rede maior.

A Sra. Elm estava certa. O jogo não tinha acabado. Nenhum jogador deveria desistir enquanto ainda lhe restavam peças no tabuleiro.

Ela endireitou as costas e se empertigou.

— Você precisa escolher mais vidas das prateleiras de baixo ou de cima. Você vem procurando reverter seus arrependimentos mais óbvios. Os livros nas prateleiras superiores e inferiores são as vidas um pouco mais distantes. Vidas que você ainda está vivendo em um ou outro universo, mas não aquelas que vem imaginando ou lamentando, nem aquelas em que vem pensando. São vidas que você poderia viver, mas que nunca sonhou com elas.

— Então são vidas infelizes?

— Algumas serão; outras, não. É só que elas não são as vidas mais *óbvias*. São aquelas que podem exigir um pouco de imaginação para serem alcançadas. Mas tenho certeza de que você consegue chegar lá...

— Você não pode me guiar?

A Sra. Elm sorriu.

— Eu poderia ler um poema para você. As bibliotecárias gostam de poesia. — E então declamou Robert Frost. — "Num bosque, dois caminhos bifurcavam, e eu — / Fiz do menos percorrido o meu / O que fez toda a diferença..."

— E se houver mais de dois caminhos bifurcando no bosque? E se houver mais caminhos que árvores? E se não houver fim para as escolhas que se pode fazer? O que Robert Frost faria?

Ela se lembrou de quando estudou Aristóteles no primeiro ano da faculdade de filosofia. E de como se sentiu um pouco deprimida pela ideia dele de que a excelência nunca era um acidente. Que resultados excelentes eram fruto da "escolha mais sábia entre muitas alternativas". E aqui estava ela, na posição privilegiada de ser capaz de provar essas muitas alternativas. Era um atalho para a sabedoria e, talvez, um atalho para a felicidade também. Agora ela encarava aquilo não como um fardo, mas como um presente a ser valorizado.

— Olhe para aquele tabuleiro que colocamos de volta no lugar — disse a Sra. Elm, com suavidade. — Veja como parece estar em ordem, em equilíbrio e estático agora, antes do início da partida. É uma coisa linda de ver. Mas sem graça. Sem vida. Porém, assim que o primeiro movimento é realizado, as coisas mudam. Elas começam a se tornar mais caóticas. E esse caos cresce a cada jogada que é feita.

Nora se sentou à mesa, em frente à Sra. Elm. Baixou o olhar para o tabuleiro e moveu um peão duas casas à frente.

A Sra. Elm espelhou o movimento em seu lado do tabuleiro.

— Xadrez é fácil de jogar — disse ela a Nora. — Mas difícil de dominar. Cada movimento que você faz abre um mundo inteiro de possibilidades.

Nora deslocou um de seus cavalos. As duas continuaram assim por um tempo.

A Sra. Elm fez um comentário.

— No início de uma partida, não há variações. Só há um jeito de dispor as peças no tabuleiro. Existem nove milhões de variações depois dos primeiros seis movimentos. E, depois de oito, passam para duzentas e oitenta e oito bilhões de posições diferentes. E essas possibilidades continuam a crescer. Há mais maneiras possíveis de jogar uma partida de xadrez que a quantidade de átomos no universo observável. Então fica muito confuso. E não existe jeito certo de jogar; existem muitos jeitos. No xadrez, como na vida, as possibilidades são a base de tudo. Cada esperança, cada sonho, cada arrependimento, cada instante de vida.

Nora acabou vencendo a partida. Ficou com a leve suspeita de que a Sra. Elm a havia *deixado* ganhar, mas, ainda assim, se sentia um pouco melhor.

— Ok — disse a Sra. Elm. — É hora de um livro, agora, acho. O que me diz?

Nora olhou ao longo das estantes. Se pelo menos tivessem títulos mais específicos. Se pelo menos existisse um chamado *Vida perfeita bem aqui*.

Seu instinto inicial tinha sido ignorar a pergunta da Sra. Elm. Mas, onde havia livros, havia sempre a tentação de abri-los. E ela se deu conta de que o mesmo acontecia com vidas.

A Sra. Elm repetiu algo que disse antes.

— Nunca subestime a grande importância das coisas pequenas.

Isso foi útil, no fim das contas.

— Eu quero — começou Nora — uma vida leve. A vida onde trabalho com animais. Onde escolho o trabalho no abrigo de animais, aquele onde fiz meu estágio na escola, em vez de o emprego na Teoria das Cordas. É. Vou querer essa, por favor.

Uma vida leve

Acabou que foi bem fácil entrar nesta existência em particular.

O sono era bom dentro dela, e Nora só acordou com o despertador, às quinze para as oito. Ela dirigiu para o trabalho num velho Hyundai caindo aos pedaços que cheirava a cachorro e biscoitos e era todo decorado com farelos. Passou pelo hospital e pelo centro esportivo, até parar em um pequeno estacionamento em frente à construção moderna, de um pavimento só e feita de tijolos cinza, onde funcionava o abrigo.

Nora passou a manhã alimentando os cães e passeando com eles. A razão por ter sido bem fácil entrar nesta vida se devia, pelo menos em parte, a ter sido recebida por uma mulher afável e pé no chão, com cabelos castanhos encaracolados e sotaque de Yorkshire. A mulher, Pauline, avisou que Nora ia começar a trabalhar no abrigo dos cães, em vez de no dos gatos, e então ela tinha uma desculpa legítima para perguntar o que fazer e parecer confusa. Além disso, a questão de não saber o nome das pessoas foi solucionada pelo fato de todos os funcionários usarem crachá.

Nora tinha passeado com uma cadela bulmastife, uma nova aquisição, pelo campo nos fundos do abrigo. Pauline lhe contou que a bulmastife havia sido muito maltratada pelo dono. Ela apontou para algumas cicatrizes em formato de círculo.

— Queimaduras de cigarro.

Nora queria viver num mundo onde não existisse crueldade, mas os únicos mundos que tinha à sua disposição eram mundos com seres humanos dentro. A bulmastife se chamava Sally. Tinha medo de tudo. Da própria sombra. Dos arbustos. De outros cães. Das pernas de Nora. Da grama. Do ar. Embora obviamente tenha ido com a cara da Nora, e até permitido um (muito rápido) carinho na barriga.

Mais tarde, Nora ajudou a limpar algumas das casinhas de cachorro. Ela especulou se as chamavam de casinhas porque isso soava melhor que gaiolas, o que era, na verdade, um nome mais apropriado para elas. Havia um pastor-alemão de três pernas chamado Diesel, que aparentemente estava ali fazia um tempo. Quando os dois brincaram de jogar e pegar a bolinha, Nora descobriu que os reflexos dele eram muito bons, a boca pegando a bola quase todas as vezes. Ela gostava desta vida — ou, mais precisamente, gostava da versão de si mesma nesta vida. Dava para saber o tipo de pessoa que era pelo modo como os outros a tratavam. Era uma ótima sensação — acalentadora, edificante — ser uma boa pessoa.

Sua mente parecia diferente aqui. Ela pensava muito, mas os pensamentos eram leves.

"A compaixão é o fundamento da moralidade", havia escrito o filósofo Arthur Schopenhauer em um de seus momentos mais brandos. Talvez fosse o fundamento da vida também.

Havia um homem que trabalhava lá chamado Dylan, e que levava muito jeito com os cães. Tinha mais ou menos a idade dela, talvez mais novo. Havia uma aura de bondade, gentileza e tristeza em torno dele. O cabelo era comprido, no estilo surfista, e dourado como o de um retriever. Na hora do almoço, ele se sentou ao lado de Nora no banco que dava vista para o campo.

— Qual é o menu de hoje? — perguntou ele, todo doce, apontando para o pote de Nora.

Sinceramente, ela não fazia ideia — tinha encontrado a refeição já pronta pela manhã, quando abriu a porta da geladeira cheia de ímãs e calendários. Nora destampou o pote e deu de cara com o sanduíche de queijo e Marmite, e um pacote de batatas sabor vinagre e sal. De repente, o céu ficou encoberto de nuvens escuras e o vento se intensificou.

— Ai, merda — disse Nora. — Vai chover.

— Talvez, mas os cães ainda estão nas casinhas.
— O quê?
— Os cães farejam quando vem chuva, então em geral vão lá pra dentro quando acham que vai chover. Não é legal? Que eles consigam prever o futuro com o *nariz*?
— É — respondeu ela. — Bem legal.

Nora deu uma mordida no sanduíche de queijo. E, nesse momento, Dylan apoiou o braço nos ombros dela.

Nora teve um sobressalto.

— ... que porra?! — exclamou ela.

Dylan parecia profundamente arrependido. E um pouco horrorizado consigo mesmo.

— Foi mal. Eu machuquei seu ombro?
— Não... É só... Eu... Não. Não. Tá tudo bem.

Nora descobriu que Dylan era seu namorado e que eles tinham frequentado a mesma escola. Hazeldene. E que ele era dois anos mais novo.

Nora se lembrou do dia da morte do pai, quando estava na biblioteca da escola e viu um menino loiro, de uma turma dois anos abaixo da sua, passar correndo do outro lado da janela respingada de chuva. *Ou perseguindo alguém ou sendo perseguido.* Tinha sido ele. Nora o havia admirado a distância, mas sem saber muito sobre ele, e sem pensar muito nele, na verdade.

— Você está bem, Norster? — perguntou Dylan.

Norster?

— Tô. Eu só... É. Tá tudo bem.

Nora se sentou de novo, mas deixou um pouco mais de espaço entre os dois. Não havia nada de abertamente errado com Dylan. Ele era um doce. E ela tinha certeza de que, nesta vida, gostava de verdade dele. Talvez até o amasse. Mas entrar numa vida não era o mesmo que entrar num sentimento.

— Ah, por falar nisso, você fez a reserva no Gino's?

Gino's. O italiano. Nora tinha ido a esse restaurante na adolescência. Estava surpresa que ainda existisse.

— O quê?

— Gino's? A pizzaria? Para hoje à noite? Você disse que meio que conhece o gerente de lá.

— Meu pai conhecia o gerente, sim.

— Então... conseguiu ligar?

— Sim — mentiu ela. — Mas, na verdade, está lotado.

— Num dia de semana? Estranho. Que pena. Eu amo pizza. E massa. E lasanha. E...

— Certo — disse Nora. — Tá. Já entendi. Pois é. Sei que foi estranho. Mas eles receberam uns pedidos de reserva grandes.

Dylan já havia pegado o celular. Estava ansioso.

— Vou tentar La Cantina. Você sabe. O mexicano. Eles têm toneladas de opções veganas. Eu amo um mexicano; você, não?

Nora não conseguiu pensar em nenhuma desculpa legítima para não fazer aquilo, tirando o fato de Dylan não ser tão bom de papo assim; e, comparado com o sanduíche que comia no momento e o estado de sua geladeira, uma comida mexicana parecia uma boa pedida.

Então Dylan reservou uma mesa para eles. E continuaram a conversar enquanto ouviam os latidos dos cães vindos de trás. Surgiu no meio da conversa a informação de que os dois estavam pensando em morar juntos.

— A gente podia ver *O bar da última chance* — sugeriu ele.

Ela não estava prestando atenção.

— O que você disse?

Ele era tímido, Nora se deu conta. Uma negação em manter contato visual. Aquilo era encantador.

— Você sabe, o filme do Ryan Bailey que você queria ver. A gente assistiu ao trailer. Você disse que devia ser engraçado e eu pesquisei um pouco. Tem um índice de recomendação de oitenta e seis por cento no Rotten Tomatoes e está na Netflix, então...

Nora ficou se perguntando se Dylan acreditaria nela se contasse a ele que em uma vida ela era a vocalista de uma banda pop-rock de renome internacional e um ícone global que havia namorado e *terminado com* Ryan Bailey.

— Parece uma boa — disse ela, olhando fixamente para o saco vazio de batatas fritas que voava pela grama esparsa.

Dylan se levantou depressa para pegar o saco e o jogou na lata de lixo que havia ao lado do banco.

Ele voltou e se sentou junto a Nora, sorrindo. Ela entendeu o que esta outra Nora tinha visto nele. Havia algo de puro em Dylan. Como num cachorro.

Por que desejar outro universo se este tem cachorros?

O restaurante ficava na Castle Road, na esquina logo depois da Teoria das Cordas, e eles tiveram que passar em frente à loja para chegar lá. A familiaridade da coisa gerou uma sensação de estranheza. Quando se aproximou da loja, Nora viu que havia algo errado. Não se viam guitarras nem violões na vitrine. Não havia nada na vitrine, exceto uma folha de papel A4 desbotada, colada do lado de dentro no vidro.

Ela reconheceu a letra de Neil.

Infelizmente, a Teoria das Cordas não pode mais funcionar neste local. Por causa de um aumento no aluguel, não conseguimos mais manter o negócio aberto. Obrigado a todos os nossos clientes fiéis. *Don't think twice, it's all right. You can go your own way. God only knows what we'll be without you.*

Dylan achou engraçado.

— Saquei o que eles fizeram aí combinando esses versos dessas músicas do Bob Dylan, do Fleetwood Mac e dos Beach Boys. — Então, um instante depois: — Fui batizado em homenagem ao Bob Dylan. Eu já tinha te contado isso?

— Não consigo lembrar.

— Você sabe, o músico.

— Sim. Já ouvi falar de Bob Dylan, Dylan.

— Minha irmã mais velha se chama Suzanne. Em homenagem à música de Leonard Cohen.

Nora sorriu.

— Meus pais adoravam Leonard Cohen.

— Você já entrou aí alguma vez? — perguntou Dylan. — Parecia uma ótima loja.

— Uma ou duas vezes.

— Imaginei que tivesse entrado, já que é toda musical. Você tocava piano, não tocava?

Tocava.

— É. Teclado. Um pouco.

Nora notou que o aviso parecia antigo. E se lembrou do que Neil tinha lhe dito. *Não posso pagar você para afugentar os fregueses com essa cara de fim de semana de chuva.*

Bem, Neil, talvez o problema não fosse a minha cara, afinal.

Os dois continuaram andando.

— Dylan, você acredita em universos paralelos?

Ele deu de ombros.

— Talvez.

— O que você acha que está fazendo em outra vida? Você considera este um bom universo? Ou preferia viver num universo onde tivesse deixado Bedford?

— Na verdade, não. Eu sou feliz aqui. Por que desejar outro universo se este tem cachorros? Os cães daqui são iguais aos de Londres. Tenho meu canto, você sabe. Eu tinha ido para a Universidade de Glasgow para cursar veterinária. E fiquei lá durante uma semana, mas senti uma saudade enorme dos meus cães. Depois meu pai perdeu o emprego e não podia mais me bancar. Então, é, eu não cheguei a ser veterinário. E eu queria *muito* ser veterinário. Mas não me arrependo. Tenho uma vida boa. Alguns bons amigos. Tenho meus cães.

Nora sorriu. Ela gostava de Dylan, mesmo duvidando de sua capacidade de se sentir tão atraída por ele quanto esta outra Nora. Ele era uma boa pessoa, e boas pessoas eram uma raridade.

Quando chegaram em frente ao restaurante, viram um homem alto, de cabelo escuro e roupa esportiva correndo na direção deles. Depois de alguns segundos de confusão mental, Nora se deu conta de que era Ash — o Ash cirurgião, o Ash que tinha sido cliente da Teoria das Cordas e que a havia convidado para um café, o Ash que a havia consolado no hospital e o Ash que tinha batido à sua porta, em outro mundo, ontem à noite, para lhe dizer que Voltaire estava morto. Parecia tão recente, esta memória, e, no entanto, era só dela. Ele devia estar treinando para a meia maratona no domingo. Não havia motivo para acreditar que o Ash desta vida fosse diferente daquele em sua vida raiz, a não ser pelo fato de que parecia improvável que tivesse encontrado um Voltaire morto ontem à noite. Ou talvez tivesse, mas Voltaire não se chamasse Voltaire.

— Oi — cumprimentou Nora, esquecendo em qual linha do tempo estava.

Ash abriu um sorriso para ela, mas foi um sorriso confuso. Confuso, porém afetuoso, o que, de algum modo, fez Nora se sentir ainda mais constrangida. Porque, obviamente, nesta vida não tinha existido a batida em sua porta, nem o convite para tomar café, nem a compra de um livro de partituras de Simon & Garfunkel.

— Quem era aquele? — perguntou Dylan.

— Ah, só alguém que conheci em outra vida.

Dylan ficou intrigado, mas deixou pra lá.

E, então, entraram no restaurante.

Jantar com Dylan

La Cantina não havia mudado nada.

Nora teve um flashback da noite que tinha levado Dan lá, muitos anos antes, em sua primeira visita a Bedford. Eles haviam se sentado a uma mesa de canto, tomado margaritas demais e falado sobre seu futuro juntos. Foi a primeira vez que Dan tinha confessado o sonho de morar num pub no campo. Estavam prestes a morar juntos, assim como Nora e Dylan pareciam estar nesta vida. Agora ela se lembrava: Dan havia sido bem grosseiro com o garçom, e Nora havia compensado com sorrisos excessivos. Essa era uma das regras da vida — *Nunca confie em ninguém que trate mal qualquer pessoa que lhe sirva e que seja mal remunerada* — e Dan havia sido reprovado naquela, e em muitas outras. Mas Nora precisava admitir: La Cantina não encabeçaria sua lista de restaurantes a repetir.

— Eu amo este lugar — disse Dylan, olhando em volta para a exagerada e cafona decoração vermelha e amarela.

Nora ficou se perguntando, em silêncio, se havia algum lugar que Dylan não amasse ou pudesse amar. Ele parecia ser alguém que se sentaria em um campo perto de Chernobyl e se maravilharia com a beleza da paisagem.

Comendo tacos de feijão-preto, eles conversaram sobre cães e sobre a escola. Dylan tinha estado numa turma dois anos abaixo da de Nora e se lembrava dela basicamente como "a garota que nadava bem". Até se lembrava daquele dia no auditório — que Nora, havia muito, tentava esquecer — em que ela fora chamada ao palco para receber um certificado por ser uma representante excepcional da Hazeldene. Pensando bem, é possível que tenha sido naquele momento que Nora começou a desistir da natação. O momento que achou mais difícil conviver com os amigos, o momento que se refugiou nas margens da vida escolar.

— Eu costumava ver você na biblioteca, durante os recreios — disse ele, sorrindo com aquela lembrança. — Eu me lembro de ver você jogando xadrez com aquela bibliotecária que a gente tinha lá... Qual era o nome dela?

— Sra. Elm — respondeu Nora.

— Isso! — E então ele disse algo ainda mais surpreendente. — Eu vi a Sra. Elm outro dia.

— Viu?

— Vi. Ela estava na Shakespeare Road. Com alguém de uniforme. Tipo uma roupa de enfermeira. Acho que estava voltando pro asilo depois de uma caminhada. Ela parecia bem frágil. Muito velha.

Por algum motivo, Nora havia deduzido que a Sra. Elm tinha morrido fazia anos, e aquela versão da Sra. Elm que sempre via na biblioteca tornara essa ideia mais provável, já que aquela versão era uma cópia fiel da que ela havia sido na escola, preservada na memória de Nora, como mosquito em âmbar.

— Ah, não. Pobre Sra. Elm. Eu gostava tanto dela.

O bar da última chance

Depois do restaurante, Nora foi à casa de Dylan para assistir ao filme do Ryan Bailey. Os dois estavam com a garrafa de vinho que o restaurante deixou que levassem, pois só tinham tomado até a metade. Sua autojustificativa para ir à casa de Dylan era que ele parecia doce, franco e capaz de revelar um bocado sobre a vida dos dois, sem que ela precisasse interrogá-lo.

Ele morava em uma pequena casa geminada de dois andares que havia herdado da mãe, na Huxley Avenue. A casa parecia ainda menor por causa da quantidade de cachorros que havia dentro dela. Pelo que Nora podia ver, eram cinco, embora pudessem existir outros à espreita no andar de cima. Ela sempre teve a impressão de que gostava de cheiro de cachorro, mas de repente se deu conta de que havia um limite para isso.

Ao se sentar no sofá, sentiu algo duro embaixo dela — um anel de plástico para os cães morderem. Ela o largou no carpete, em meio aos outros brinquedos de mastigar. O osso falso. A bola de espuma amarela meio carcomida. Um bicho de pelúcia meio destruído.

Um chihuahua com catarata tentou fazer sexo com a perna direita dela.

— Para com isso, Pedro — disse Dylan, rindo, enquanto afastava a pequena criatura de Nora.

Outro cão, um imenso terra-nova castanho e peludo, estava sentado ao lado de Nora no sofá, lambendo a orelha dela com uma língua do tamanho de uma pantufa, o que significou que Dylan teve de se sentar no chão.

— Quer ficar com o sofá?

— Não. Tô bem no chão.

Nora não insistiu. Na verdade, ficou até aliviada. Assim seria possível ver *O bar da última chance* sem maiores constrangimentos. O terra-nova parou de lamber a orelha dela e pousou a cabeça em seu joelho, e Nora se sentiu — bem, não feliz, exatamente, mas também não deprimida.

E, no entanto, enquanto via Ryan Bailey dizer para seu par romântico na tela que "A vida é para ser vivida, docinho", ao mesmo tempo que era informada por Dylan de que ele estava pensando em deixar *mais um* cachorro dormir em sua cama ("Ele chora a noite toda. Quer o papai dele"), Nora se deu conta de que não estava muito encantada com esta vida.

E, além do mais, Dylan merecia a outra Nora. A que tinha sido capaz de se apaixonar por ele. Esta era uma nova sensação — como se ela estivesse tomando o lugar de alguém.

Ao perceber que tinha uma maior tolerância ao álcool nesta vida, ela se serviu de mais vinho. Era um Zinfandel californiano de qualidade um tanto duvidosa. Ela analisou o rótulo na parte de trás da garrafa. Por alguma razão, trazia uma pequena coautobiografia de uma mulher e um homem, Janine e Terence Thornton, donos da vinícola que fabricava o vinho. Ela leu a última frase: *Logo que nos casamos, sonhávamos em possuir nosso próprio vinhedo. E agora realizamos esse sonho. Aqui em Dry Creek Valley, nossa vida tem um gosto tão bom como uma taça de Zinfandel.*

Ela acariciou a cabeça do enorme cachorro que a havia lambido e sussurrou um "adeus" no focinho grande e quente do terra-nova enquanto deixava Dylan e seus cães para trás.

Vinhedo Buena Vista

Na visita seguinte à Biblioteca da Meia-Noite, a Sra. Elm ajudou Nora a encontrar a vida que poderia ter vivido e que chegasse mais perto da retratada no rótulo daquela garrafa de vinho do restaurante. Então deu a Nora um livro que a enviou para os Estados Unidos.

Nesta vida, ela se chamava Nora Martínez e era casada com um mexicano-americano de olhos brilhantes e quarenta e poucos anos chamado Eduardo, a quem conheceu durante o ano sabático que ela havia se arrependido de não ter tirado depois de terminar a faculdade. Quando os pais de Eduardo morreram em um acidente de barco (ela descobriu isso depois de ler um perfil de ambos publicado na revista *The Wine Enthusiast*, que haviam emoldurado e pendurado na sala de degustação, com parede forrada de painéis de carvalho), ele havia recebido uma pequena herança, e os dois compraram um minúsculo vinhedo na Califórnia. Em três anos, haviam se saído tão bem — principalmente com a variedade de uva Syrah — que puderam comprar o vinhedo vizinho assim que foi posto à venda. O nome da vinícola deles era Vinhedo Buena Vista, ficava situada na encosta das montanhas de Santa Cruz, e eles tinham um filho chamado Alejandro, que estudava num internato perto da Baía de Monterey.

A maior parte dos negócios deles estava relacionada ao enoturismo. Ônibus lotados chegavam de hora em hora. Era fácil improvisar, pois os turistas eram bem ingênuos. Funcionava assim: Eduardo escolhia que vinhos colocar nas taças antes da chegada de cada ônibus e passava as garrafas para Nora — "Uau, Nora, despacio, un poco demais", ele a censurava em sua mistura bem-humorada de idiomas, quando ela exagerava um pouco na dose —, e, então, quando os turistas chegavam, Nora cheirava os vinhos enquanto eles os colocavam na boca e engoliam, e tentava imitar Eduardo e dizer a coisa certa.

"Este tem um buquê amadeirado" ou "Você vai perceber aromas vegetais aqui, a robustez intensa das amoras e a fragrância da nectarina, perfeitamente equilibradas com um travo de carvão".

Cada vida que ela experimentava produzia uma sensação distinta, como os diferentes movimentos em uma sinfonia, e esta aqui era bem arrojada e inspiradora. Eduardo era incrivelmente carinhoso, e eles pareciam ter uma vida conjugal feliz. Talvez até capaz de rivalizar com a vida do casal no rótulo da garrafa de vinho de qualidade duvidosa que ela havia bebido com Dylan enquanto era lambida por seu cão astronomicamente imenso. Ela até se lembrava dos nomes. Janine e Terence Thornton. Sentia como se também estivesse vivendo num rótulo de garrafa agora. Até sua aparência refletia isso. Perfeitas mechas californianas e dentes branquíssimos, a pele queimada de sol e saudável, apesar da, provavelmente, substancial ingestão de Syrah. Nora tinha o tipo de barriga chapada que sugeria horas de pilates toda semana.

No entanto, fingir que conhecia vinhos não era a única coisa fácil naquela vida. Era fácil fingir *qualquer coisa*, o que poderia ser um sinal de que a chave da aparente felicidade de sua união com Eduardo era o fato de ele não estar prestando atenção, na verdade.

Depois que os últimos turistas se foram, Eduardo e Nora se sentaram sob as estrelas com uma taça do próprio vinho na mão.

— Os incêndios acabaram em Los Angeles — disse ele.

Nora ficou se perguntando quem moraria na casa que possuíra em Los Angeles em sua vida de pop star.

— Que alívio.

— Pois é.

— Isso não é lindo? — perguntou ela, olhando para o céu limpo, cheio de constelações.

— O quê?
— A galáxia.
— É.

Ele mexia no celular e não disse muita coisa. Depois largou o telefone e continuou não dizendo muita coisa.

Nora conhecia três tipos de silêncio em relacionamentos. Havia o silêncio passivo-agressivo, obviamente, havia o silêncio não-temos-mais-nada-a-dizer e, por último, o silêncio que Eduardo e ela pareciam ter cultivado. O silêncio de não *precisar* falar. De apenas ficar juntos, de *serem-um-só*. Da forma como poderia muito bem ficar em silêncio consigo mesma.

Mas, ainda assim, ela queria conversar.

— A gente é feliz, não é?
— Por que a pergunta?
— Ah, eu sei que a gente é feliz. Só queria ouvir você dizer isso às vezes.
— A gente é feliz, Nora.

Ela deu um gole no vinho e olhou para o marido. Ele estava de suéter, apesar da temperatura amena. Os dois ficaram ali por um tempo, até Eduardo resolver ir para a cama antes dela.

— Vou ficar aqui fora mais um pouco.

Eduardo pareceu não ter problemas com isso, e se foi, depois de dar um beijinho no topo da cabeça dela.

Nora se levantou com a taça de vinho, para caminhar entre as vinhas banhadas pelo luar.

Ela ficou olhando para o céu estrelado.

Não havia absolutamente nada de errado com esta vida, mas ela sentia um anseio por outras coisas, outras vidas, outras possibilidades. Tinha a sensação de que permanecia no ar, que ainda não estava pronta para pousar. Talvez fosse mais parecida com Hugo Lefèvre do que imaginava. Talvez pudesse virar vidas tão facilmente como virava páginas.

Ela bebeu o restante do vinho, sabendo que não haveria ressaca.

— Terra e madeira — disse para si mesma.

Fechou os olhos.
Não faltava muito agora.
Não mesmo.
Ela só ficou ali, esperando pelo momento de desaparecer.

As muitas vidas de Nora Seed

Nora acabou entendendo uma coisa. Algo que Hugo não havia explicado direito naquela cozinha em Svalbard. Você não precisava gostar de cada aspecto de cada vida para continuar tendo a opção de experimentá-las. Você só tinha que nunca desistir da ideia de que, em algum lugar, haveria uma vida que poderia ser desfrutada. Da mesma forma, gostar de uma vida não significava que você ficaria nela. Você só ficava em uma vida para sempre se não conseguisse imaginar uma melhor, e, no entanto, paradoxalmente, quanto mais vidas você experimentava, mais fácil se tornava pensar em algo melhor, já que a imaginação se ampliava um pouco mais com cada nova experiência.

Então, com o tempo, e com a assistência da Sra. Elm, Nora tirou vários livros das prateleiras e acabou tendo um gostinho de muitas vidas diferentes, em sua busca pela vida certa. Ela aprendeu que reverter arrependimentos era realmente um jeito de fazer desejos se concretizarem. Afinal de contas, em algum universo ela estava vivenciando *qualquer* vida possível.

Em uma vida, levava uma existência bem solitária em Paris, dava aula de inglês numa escola em Montparnasse, pedalava nas margens do Sena e lia muitos livros em bancos de praça. Em outra, era professora de ioga com a mesma mobilidade no pescoço que a de uma coruja.

Em uma vida, ela havia continuado a nadar, mas nunca tentado chegar às Olimpíadas. Nadava por diversão. Nessa vida, era salva-vidas em um resort de praia em Sitges, perto de Barcelona, e era fluente tanto em catalão quanto em espanhol e tinha uma melhor amiga hilária, chamada Gabriela, que a havia ensinado a surfar e com quem dividia um apartamento, a cinco minutos da praia.

Havia uma existência em que Nora tinha continuado a escrever romances, algo que brincara de fazer de vez em quando na faculdade, e agora era uma autora publicada. Seu romance *A forma do arrependimento* recebeu críticas elogiosas e foi finalista de um importante prêmio literário. Nessa vida, ela havia almoçado num daqueles clubes fechados e exclusivos para sócios no Soho, que se mostrou um lugar tão comum que foi até decepcionante, com dois simpáticos e descontraídos produtores da Magic Lantern Productions que queriam comprar os direitos de adaptação do livro para o cinema. Ela acabou se engasgando com um pedaço de pão árabe, derrubando o vinho tinto na calça de um deles e estragando a reunião.

Em uma vida, tinha um filho adolescente chamado Henry, que acabou não conhecendo direito porque ele vivia batendo a porta na cara dela.

Em uma vida, era pianista concertista, atualmente em turnê pela Escandinávia, tocando noite após noite para plateias embevecidas (e sumindo de volta para a Biblioteca da Meia-Noite durante uma desastrosa execução do Concerto para piano nº 2 de Chopin, no Finlândia Hall, em Helsinque).

Em uma vida, ela só comia torradas.

Em uma vida, fez faculdade em Oxford, virou professora de filosofia no St. Catherine's College, morava sozinha numa bela casa em estilo georgiano que fazia parte de uma fileira de casas geminadas requintadas, em meio a um ambiente de tranquilidade socialmente aceitável.

Em outra vida, Nora era um mar de emoções. Sentia tudo ao mesmo tempo e com muita intensidade. Cada alegria e cada tristeza. Um único momento podia conter tanto um prazer imenso quanto uma dor imensa, como se ambos fossem dependentes um do outro, como um pêndulo em movimento. Uma simples caminhada ao ar livre podia levar a uma tristeza profunda apenas porque o sol havia se escondido atrás de uma nuvem. Por outro lado, encontrar um cachorro nitidamente feliz com a atenção dela a fazia se sentir tão exultante que tinha a sensação de que poderia se derreter na calçada de tanta felicidade. Nessa vida, Nora tinha um livro de poemas de Emily Dickinson na mesa de cabeceira e uma playlist intitulada "Estados Extremos de Euforia" e outra intitulada "A Cola Que Junta Meus Pedaços Quando Estou Quebrada".

Em uma vida, tinha um vlog de viagem no YouTube, com mais de 1.750.000 inscritos, e quase o mesmo número de seguidores no Instagram, e seu vídeo mais popular era um em que ela caía de uma gôndola em Veneza. Também tinha um sobre Roma chamado "A Roma Terapia".

Em uma vida, era mãe solteira de um bebê que literalmente não dormia.

Em uma vida, era responsável pela coluna de entretenimento de um jornal de fofocas e escrevia sobre os relacionamentos de Ryan Bailey.

Em uma vida, era a editora de fotografia da *National Geographic*.

Em uma vida, era uma bem-sucedida ecoarquiteta, que vivia uma existência livre de emissões de carbono, numa casa projetada por ela para recolher a água da chuva e para funcionar com energia solar.

Em uma vida, fornecia ajuda humanitária em Botsuana.

Em uma vida, era babá de gatos.

Em uma vida, era voluntária em um abrigo para pessoas em situação de rua.

Em uma vida, dormia no sofá da única amiga que possuía.

Em uma vida, era professora de música em Montreal.

Em uma vida, passava o dia no Twitter discutindo com pessoas que não conhecia e terminava uma boa proporção de seus tweets dizendo "Melhore!", enquanto se dava conta de que o recado era para si mesma.

Em uma vida, não tinha conta nas redes sociais.

Em uma vida, nunca havia bebido uma gota de álcool.

Em uma vida, era uma campeã de xadrez atualmente na Ucrânia para um torneio.

Em uma vida, era casada com um membro menor da família real e odiava cada minuto daquilo.

Em uma vida, seu Facebook e Instagram exibiam apenas citações de Rumi e Lao-Tzu.

Em uma vida, estava no terceiro marido e já entediada.

Em uma vida, era uma halterofilista vegana.

Em uma vida, estava viajando pela América do Sul quando se viu no meio de um terremoto no Chile.

Em uma vida, tinha uma amiga chamada Becky, que dizia "Que hilário!" sempre que uma coisa boa acontecia.

Em uma vida, reencontrou Hugo mergulhando na costa da Córsega, e os dois conversaram sobre mecânica quântica e se embebedaram em um bar na praia, até ele deslizar para fora daquela vida no meio de uma frase e Nora acabar em uma conversa com um Hugo confuso, que tentava lembrar o nome dela.

Em algumas vidas, Nora atraía muita atenção. Em algumas vidas, não atraía nenhuma. Em algumas vidas, era rica. Em algumas vidas, era pobre. Em algumas vidas, era saudável. Em algumas vidas, não conseguia subir um lance de escadas sem ficar ofegante. Em algumas vidas, era comprometida, em outras, solteira, e em muitas, era algo no meio do caminho. Em algumas vidas, era mãe, mas na maioria, não.

Nora tinha sido estrela do rock, atleta olímpica, professora de música, professora primária, professora universitária, CEO, secretária, chef de cozinha, glaciologista, climatologista, acrobata, ambientalista, gerente de auditoria, cabeleireira, passeadora de cães profissional, escriturária, desenvolvedora de software, recepcionista, faxineira de hotel, política, advogada, ladra de lojas, presidente de uma instituição de caridade para a preservação dos oceanos, vendedora de loja (de novo), garçonete, supervisora de primeira linha, sopradora de vidro e mil outras coisas. Ela havia tido péssimas experiências a caminho do trabalho em carros, ônibus, trens, barcas, bicicletas, a pé. Ela havia recebido e-mails, e-mails e mais e-mails. Havia passado pela experiência de ter um chefe de 53 anos com mau hálito que lhe tocou a perna por baixo da mesa e lhe enviou uma foto do próprio pênis por mensagem de celular. Ela havia tido colegas de trabalho que espalhavam mentiras sobre ela, colegas de trabalho que a amavam e (na maioria) colegas de trabalho que eram totalmente indiferentes. Em muitas vidas, ela decidiu não trabalhar e, em algumas, não decidiu não trabalhar, mas, ainda assim, não conseguia encontrar emprego. Em algumas vidas, quebrou as barreiras da ascensão profissional, em outras, apenas passou pano nas barreiras. Tinha sido qualificada de mais e de menos. Havia dormido maravilhosamente bem e pessimamente mal. Em algumas vidas, tomava antidepressivos, e em outras, não tomava um ibuprofeno sequer para dor de cabeça. Em algumas vidas, era uma hipocondríaca fisicamente saudável, em outras, era uma hipocondríaca gravemente doente, e, na maioria, não era nada hipocondríaca. Houve uma vida em que sofreu de fadiga crônica, uma vida onde teve câncer, uma vida onde um acidente de carro havia lhe rendido uma hérnia de disco e costelas quebradas.

Em resumo, tinham sido muitas vidas.

No meio de todas essas vidas, ela havia sorrido e chorado, sentido paz e pavor, e tudo o mais entre os extremos.

E, entre uma vida e outra, ela sempre via a Sra. Elm na biblioteca.

No começo, parecia que quanto mais vidas ela experimentava, menos problemas parecia haver com a transferência. A biblioteca nunca deu a impressão de estar prestes a ruir ou a desmoronar, nem correndo o risco de desaparecer completamente. As luzes nem piscavam durante muitas das transições. Era como se ela tivesse alcançado um certo grau de aceitação sobre a vida — de que se houvesse uma experiência ruim, não haveria *apenas* experiências ruins. Concluiu que não havia tentado pôr fim à sua existência porque estava infeliz, mas porque tinha conseguido se convencer de que não havia saída para sua infelicidade.

Aquela, imaginou, era tanto a base da depressão quanto a diferença entre medo e desespero. Medo era quando você entrava num porão e ficava preocupado de a porta bater e se fechar. Desespero era quando a porta se fechava e se trancava atrás de você.

Mas, com cada vida, ela via aquela porta metafórica se alargar um pouco mais, ao aperfeiçoar o uso da sua imaginação. Às vezes ficava menos de um minuto em uma vida, mas vários dias ou semanas em outras. Parecia que, quanto mais vidas ela experimentava, mais difícil era se sentir em casa em algum lugar.

O problema foi que, em determinado momento, Nora começou a perder qualquer senso de quem era. Como em uma brincadeira de telefone sem fio com vários participantes, até seu nome começou a soar como um simples ruído, sem significar nada.

— Não está funcionando — confessou ela a Hugo, na última conversa de verdade que teve com ele, naquele bar de praia, na Córsega. — Não tem mais graça. Eu não sou você. Preciso de um lugar pra ficar. Mas o chão nunca parece firme.

— A graça está em pular de galho em galho, *mon amie*.

— Mas e se a graça estiver no pouso?

E foi naquele instante que Hugo retornou para sua videolocadora purgatorial.

— Perdão — disse o outro eu dele, enquanto bebericava o vinho, e o sol se punha às suas costas. — Esqueci quem você é.

— Não se preocupe — disse ela. — Também esqueci.

E ela, da mesma forma, saiu de cena, assim como o sol que havia acabado de ser engolido pelo horizonte.

Perdida na biblioteca

— Sra. Elm?

— Sim, Nora, qual é o problema?

— Está escuro.

— Eu percebi.

— Isso não é um bom sinal, é?

— Não — respondeu a Sra. Elm, soando afobada. — Você sabe muito bem que não é um bom sinal.

— Não posso continuar.

— Você sempre diz isso.

— Minhas vidas se esgotaram. Eu já fui de tudo. E, mesmo assim, termino aqui. Tem sempre alguma coisa que acaba com a minha diversão. Sempre. Eu me sinto uma ingrata.

— Bom, você não deveria se sentir assim. E nada se esgotou. — A Sra. Elm fez uma pausa para um suspiro. — Você sabia que, toda vez que escolhe um livro, ele nunca retorna à estante?

— Sabia.

— E é por esse motivo que você nunca pode voltar para uma vida que já experimentou. É preciso sempre haver alguma... variação sobre um tema. Na Biblioteca da Meia-Noite, você não pode pegar emprestado o mesmo livro duas vezes.

— Não estou entendendo aonde você quer chegar.

— Mesmo no escuro, você sabe que essas estantes estão tão cheias como da última vez que olhou. Coloque a mão nelas, se quiser.

Nora não precisou fazer isso.

— É. Eu sei que elas estão cheias.

— Estão tão lotadas como estavam no momento que você colocou os pés aqui da primeira vez, não estão?

— Eu não...

— Isso significa que ainda existem tantas vidas possíveis para você como sempre existiram. Um número infinito, na verdade. As possibilidades nunca podem se esgotar.

— Mas a vontade de experimentar as vidas pode.

— Ah, Nora.

— Ah, o quê?

Houve uma pausa na escuridão. Nora apertou o botão de acender a luz da tela do relógio, só por desencargo de consciência.

00:00:00

— Eu acho — continuou a Sra. Elm, por fim —, se me permite dizer, sem querer ser rude... Eu acho que você perdeu um pouco o rumo.

— Não foi por isso que vim parar na Biblioteca da Meia-Noite pra começo de conversa? Porque perdi o rumo?

— É, *foi*. Mas agora você está perdida *dentro da sua perdição*. O que significa muito perdida mesmo. Assim você não vai encontrar a maneira como deseja viver.

— E se nunca houve uma maneira? E se eu estiver... presa?

— Enquanto houver livros nas prateleiras, você nunca estará presa. Cada livro é uma chance de escapar.

— É só que... eu não entendo a vida — queixou-se Nora.

— Você não precisa *entender* a vida. Precisa apenas *vivê-la*.

Nora balançou a cabeça negativamente. Isso era um pouco demais para uma pessoa formada em filosofia assimilar.

— Mas eu não quero ser assim — confessou Nora. — Não quero ser como o Hugo. Não quero ficar alternando entre vidas pra sempre.

— Tudo bem. Então precisa me ouvir com bastante atenção. Agora, você quer o meu conselho ou não?

— Quero, sim. Parece um pouco tarde demais, mas, sim, Sra. Elm, eu ficaria eternamente grata pelo seu conselho nessa questão.

— Certo. Bom. Acho que você chegou ao ponto em que não consegue ver o bosque pelas árvores.

— Não tenho certeza se entendi.

— Você está certa em pensar nessas vidas como um piano no qual está tocando melodias que não têm a ver com você. Está se esquecendo de quem é. Ao se tornar todo mundo, está se tornando ninguém. Está esquecendo sua vida raiz. Está esquecendo o que funcionava para você e o que não funcionava. Está esquecendo seus arrependimentos.

— Eu já repassei meus arrependimentos.

— Não. Nem todos.

— Bom, não cada um dos meus menores arrependimentos. Obviamente que não.

— Você precisa consultar *O livro dos arrependimentos* mais uma vez.

— Como vou fazer isso nesta escuridão?

— Você já conhece o livro todo. Porque está aí dentro. Assim como... assim como eu.

Nora se lembrou de Dylan ter dito que havia visto a Sra. Elm perto do asilo. Cogitou lhe contar aquilo, mas achou melhor não.

— Tá.

— Nós só sabemos o que percebemos. Cada coisa que vivenciamos é, basicamente, apenas a nossa percepção dela. "Não é aquilo para o que você olha que importa, mas o que você vê."

— Você conhece Thoreau?

— Se você conhece...

— A questão é: eu não sei mais do que me arrependo.

— Tá, ok, vejamos. Você diz que eu sou só uma visão. Então, por que você me vê? Por que sou eu, a Sra. Elm, a pessoa que você vê?

— Não sei. Porque era alguém em quem eu confiava. Você foi gentil comigo, foi boa pra mim.

— A gentileza e a bondade são forças poderosas.

— E raras.

— Você pode estar procurando nos lugares errados.

— Talvez.

A escuridão foi pontuada pelo brilho gradualmente crescente das lâmpadas espalhadas por toda a biblioteca.

— Então onde mais, em sua vida raiz, você teve essa percepção? De bondade, de gentileza?

Nora se lembrou da noite em que Ash bateu à sua porta. Talvez tirar da rua um gato morto e carregá-lo sob a chuva até o minúsculo jardim nos fundos da casa de Nora, em seguida enterrando-o por conta própria porque ela chorava aos soluços de pesar, não fosse a coisa mais arquetipicamente romântica do mundo. Mas, com certeza, tirar quarenta minutos do seu treino de corrida e ajudar uma pessoa necessitada, aceitando em troca apenas um copo de água, configurava um ato de bondade.

Na hora, ela não tinha sido capaz de dar valor àquela gentileza. Sua dor e seu desespero haviam sido fortes demais. Mas, agora que pensava no assunto, tinha sido de uma bondade sem tamanho.

— Acho que sei — disse ela. — Estava bem na minha cara, na noite antes de eu tentar me matar.

— Ontem à noite, você quer dizer?

— Pois é. É. O Ash. O cirurgião. O cara que encontrou o Volts. Que tinha me convidado para um café uma vez. Muitos anos atrás. Quando eu estava com Dan. Recusei o convite, bom, porque estava com o Dan. Mas... e se não estivesse? E se eu tivesse terminado com o Dan e aceitado o convite para o café, e tivesse ousado, em um sábado, a loja lotada como testemunha, dizer sim a um café? Porque deve existir uma vida onde eu estava solteira naquele momento, e onde respondi o que tinha vontade de responder. Onde falei: "Sim, eu adoraria sair para um café algum dia, Ash, isso seria ótimo." Onde escolhi o Ash. Gostaria de tentar essa vida. Em que ponto eu estaria nela?

E, no escuro, ela ouviu o barulho familiar das prateleiras começando a se mover, devagar, com estalos, então mais depressa, mais suavemente, até a Sra. Elm encontrar o livro, a vida, em questão.

— Bem *aqui*.

Uma pérola na concha

Nora abriu os olhos de um sono leve, e a primeira coisa que notou foi que estava extremamente cansada. Mesmo no escuro, viu um quadro na parede. Mas só conseguia ver que se tratava de uma interpretação ligeiramente abstrata de uma árvore. Não uma árvore comprida e fina. Era baixa, larga e florida.

Havia um homem ao seu lado, dormindo. Era impossível saber, já que ele estava de costas para ela, no escuro, e quase todo coberto pelo edredom, se este homem era Ash.

De certa forma, esta sensação era mais estranha que o normal. Obviamente, estar na cama com um homem com quem ela não havia feito nada além de enterrar um gato e ter algumas conversas interessantes diante do balcão de uma loja de música seria ligeiramente estranho em condições normais. Mas, desde que botou os pés na Biblioteca da Meia-Noite, Nora foi se acostumando aos poucos com situações peculiares.

E só porque era possível que o homem fosse Ash, também era possível que não fosse. Não havia como prever cada consequência futura após uma decisão. Sair para tomar um café com Ash poderia ter levado Nora a se apaixonar pela pessoa que servia o café, por exemplo. Esta era a natureza imprevisível da física quântica.

Ela apalpou o dedo anelar.

Duas alianças.

O homem se virou.

Um braço pousou sobre Nora no escuro, e ela o levantou bem devagar e com cuidado, colocando-o de volta no edredom. Então se levantou da cama. Seu plano era descer as escadas, talvez se deitar em algum sofá e, como de costume, pesquisar um pouco sobre si mesma no celular.

Era um fato curioso que, independentemente de quantas vidas tivesse experimentado, e independentemente do quão diferentes fossem, seu celular estava quase sempre ao lado da cama. Nesta vida não foi diferente, então ela o pegou e começou a se retirar sorrateiramente do quarto, sem fazer barulho. Fosse quem fosse o homem, tinha sono pesado e nem se mexeu.

Ela ficou olhando para ele.

— Nora? — balbuciou o homem, meio adormecido.

Era ele. Tinha quase certeza. Ash.

— Eu só vou ao banheiro — explicou ela.

Ele resmungou algo parecido com "ok" e voltou a dormir.

Ela seguiu adiante pelo piso de tábua corrida, pé ante pé. Mas, assim que abriu a porta e saiu do quarto, quase morreu de susto.

Pois ali, diante dela no patamar pouco iluminado, estava outro ser humano. Um bem pequeno. Do tamanho de uma criança.

— Mamãe, eu tive um pesadelo.

Sob a iluminação fraca da lâmpada esmaecida do corredor, ela pôde ver o rosto da menina, o cabelo fino despenteado pelo travesseiro, alguns fios grudados na testa suada.

Nora não disse nada. Esta criança era sua filha.

Como poderia dizer alguma coisa?

A pergunta já familiar se repetiu: como pegar o bonde andando de uma vida que já vinha rolando por tantos anos? Nora fechou os olhos. As outras vidas nas quais tinha filhos duraram só uns dois minutos, mais ou menos. Esta já estava levando a um território desconhecido.

Seu corpo tremia com o que quer que estivesse tentando manter dentro de si. Ela não queria ver a menina. Não só por sua causa, mas também pela garota. Parecia uma traição. Nora era sua mãe, mas também, de algum outro modo mais importante: ela não era sua mãe. Era apenas uma mulher desconhecida, em uma casa desconhecida, olhando para uma criança desconhecida.

— Mamãe? Você me ouviu? Eu tive um pesadelo.

Nora ouviu o homem se mexer na cama em algum canto do quarto às suas costas. Isso só ficaria mais estranho se ele acordasse de vez. Nora resolveu falar com a criança.

— Ah, ah, que chato — sussurrou ela. — Mas não é de verdade. Foi só um sonho.

— Foi com ursos.

Nora fechou a porta atrás de si.

— Ursos?

— Por causa daquela história.

— Ah. É. A história. Vamos lá, pode voltar pra sua cama... — Isso pareceu meio ríspido, ela se deu conta. — Querida — acrescentou, se perguntando qual seria o nome de sua filha neste universo. — Não tem nenhum urso aqui.

— Só de pelúcia.

— É, só...

A menina ficou um pouco mais desperta. Seus olhos brilharam. Ela viu a mãe, e, então, por um segundo, Nora se sentiu assim. Como a mãe da menina. Sentiu a estranheza de estar conectada ao mundo através de outra pessoa.

— Mamãe, o que você tava fazendo?

A voz dela saiu bem alta. Falava daquele jeito sério de crianças de 4 anos (não devia ser muito mais velha que isso).

— Ssh — disse Nora. Precisava descobrir o nome da garota. Nomes tinham força. Se você não sabe o nome da própria filha, não tem nenhum controle. — Olha só — sussurrou Nora. — Eu vou lá embaixo rapidinho fazer uma coisa. Pode voltar pra cama, tá?

— Mas os ursos.

— Não tem urso nenhum.

— Tem sim, no meu sonho.

Nora se lembrou do urso-polar avançando em sua direção em meio à névoa. Ela se lembrou daquele medo. Daquele desejo, repentino, de viver.

— Agora não vai ter mais. Prometo.

— Mamãe, por que você tá falando assim?

— Assim como?

— Assim.
— Sussurrando?
— Não.

Nora não fazia ideia de como a menina achava que ela estava falando. De qual era a diferença entre ela, agora, e ela, a mãe. Será que a maternidade afetava o jeito de falar da pessoa?

— Parece que você tá com medo — explicou a garota.
— Não estou com medo.
— Quero que alguém segure a minha mão.
— O quê?
— Quero que alguém segure a minha mão.
— Certo.
— Mamãe bobinha!
— É. Pois é, eu sou bobinha...
— Tô com medo de verdade.

Ela disse isso baixinho, com toda franqueza. E foi aí que Nora olhou direito para ela. Olhou *de verdade*. A menina parecia totalmente desconhecida e totalmente familiar ao mesmo tempo. Nora sentiu algo crescer dentro de si, algo poderoso e inquietante.

A garota a encarava como ninguém a havia encarado antes. Era assustadora, aquela emoção. Ela tinha a boca de Nora. E aquele ar ligeiramente perdido que as pessoas haviam atribuído a ela às vezes. Era bonita e era sua — ou meio que sua — e sentiu uma onda de amor irracional, uma onda crescente, e soube que — se a biblioteca não viesse buscá-la agora mesmo (e não veio) — precisaria fugir dali.

— Mamãe, você segura a minha mão...?
— Eu...

A menina pegou a mão de Nora. Parecia tão pequena e quentinha, e uma tristeza a invadiu pelo modo como relaxou com o toque na sua, tão natural como uma pérola em uma concha. Ela puxou Nora em direção ao quarto adjacente — o quarto dela. Nora encostou a porta atrás de si e tentou ver as horas no relógio em seu pulso, mas, nesta vida, era um modelo analógico, sem luz no visor, então levou um segundo ou dois até seus olhos se acostumarem. Ela confirmou as horas também no celular. Eram 2h32. Então, dependendo da hora que tinha ido para a cama nesta vida, esta versão de seu corpo não havia dormido muito. Com certeza era essa a sensação que dava.

— O que acontece quando a pessoa morre, mamãe?

O quarto não estava totalmente escuro. Havia um fiapo de luz vindo do corredor, além de uma lâmpada em um poste de rua próximo, cuja luminosidade se infiltrava pelas cortinas com estampa de cachorro. Ela enxergou o retângulo baixo que era a cama. E a silhueta de um elefante fofinho de pelúcia no chão. Havia outros brinquedos também. O quarto era divertidamente bagunçado.

Os olhos dela brilhavam para Nora.

— Não sei — respondeu Nora. — Acho que ninguém sabe ao certo.

A menina franziu a testa. Isso não a satisfez. Isso não a satisfez nem um pouco.

— Olha só — disse Nora. — Há uma chance de que, logo antes de morrer, você tenha uma oportunidade de viver de novo. Você pode ter coisas que não teve antes. Pode escolher a vida que quiser.

— Parece legal.

— Mas não vai precisar se preocupar com isso por um bom tempo. Você vai ter uma vida cheia de aventuras incríveis. Vai ter tanta coisa boa.

— Como acampar!

Uma onda de afeição irradiou por Nora enquanto ela sorria para esta doce menina.

— É. Como acampar!

— Eu amo quando a gente acampa!

O sorriso de Nora ainda estava lá, mas ela sentiu lágrimas querendo brotar. Esta parecia uma vida boa. Uma família para chamar de sua. Uma filha com quem acampar nas férias.

— Olha — disse ela, ao se dar conta de que não conseguiria escapar do quarto tão cedo. — Quando você tiver preocupações com coisas que não conhece, como o futuro, é uma boa ideia lembrar a si mesma de coisas que você *conhece*.

— Eu não entendo — disse a garota, aninhada sob o edredom enquanto Nora se sentava no chão ao seu lado.

— É tipo uma brincadeira.

— Eu gosto de brincadeiras.

— Vamos brincar então?

— Vamos. — Sua filha sorriu. — Vamos!

A brincadeira

— Eu pergunto uma coisa que a gente já sabe e você dá a resposta. Então, se eu perguntar "Qual é o nome da mamãe?", você responde "Nora". Entendeu?
— Acho que sim.
— Então... qual é o seu nome?
— Molly.
— Tá. Qual é o nome do papai?
— Papai!
— Mas qual é o nome dele de verdade?
— Ash!

Ou seja, aquela saída para um café foi um sucesso total.
— E onde a gente mora?
— Cambridge!

Cambridge. Meio que fazia sentido. Nora sempre tinha gostado de Cambridge, e ficava a apenas 50 quilômetros de Bedford. Ash também devia ter uma predileção pela cidade. E ficava a uma distância que dava para ir a Londres e voltar todo dia, caso ele ainda trabalhasse lá. Pouco depois de se formar em Bristol, ela tinha se inscrito no mestrado em filosofia, e lhe haviam oferecido uma vaga no Caius College.

— Que parte de Cambridge? Você se lembra? Qual é o nome da nossa rua?
— A gente mora na... Bol... Bolton Road.
— Muito bem! E você tem irmãos ou irmãs?
— Não!
— A mamãe e o papai se gostam?

Molly riu um pouco disso.
— Sim!

— A gente grita?

O riso tornou-se um tanto atrevido.

— Às vezes! Mais a mamãe!

— Me desculpa!

— Você só grita quando está muito, muito, muito cansada e pede desculpa, então tá tudo bem. Fica tudo bem se você pede desculpa. É o que você diz.

— A mamãe sai pra trabalhar?

— Sai. Às vezes.

— Eu ainda trabalho na loja onde conheci o papai?

— Não.

— O que a mamãe faz quando sai pra trabalhar?

— Dá aula pra pessoas!

— Como ela... Como eu dou aula pra pessoas? O que eu ensino?

— Fil-o... fil-o-ousso-fii...

— Filosofia?

— Foi o que eu disse!

— E onde eu dou aula? Na universidade?

— É!

— Que universidade? — Então ela lembrou onde eles moravam. — Na Universidade de Cambridge?

— Isso!

Ela tentou preencher as lacunas. Talvez nesta vida ela tenha se inscrito outra vez no mestrado e, ao concluí-lo com sucesso, começou a dar aula lá.

De qualquer modo, se ia blefar nesta vida, provavelmente precisaria ler um pouco mais de filosofia. Só que Molly completou:

— Mas você vai parar agora.

— Parar? Por que eu vou parar?

— Pra fazer livros!

— Livros pra você?

— Não, bobinha. Pra fazer um livro de gente grande.

— Eu estou escrevendo um livro?

— Tá! Acabei de dizer isso.

— Eu sei. Só estou tentando fazer você dizer algumas coisas duas vezes. Porque é duas vezes mais legal. E faz os ursos ficarem menos assustadores. Tá?

— Tá.
— O papai trabalha?
— Sim.
— Você sabe qual é o emprego do papai?
— Sei. Ele corta pessoas!

Por um breve instante, Nora se esqueceu de que Ash era cirurgião e se perguntou se estava na casa de um *serial killer*.

— Ele corta pessoas?
— É, ele corta o corpo das pessoas e faz elas melhorarem!
— Ah, é.
— Ele salva pessoas!
— É, ele salva.
— Menos quando fica triste e a pessoa morreu.
— É, isso é triste. O papai ainda trabalha em Bedford? Ou ele trabalha em Cambridge agora?

A menina deu de ombros.

— Cambridge?
— Ele toca música?
— Toca. Sim, ele toca música. Mas muito muito muito muito mal! — Ela deu uma risadinha ao dizer aquilo.

Nora riu também. A risada de Molly era contagiante.

— É... Você tem tios e tias?
— Sim, eu tenho a tia Jaya.
— Quem é a tia Jaya?
— A irmã do papai.
— Mais alguém?
— Sim. O tio Joe e o tio Ewan.

Nora ficou aliviada ao saber que o irmão estava vivo nesta linha do tempo. E que estava com o mesmo homem com quem se casara na vida olímpica dela. E que estava suficientemente presente na vida deles a ponto de Molly saber o nome dele.

— Quando foi a última vez que a gente viu o tio Joe?
— No Natal!
— Você gosta do tio Joe?
— Gosto! Ele é engraçado! E ele me deu o Panda!
— O Panda?
— Meu bichinho de pelúcia preferido!
— Pandas também são ursos.
— Ursos legais.

Molly bocejou. Estava ficando sonolenta.

— A mamãe e o tio Joe gostam um do outro?
— Sim! Vocês sempre falam no telefone!

Aquilo era interessante. Nora tinha presumido que as únicas vidas onde ainda se dava bem com o irmão eram aquelas em que ela jamais fizera parte dos Labyrinths (ao contrário de sua decisão de continuar com a natação, o café com Ash aconteceu depois de sua experiência na banda). Mas aquilo desbancava sua teoria. Nora não pôde evitar se perguntar se esta adorável Molly era o elo que faltava. Talvez esta menininha à sua frente tenha desfeito a desavença entre ela e o irmão.

— Você tem avós?
— Só a vovó Sal.

Nora queria perguntar mais sobre a morte dos próprios pais, mas aquela, provavelmente, não era a melhor hora.

— Você é feliz? Quer dizer, quando não está pensando em ursos?
— Acho que sim.
— A mamãe e o papai são felizes?
— Sim — respondeu ela, devagar. — Às vezes. Quando você não está cansada!
— E a gente se diverte muito?

Ela esfregou os olhos.

— Sim.

— E a gente tem algum bicho de estimação?
— Tem. O Platão.
— E quem é o Platão?
— Nosso cachorro.
— E que raça de cachorro é o Platão?

Mas não teve resposta, porque Molly já tinha pegado no sono. Nora ficou lá deitada no carpete e fechou os olhos.

Quando acordou, uma língua lambia seu rosto.

Um labrador com olhos sorridentes e rabo abanando parecia feliz ou animado em vê-la.

— Platão? — perguntou ela, sonolenta.

Sou eu, Platão pareceu dizer com um balançar de rabo.

Já era de manhã. A luz se infiltrava pelas cortinas agora. Bichinhos de pelúcia — incluindo o Panda e o elefante que Nora havia identificado antes — espalhavam-se pelo chão. Ela olhou para a cama vazia. Molly não estava no quarto. E ouviu passos — passos mais pesados que os de Molly — subindo as escadas.

Ela se sentou e soube que devia estar com uma aparência horrível depois de dormir no carpete com uma camisa de malha larga do The Cure (que ela reconhecia) e uma calça de pijama de um xadrez escocês (que ela não reconhecia). Nora passou a mão no rosto e sentiu as marcas de onde estivera deitada, e o cabelo parecia sujo e emaranhado. Ela tentou se fazer o mais apresentável possível nos dois segundos que precederam a chegada de um homem com quem ela simultaneamente dormia toda noite e com quem jamais dormira. O marido de Schrödinger, por assim dizer.

E então, de repente, lá estava ele.

A vida perfeita

O jeito de menino bonito e desengonçado de Ash tinha sido pouco afetado pela paternidade. Quando muito, ele parecia ainda mais saudável do que quando batera à sua porta. E, como naquela ocasião, estava vestido com roupa de corrida — embora aqui as roupas parecessem um pouco mais sofisticadas e caras —, e ele usava algum tipo de monitor de atividade física preso ao braço.

Ele sorria e segurava duas xícaras de café, uma delas para Nora. Ela se perguntou quantos cafés eles haviam tomado juntos, desde o primeiro.

— Ah, obrigada.

— Ah, não, Nor, você dormiu aqui a noite toda? — perguntou ele.

Nor.

— Quase toda. Minha intenção era voltar pra cama, mas a Molly estava com medo. Eu precisei acalmá-la, e depois fiquei cansada demais pra me deslocar.

— Ah, não. Me perdoa. Eu não ouvi a Molly. — Ele parecia sinceramente triste. — Acho que foi culpa minha. Eu mostrei alguns ursos pra ela no YouTube ontem, antes de ir pro trabalho.

— Não tem problema.

— Enfim, eu já levei o Platão pra passear. Só preciso estar no hospital ao meio-dia. Vou pegar mais tarde hoje. Você ainda quer ir à biblioteca?

— Ah. Sabe do que mais? Acho que vou passar essa.

— Tá. Bem, eu já dei o café da manhã pra Molly e vou deixá-la na escola.

— Eu posso levar a Molly — disse Nora. — Se você tem um dia cheio pela frente.

— Ah, vai ser um dia normal. Uma vesícula biliar e um pâncreas até agora. Coisa simples. Vou dar uma corrida.

— Tá. É. Para a meia maratona no domingo.

— O quê?

— Nada. Deixa pra lá — disse Nora. — Estou delirando por ter dormido no chão.

— Tudo bem. Aliás, minha irmã ligou. Querem que ela ilustre o calendário dos Kew Gardens. Muitas plantas. Ela está bem feliz.

Ele sorriu, parecendo feliz por esta irmã dele de quem Nora nunca tinha ouvido falar. Ela queria agradecer a ele por ter sido tão legal com o lance do seu gato morto, mas era óbvio que não podia, então só disse "obrigada".

— Pelo quê?

— Só, você sabe, por tudo.

— Ah. Tá. Tudo bem.

— Então... obrigada.

Ele assentiu.

— Isso foi legal. Enfim, hora de correr.

Ele acabou de tomar o café e desapareceu. Nora esquadrinhou o quarto, absorvendo cada novo detalhe. Cada bicho de pelúcia, livro e tomada, como se todos fizessem parte do quebra-cabeça da sua vida.

Uma hora depois, Molly estava sendo deixada no jardim de infância e Nora fazendo o de sempre. Verificando e-mails e redes sociais. Sua atividade nas redes não era muito grande nesta vida, o que sempre era um bom sinal, mas ela tinha uma *cacetada* de e-mails. Pelo conteúdo deles, detectou que não "iria parar" de dar aula, mas que já tinha oficialmente parado. Estava num período sabático a fim de escrever um livro sobre Henry David Thoreau e sua relevância para o movimento ambientalista moderno. Mais para o fim do ano, ela planejava visitar Walden Pond, em Concord, Massachusetts, financiada por uma bolsa de pesquisa.

Isso parecia muito bom.

Quase *irritantemente* bom.

Uma boa vida com uma boa filha e um bom homem em uma boa casa em uma boa cidade. Era um excesso de bom. Uma vida onde podia ficar sentada o dia todo lendo, pesquisando e escrevendo sobre seu filósofo favorito da vida.

— Isso é legal — disse ela para o cão. — Não é legal?

Platão bocejou, indiferente.

Então ela decidiu explorar a casa, vigiada pelo labrador de sua posição deitada no sofá que parecia bem confortável. A sala de estar era ampla. Os pés dela afundavam no tapete macio.

Assoalho branco, TV, lareira, um teclado, dois laptops novos na tomada, uma arca de mogno em cima da qual jazia empoleirado um jogo de xadrez decorativo, estantes de livros bem-arrumadas. Um lindo violão apoiado num canto. Nora reconheceu o modelo instantaneamente como um Fender Malibu Midnight Satin eletroacústico. Ela havia vendido um em sua última semana de trabalho na Teoria das Cordas.

Havia fotos em porta-retratos espalhados por toda a sala de estar. Crianças que ela não conhecia com uma mulher que se parecia com Ash — provavelmente a irmã. Uma foto antiga de seus falecidos pais no dia que se casaram, e uma foto dela e de Ash no dia do casamento deles. Dava para ver seu irmão ao fundo. Uma foto de Platão. E uma de um bebê, provavelmente Molly.

Ela deu uma olhada nos livros. Alguns manuais de ioga, mas não de segunda mão como os de sua vida raiz. Alguns livros de medicina. Ela reconheceu seu exemplar de *História da filosofia ocidental*, de Bertrand Russell, assim como *Walden ou A vida nos bosques*, de Henry David Thoreau, ambos aquisições da época da faculdade. Um familiar *Princípios de geologia* também estava ali. Havia vários livros sobre Thoreau. E exemplares de *A república*, de Platão, e de *Origens do totalitarismo*, de Hannah Arendt, que ela também possuía em sua vida raiz, mas não aquelas edições. Livros escritos por intelectuais como Julia Kristeva, Judith Butler e Chimamanda Ngozi Adichie. Havia muitos livros sobre filosofia oriental que nunca tinha lido, então ela se perguntou — caso ficasse nesta vida, e não conseguia ver por que não ficaria — se haveria como ler todos eles antes de ter que voltar a dar qualquer aula em Cambridge.

Romances, alguns Dickens, *A redoma de vidro*, alguns livros nerds de divulgação científica, alguns de música, alguns manuais para pais, *Natureza*, de Ralph Waldo Emerson, e *Primavera silenciosa*, de Rachel Carson, alguns títulos sobre mudança climática e uma enorme edição capa dura de *Sonhos árticos*.

Ela quase nunca fora assim tão consistentemente intelectual, se é que foi intelectual algum dia. Isso era obviamente o que acontecia quando você fazia mestrado em Cambridge e, em seguida, tirava um ano sabático para escrever um livro sobre seu filósofo favorito.

— Você está impressionado comigo — disse ela ao cachorro. — Pode admitir.

Havia também uma pilha de livros de partituras, e Nora sorriu quando viu que o que estava em cima da pilha era o de Simon & Garfunkel que ela havia vendido para Ash no dia que ele a convidara para um café. Na mesinha de centro havia um belo livro de arte com fotos de paisagens espanholas, e, no sofá, um intitulado *Enciclopédia ilustrada de plantas e flores*.

No revisteiro, havia uma novíssima edição da *National Geographic* com a foto de um buraco negro na capa.

Havia uma gravura na parede. Um desenho de Miró, de um museu de Barcelona.

— Será que Ash e eu fomos a Barcelona juntos, Platão? — Ela imaginou os dois, de mãos dadas, passeando pelas ruas do Bairro Gótico, entrando num bar de tapas e tomando um Rioja.

Na parede oposta às estantes havia um espelho. Um espelho enorme com uma moldura branca cheia de adornos. Ela não se surpreendia mais com suas variações de aparência entre vidas. Teve todas as formas físicas e cortes de cabelo possíveis. Nesta vida, tinha uma aparência, digamos assim, *simpática*. Ficaria feliz em ser amiga desta pessoa. Não era para uma atleta olímpica nem para uma estrela do rock nem para uma acrobata do Cirque du Soleil que ela estava olhando, mas para alguém que parecia estar tendo uma vida boa, até onde se podia dizer pelas aparências. Uma mulher adulta, com alguma ideia de quem era e do que estava fazendo da vida. Cabelo curto, mas não muito, a pele parecendo mais saudável do que em sua vida raiz, seja pela alimentação, pela falta de vinho tinto, pelos exercícios, ou pelos tônicos e hidratantes que vira no banheiro, que eram todos mais caros que qualquer um que ela já comprara em sua vida raiz.

— Bom — disse ela a Platão. — Essa é uma vida boa, não é?

Platão pareceu concordar.

Uma jornada espiritual por uma conexão mais profunda com o universo

Ela encontrou a gaveta de remédios na cozinha e procurou entre curativos adesivos, ibuprofeno, paracetamol, multivitamínicos e faixas elásticas para corredores, mas não viu nenhum sinal de antidepressivos.

Talvez fosse esta. Talvez esta fosse, finalmente, a vida na qual ela iria ficar. A vida que ela escolheria. A que não devolveria para a estante.

Eu poderia ser feliz aqui.

Um pouco depois, no chuveiro, ela examinou o corpo à procura de novas marcas. Não havia nenhuma tatuagem, mas havia uma cicatriz. Não autoinfligida, mas com aparência cirúrgica — uma linha horizontal comprida e fina alguns centímetros abaixo do umbigo. Ela já tinha visto cicatrizes de cesárea. Agora passou o polegar nela, pensando que, mesmo que ficasse nesta vida, ainda assim teria chegado atrasada para a festa.

Ash voltou para casa depois de deixar Molly na escola.

Ela se vestiu rapidamente para que ele não a visse nua.

Os dois tomaram o café da manhã juntos. Eles se sentaram à mesa da cozinha, deram uma olhada nas notícias do dia, comeram torrada feita com pão de fermentação natural e eram basicamente um retrato vivo da felicidade conjugal.

E então Ash foi para o hospital e ela ficou em casa para passar o dia pesquisando Thoreau. Nora leu seu trabalho em andamento, que já contava com a impressionante marca de 42.729 palavras, sentada e comendo sua torrada, antes de pegar Molly na escola.

Molly queria ir ao parque "como o normal" para dar comida para os patos, e então Nora a levou, disfarçando o fato de estar usando o Google Maps para guiá-las até lá.

Nora empurrou a filha no balanço até os braços doerem, desceu com ela no escorrega e engatinhou atrás dela através de enormes túneis metálicos. Em seguida, as duas jogaram aveia para os patos no lago, tirada a colheradas de uma caixa de aveia em flocos.

Mais tarde Nora se sentou com Molly diante da TV, deu o jantar para ela e leu uma história de ninar, tudo antes de Ash voltar para casa.

Depois que Ash chegou, um homem veio até a porta e tentou entrar, mas Nora bateu a porta na cara dele.

— Nora?

— Sim?

— Por que você fez isso com o Adam?

— Hein?

— Acho que ele ficou um pouco chateado.

— Como assim?

— Você agiu como se ele fosse uma pessoa desconhecida.

— Ah. — Nora sorriu. — Foi mal.

— Faz três anos, já, que ele é nosso vizinho. A gente até acampou com ele e com a Hannah, no Lake District...

— É. Eu sei. Óbvio.

— Pareceu que você não queria que ele entrasse. Como se ele fosse um invasor ou coisa assim.

— Pareceu?

— Você bateu a porta na cara dele.

— Eu fechei a porta. Não foi na cara dele. Quer dizer, é, a cara dele estava lá. Tecnicamente. É que eu só não quis que ele pensasse que podia ir entrando assim, sem mais nem menos.

— Ele veio devolver a mangueira.

— Ah, tá. Bom, a gente não precisa da mangueira. Mangueiras são ruins para o planeta.

— Tá tudo bem com você?

— Por que não estaria?

— Nada, é só que eu me preocupo com você...

No geral, porém, as coisas correram muito bem, e toda vez que ela se perguntava se acordaria de volta na biblioteca, isso não acontecia. Um dia, depois da aula de ioga, Nora se sentou em um banco à margem do rio Cam e releu alguma coisa do Thoreau. No dia seguinte à tarde, viu Ryan Bailey na televisão sendo entrevistado no set de filmagem de *O bar da última chance 2*, quando revelou estar "em uma jornada espiritual por uma conexão mais profunda com o universo" em vez de preocupado em "sossegar num contexto romântico".

Ela recebia fotos de baleias de Izzy, e até enviou a ela uma mensagem de WhatsApp para dizer que tinha lido sobre um terrível acidente de carro na Austrália recentemente, e fez Izzy prometer que sempre iria dirigir com muito cuidado.

Nora se sentia aliviada em saber que não tinha o menor interesse em ver o que Dan andava fazendo com a vida dele. Em vez disso, se sentia bastante grata por estar com Ash. Ou melhor, e mais precisamente: ela imaginava estar grata, porque ele era um doce, e havia tantos momentos de alegria, riso e amor.

Os turnos de trabalho de Ash eram longos, mas o convívio com ele quando estava em casa era bem fácil, mesmo depois de dias de sangue, estresse e vesículas biliares. Ele também era meio nerd. Sempre dava bom-dia para pessoas mais velhas na rua quando saía com o cachorro, e, às vezes, era ignorado. Ele cantava junto com as músicas que tocavam no rádio do carro. Em geral, não parecia precisar dormir. E nunca se importava em cuidar de Molly à noite, mesmo quando tinha alguma cirurgia no dia seguinte.

Ele amava causar nojo em Molly com fatos — o estômago ganha um revestimento novo a cada quatro dias! Cera de ouvido é um tipo de suor! Existem criaturas chamadas ácaros vivendo nos seus cílios! — e adorava ser inconveniente. Ele disse a um completo desconhecido (no lago dos patos, no primeiro sábado, ao alcance auditivo de Molly), de modo entusiasmado, que os patos tinham pênis no formato de saca-rolhas.

Nas noites em que chegava em casa cedo o bastante para cozinhar, fazia um excelente dahl de lentilha e um belo penne all'arrabbiata, e tendia a colocar uma cabeça de alho inteira em qualquer refeição que preparava. Mas Molly estivera completamente certa: os talentos artísticos dele não se estendiam à música. Na verdade, quando ele cantava "The Sound of Silence", acompanhado do violão, Nora se flagrava desejando, cheia de culpa, que ele obedecesse ao título da música e se ativesse ao som do silêncio.

Ele era, em outras palavras, meio bobão — um bobão que salvava vidas diariamente, mas ainda assim meio bobão. O que era bom. Nora gostava de bobões e se sentia um pouco bobona ela mesma, o que a ajudava a superar a *peculiaridade* intrínseca de estar com um marido que só agora começava a conhecer melhor.

Esta é uma vida boa, pensava Nora, repetidas vezes.

Sim, ser mãe era exaustivo, mas Molly era fácil de amar, pelo menos durante o dia. Na verdade, Nora com frequência preferia a hora que Molly chegava da escola, porque adicionava um pouco de desafio a uma existência um tanto sem atritos. Nenhum estresse no relacionamento, nenhum estresse no trabalho, nenhum estresse com dinheiro.

Tinha muitos motivos para ser grata.

Inevitavelmente, havia alguns momentos de instabilidade. Ela tinha a sensação familiar de estar atuando em uma peça de teatro onde não sabia as falas.

— Tem alguma coisa errada? — perguntou ela a Ash uma noite.

— É só que... — Ele a encarou com aquele sorriso afetuoso e um olhar intenso e inquisitivo. — Sei lá. Você esqueceu que nosso aniversário de casamento estava chegando. Acha que não viu filmes que já viu. E vice-versa. Esqueceu que tinha uma bicicleta. Não sabe mais onde ficam os pratos. Tem usado minhas pantufas. Deita no meu lado da cama.

— Caramba, Ash — disse ela, um pouco tensa demais. — É como se eu estivesse sendo interrogada pelos três ursos.

— Eu só me preocupo...

— Tá tudo bem comigo. Só estou, você sabe, perdida no mundo da pesquisa. Perdida no bosque. No bosque de Thoreau.

E, nesses momentos, ela sentia que talvez fosse retornar à Biblioteca da Meia-Noite. Às vezes se lembrava das palavras da Sra. Elm em sua primeira visita. *Se quiser muito mesmo continuar numa vida em particular, não precisa se preocupar... Assim que você decidir que quer aquela vida, que a quer de verdade, então tudo que existe na sua mente agora, inclusive esta Biblioteca da Meia-Noite, acabará se tornando uma lembrança tão difusa e intangível que se perderá na memória.*

O que levantava a questão: se esta era a vida perfeita, por que ela não tinha se esquecido da biblioteca?

Quanto tempo levava para esquecer?

De vez em quando, ela sentia nuvens de leve depressão pairando à sua volta, sem nenhuma razão aparente, mas nada comparado a quão péssima havia se sentido em sua vida raiz, ou, para falar a verdade, em muitas de suas outras vidas. Era como comparar um resfriado a uma pneumonia. Quando ela pensava em como tinha se sentido mal no dia que perdeu o emprego na Teoria das Cordas, no desespero, no anseio solitário e desesperado de não existir, então isso aqui não chegava *nem perto*.

Todos os dias ela ia dormir achando que ia acordar de novo nesta vida, porque era — no geral, levando tudo em consideração — a melhor que já havia experimentado. Na verdade, ela progrediu de ir dormir casualmente presumindo que ficaria nesta vida a ter medo de pegar no sono caso não fosse ficar.

E, no entanto, noite após noite ela dormia na mesma cama, e dia após dia ela acordava na mesma cama. Ou, às vezes, no carpete, mas ela dividia essa função com Ash, e era mais frequente que acabasse na cama, já que Molly estava ficando cada vez melhor em dormir a noite toda.

Havia momentos constrangedores, óbvio. Nora nunca sabia o caminho para nada, ou o lugar das coisas na casa, e, às vezes, Ash indagava em voz alta se ela não deveria consultar um médico. E, a princípio, tinha evitado o sexo com ele, mas uma noite aconteceu, e depois Nora se sentiu culpada pela mentira que estava vivendo.

Os dois ficaram deitados no escuro por um instante, no silêncio pós-coito, mas ela sabia que tinha de abordar o assunto. Jogar um verde.

— Ash — disse ela.

— O quê?

— Você acredita na teoria dos universos paralelos?

Ela viu o rosto dele se abrir em um sorriso. Aquele tipo de conversa era a praia dele.

— Sim, acho que sim.

— Eu também. Quer dizer, é ciência, né? Não é como se um cientista nerd tivesse pensado: "Ei, universos paralelos são maneiros. Vamos fazer uma teoria sobre eles."

— É — concordou ele. — A ciência desconfia de qualquer coisa que pareça maneira demais. Ficção científica demais. Cientistas são céticos por natureza.

— Exatamente, e, no entanto, físicos acreditam em universos paralelos.

— É para onde a ciência está levando, né? Tudo na mecânica quântica e na teoria das cordas aponta para a existência de universos múltiplos. Muitos, muitos universos.

— Tá, então o que você diria se eu te contasse que visitei minhas outras vidas e que acho que escolhi esta aqui?

— Eu acharia que você endoidou. Mas continuaria gostando de você.

— Pois é, eu visitei. Experimentei muitas vidas.

Ele sorriu.

— Legal. Existe alguma em que você me beija de novo?

— Existe uma em que você enterrou meu gato morto.

Ele riu.

— Isso é tão maneiro, Nor. O que gosto em você é que sempre faz com que eu me sinta normal.

E foi tudo.

Ela se deu conta de que não importa o quão sincera a pessoa seja na vida, os outros só enxergam a verdade se estiver próxima o suficiente da realidade deles. Como Thoreau escreveu: "Não é aquilo para o que você olha que importa, mas o que você vê." E Ash só via a Nora por quem tinha se apaixonado e com quem se casou, e, então, de certo modo, aquela era a Nora na qual ela estava se transformando.

Hammersmith

Numa semana de férias escolares, com Molly em casa e numa terça-feira em que Ash estava de folga do hospital, eles pegaram um trem para Londres a fim de visitar o irmão de Nora e Ewan, no apartamento deles em Hammersmith.

Joe parecia bem, e o marido tinha a mesma aparência de quando Nora o viu no celular do irmão em sua vida olímpica. Joe e Ewan se conheceram em uma aula de crossfit na academia do bairro. Nesta vida, Joe trabalhava como engenheiro de som, enquanto Ewan — Dr. Ewan Langford, mais precisamente — trabalhava como analista de radiologia no Royal Marsden Hospital, então Ash e ele tinham muitos assuntos relacionados a hospitais dos quais reclamar juntos.

Joe e Ewan foram maravilhosos com Molly, fazendo perguntas detalhadas sobre o que Panda andava aprontando. E Joe preparou uma deliciosa massa com alho e brócolis.

— É apuliana, aparentemente — explicou ele a Nora. — Voltando às raízes aqui.

Nora pensou no avô italiano e se perguntou como ele havia se sentido ao descobrir que a London Brick Company ficava em Bedford, na verdade. Teria ficado muito frustrado? Ou simplesmente decidido tirar o melhor proveito daquela situação? Devia haver uma versão de seu avô que *foi* para Londres e, no primeiro dia, acabou atropelado por um ônibus de dois andares em Piccadilly Circus.

Joe e Ewan tinham um rack de vinhos enorme na cozinha, e Nora notou que uma das garrafas era de um Syrah californiano, do vinhedo Buena Vista. Ela se arrepiou ao ver as duas assinaturas no rótulo — Alicia e Eduardo Martínez.

Ela sorriu, tendo a sensação de que Eduardo era igualmente feliz nesta vida. Nora se perguntou, por um instante, como era Alicia, quem ela era. Pelo menos, o pôr do sol era lindo por lá.

— Tá tudo bem? — perguntou Ash, enquanto Nora encarava o rótulo, distraída.

— Tá, sim. É só que, hmm, parece ser bom, esse.

— É meu favorito — confessou Ewan. — Um excelente vinho. Vamos abri-lo?

— Bom — respondeu Nora —, só se vocês já fossem beber.

— Eu não — disse Joe. — Eu vinha exagerando um pouco nos últimos tempos. Estou meio que numa fase abstêmia.

— Você conhece seu irmão — acrescentou Ewan, dando um beijo na bochecha de Joe. — É oito ou oitenta.

— Ah, é. Eu bem sei.

Ewan já trazia o saca-rolhas na mão.

— Tive um dia puxado no trabalho. Então não me incomodo de entornar a coisa toda direto da garrafa, se ninguém for me acompanhar.

— Tô dentro — disse Ash.

— Eu passo — disse Nora, lembrando que, da última vez que vira o irmão, naquele "VIP Business Lounge" do hotel, ele tinha confessado ser alcoólatra.

Eles deram um livro ilustrado para Molly, e Nora o leu para a filha, no sofá. A tarde passou rápido. Eles conversaram sobre as últimas notícias, sobre música e filmes. Joe e Ewan tinham gostado bastante de *O bar da última chance*.

Um pouco mais tarde, e para surpresa de todos, Nora abandonou o terreno seguro da cultura pop e foi direto ao ponto com o irmão.

— Alguma vez você ficou puto comigo? Você sabe, por ter saído da banda?

— Faz tantos anos isso, maninha. Muita água já passou por baixo dessa ponte.

— Mas você queria ser um astro do rock.

— Ele ainda é um astro do rock — argumentou Ewan, rindo. — Mas é todo meu.

— Eu me sinto como se tivesse errado com você, Joe.

— Não se sinta... Mas também me sinto como se tivesse errado com você, de certa forma. Porque fui tão babaca... Eu te tratei muito mal por um tempo.

Essas palavras foram como um bálsamo que ela havia esperado anos para ouvir.

— Deixa isso pra lá — conseguiu dizer Nora.

— Antes de ficar com o Ewan, eu era tão ignorante em relação a saúde mental. Achava que ataques de pânico eram uma grande bobagem... Você sabe, coisa da sua cabeça. Deixa de frescura, maninha. Mas então, quando Ewan começou a ter os dele, eu entendi como são bem reais.

— Não foram só os ataques de pânico. Só não parecia a coisa certa. Não sei... Se quer saber, acho que você é mais feliz nesta vida do que naquela em que está — quase disse *morto* — na banda.

Seu irmão sorriu e olhou para Ewan. Achava difícil Joe acreditar naquilo, mas Nora precisava aceitar que — como sabia muito bem agora — algumas verdades eram simplesmente impossíveis de enxergar.

Triciclo

Com o passar das semanas, Nora começou a perceber que algo incrível estava acontecendo.

Ela começou a se lembrar de aspectos de sua vida que nunca tinha vivido de fato.

Por exemplo, um dia alguém que ela nunca havia visto em sua vida raiz — uma amiga que, ao que parecia, tinha conhecido enquanto estudava e dava aulas na universidade — ligou para convidá-la para almoçar. E quando a palavra "Lara" pipocou na tela do celular, um sobrenome lhe ocorreu — Lara Bryan — e ela visualizou Lara por inteiro, e, de algum modo, sabia que seu companheiro se chamava Mo, e que tinham um bebê chamado Aldous. E depois ela a encontrou e confirmou todas aquelas coisas.

Essa espécie de déjà-vu acontecia com frequência cada vez maior. Sim, óbvio que havia o deslize ocasional, como "esquecer" que Ash tinha asma (que ele tentava manter sob controle com a corrida).

— Desde quando você tem asma?

— Desde os *sete* anos.

— Ah, é, sim. Pensei que você tinha dito eczema.

— Nora, você está bem?

— Sim. Hmm, bem. É só que eu tomei um vinhozinho no almoço com a Laura e estou meio alta.

Mas, aos poucos, esses deslizes se tornaram menos frequentes. Cada dia era como uma peça sendo colocada num quebra-cabeça e, com cada peça adicionada, ficava mais fácil saber como seria a forma das peças que faltavam.

Enquanto em todas as outras existências ela vivia em constante busca por pistas e se sentindo uma atriz interpretando um papel, nesta ela percebia, gradualmente, que quanto mais relaxava, mais as coisas vinham à sua mente.

Nora também amava passar o tempo na companhia de Molly.

A anarquia acolhedora dela brincando em seu quarto, ou a ligação estreita que era estabelecida ao ler uma história para ela, a simples magia de *O tigre que veio para o chá*, ou de passear no jardim.

— Olha pra mim, mamãe — disse Molly, enquanto pedalava seu triciclo numa manhã de sábado. — Mamãe, olha! Você está vendo?

— Muito bem, Molly. Você está arrasando!

— Mamãe, olha! Vrum!

— Vai, Molly!

Mas, então, a roda dianteira do triciclo escorregou do gramado para o canteiro de flores. Molly caiu e bateu a cabeça com força numa pedra pequena. Nora saiu em disparada, levantou a filha e a examinou. Molly estava nitidamente machucada, com um corte na testa, a pele arranhada e sangrando, mas não queria demonstrar o que sentia, mesmo com o queixo trêmulo.

— Eu tô bem — disse ela, devagar, a voz frágil como porcelana. — Tô bem. Tô bem. Tô bem. Tô bem. — Cada "tô bem" se aproximava mais das lágrimas, mas então voltava a se acalmar. Apesar de todo o medo noturno de ursos, Molly tinha uma resiliência que Nora não pôde deixar de admirar, nem de se inspirar com ela. Este pequeno ser humano havia saído dela, era de algum modo parte dela, e se Molly possuía alguma força oculta, então talvez Nora também possuísse.

Nora a abraçou.

— Tá tudo bem, filha... Minha garotinha corajosa. Tá tudo bem. Como está se sentindo agora, querida?

— Tudo bem. Foi como nas férias.

— Nas férias?

— É, mamãe... — respondeu a menina, um pouco chateada por Nora não conseguir se lembrar. — O escorrega.

— Ah, é, sim. O escorrega. É. Que boba eu. Mamãe bobinha.

De repente, Nora sentiu algo por dentro. Uma espécie de medo, tão real como o medo que sentira naquele arrecife no Ártico, cara a cara com o urso-polar.

Medo do que estava sentindo.

Amor.

Você podia comer nos restaurantes mais sofisticados, experimentar cada prazer sensual possível, cantar num palco em São Paulo para vinte mil pessoas, se banhar em tempestades de aplausos, viajar aos confins da Terra, ter milhões de seguidores na internet, ganhar medalhas olímpicas, mas, sem amor, nada disso tinha o menor sentido.

E quando pensava em sua vida raiz, no problema fundamental dela, o que a havia deixado vulnerável, na verdade, tinha sido a ausência de amor. Nem o irmão a quisera naquela vida. Depois da morte de Volts, não havia sobrado ninguém. Ela não amava ninguém, e ninguém a amava. Ela se sentira vazia, sua vida ficara vazia, perambulando por aí, fingindo algum tipo de normalidade humana, como um modelo senciente do desespero. Exercitando apenas o básico da sobrevivência.

Mas aqui, bem aqui neste jardim em Cambridge, sob o céu cinzento, ela sentiu o poder daquilo, o poder apavorante de amar incondicionalmente e de ser amada incondicionalmente. Tudo bem, seus pais ainda estavam mortos nesta vida, mas aqui havia a Molly, havia o Ash, havia o Joe. Havia uma rede de amor para amortecer sua queda.

E, mesmo assim, tinha a sensação, bem lá no fundo, de que tudo isso chegaria logo ao fim. Ela sentia que, apesar de toda esta perfeição, havia algo errado no meio do certo. E o que estava errado não podia ser consertado, porque a falha era a própria perfeição. Tudo estava certo, e, no entanto, ela não havia conquistado nada disso. Ela havia chegado na metade do filme. Havia retirado o livro da biblioteca, mas, na verdade, não era dona dele. Ela estava assistindo à própria vida como se por trás de uma janela. Nora era, como começava a se sentir, uma fraude. Ela queria que esta fosse a *sua* vida. Sua vida real. Mas não era, e ela apenas queria poder esquecer esse fato. Queria muito.

— Mamãe, você tá chorando?
— Não, Molly, não. Tô bem. A mamãe tá bem.
— Parece que você tá chorando.
— Vamos cuidar desses machucados...

Mais tarde, naquele mesmo dia, Molly completou o quebra-cabeça de animais selvagens enquanto Nora estava sentada no sofá fazendo carinho no Platão, a cabeça pesada e quente do cão em seu colo. Ela olhou para o jogo de xadrez decorativo sobre o baú de mogno.

Um pensamento lhe ocorreu, e ela o ignorou. Mas, então, ele se infiltrou de novo em sua cabeça.

Assim que Ash chegou em casa, ela lhe disse que queria visitar uma velha amiga de Bedford e que demoraria algumas horas para voltar.

Não está mais aqui

Assim que entrou no Asilo Oak Leaf, e antes de sequer chegar à recepção, Nora viu um senhor frágil, de óculos, a quem reconheceu. Ele estava tendo uma discussão ligeiramente acalorada com um enfermeiro, que parecia exasperado. A aparência dele era de um suspiro humano.

— Eu gostaria muito de ir ao jardim — disse o velho.

— Sinto muito, mas o jardim está sendo usado hoje.

— Só quero me sentar no banco. E ler jornal.

— Talvez, se o senhor tivesse se inscrito para a sessão de jardinagem...

— Eu não quero uma sessão de jardinagem. Quero falar com o Dhavak. Isso tudo é um grande mal-entendido.

Nora tinha ouvido o ex-vizinho falar do filho Dhavak antes, quando ela lhe entregara seus remédios. Aparentemente, o filho o vinha pressionando para que se internasse num asilo, mas o Sr. Banerjee insistia em ficar na própria casa.

— Não há um jeito de eu...

Àquela altura, ele percebeu que estava sendo observado.

— Sr. Banerjee?

Ele encarou Nora, confuso.

— Oi? Quem é você?

— Nora. Você sabe, Nora Seed. — Então, sentindo-se muito nervosa para pensar direito, acrescentou: — Sou sua vizinha. Na Bancroft Avenue.

Ele balançou a cabeça negativamente.

— Acho que você fez confusão, querida. Não moro mais lá há três anos. E tenho certeza de que você não era minha vizinha.

O enfermeiro inclinou a cabeça para o Sr. Banerjee, parecendo um filhote confuso.

— Talvez o senhor tenha se esquecido.

— Não — disse Nora, percebendo seu erro. — Ele tem razão. Eu me confundi. Tenho problemas de memória às vezes. Nunca morei lá. Foi em outro lugar. E outra pessoa. Perdão.

Eles retomaram a discussão enquanto Nora se lembrava do jardim do Sr. Banerjee, repleto de lírios e dedaleiras.

— Posso ajudá-la?

Ela voltou o olhar para o recepcionista. Um homem ruivo de óculos e pele cheia de sardas, um leve sotaque escocês, bem-educado.

Nora lhe contou quem era e disse que havia ligado mais cedo.

A princípio, ele pareceu um pouco confuso.

— E você disse que deixou uma mensagem?

Ele cantarolou uma melodia baixinho enquanto procurava um e-mail.

— É, pelo telefone. Tentei ligar por horas, mas não consegui, então acabei deixando um recado. Mandei um e-mail também.

— Ah, tá, entendo. Sinto muito por isso. Você está aqui para visitar alguém da família?

— Não — explicou Nora. — Não sou da família. Só alguém que a conhecia. Mas ela sabe quem eu sou. O nome dela é Sra. Elm. — Nora tentou se lembrar do nome completo. — Desculpe. É Louise Elm. Se falar meu nome, Nora... Nora Seed. Ela era... Ela era a bibliotecária da escola, Hazeldene. Achei que ela gostaria de receber uma visita.

O homem tirou os olhos da tela do computador e encarou Nora sem conseguir disfarçar sua surpresa. A princípio, Nora achou que tinha se enganado. Ou que Dylan tinha se enganado, naquela noite no La Cantina. Ou talvez a Sra. Elm daquela vida tenha tido um destino diferente nesta vida. Embora Nora não soubesse ao certo como sua decisão de trabalhar em um abrigo de animais poderia ter levado a um final diferente para a Sra. Elm nesta vida. Mas isso não fazia sentido. Já que em nenhuma das vidas ela mantivera contato com a bibliotecária depois de sair da escola.

— Qual é o problema? — perguntou Nora ao recepcionista.

— Sinto muito lhe dizer isso, mas Louise Elm não está mais aqui.

— Onde ela está?

— Ela... Na verdade, ela morreu faz três semanas.

A princípio, ela imaginou que deveria haver algum erro no sistema.

— Tem certeza?

— Tenho. Infelizmente.

— Ah — disse Nora. Ela não sabia bem o que dizer, nem o que sentir. Baixou o olhar para sua sacola de pano, que havia trazido com ela no carro, no banco do carona. Uma bolsa contendo o jogo de xadrez que havia trazido para jogar uma partida com ela, e para lhe fazer companhia. — Perdão. Eu não sabia. Eu não... Na verdade, fazia muitos anos que eu não a via. Vários anos. Mas alguém me contou que ela estava aqui...

— Sinto muito — disse o recepcionista.

— Não. Não tem problema. Eu só queria agradecer a ela. Por ter sido tão boa pra mim.

— Ela morreu em paz — revelou ele. — Literalmente dormindo.

Nora sorriu e começou a se retirar educadamente.

— Que bom. Obrigada. Obrigada por cuidar dela. Eu vou agora. Tchau...

Um incidente com a polícia

Ela voltou para a Shakespeare Road com a sacola e o jogo de xadrez, sem saber ao certo o que fazer. Sentia o corpo meio dormente. Não como se estivesse formigando. Mais aquela sensação de estática difusa que havia experimentado antes, quando o fim de uma existência específica se aproximava.

Tentando ignorar aquela sensação em seu corpo, ela seguiu em direção ao estacionamento. Passou pelo antigo apartamento térreo com jardim adjacente no número 33A da Bancroft Avenue. Um homem que ela nunca vira antes estava levando uma caixa de lixo reciclável para fora. Ela pensou na bela casa em Cambridge que agora possuía, e não pôde evitar compará-la àquela casa feinha, numa rua cheia de lixo. A dormência diminuiu um pouco. Ela passou pela casa do Sr. Banerjee, ou o que tinha sido a casa dele, e viu a única casa própria da rua que não havia sido desmembrada em apartamentos, embora estivesse com uma aparência bem diferente. O pequeno gramado à frente da casa não parecia ver um cortador de grama há muito tempo, e não havia sinal das clematites e das marias-sem-vergonha plantadas nos vasos que Nora tinha regado para o vizinho no verão anterior, enquanto ele se recuperava da cirurgia no quadril.

Na calçada, ela notou algumas latas de cerveja amassadas.

Viu uma mulher de cabelo loiro com corte chanel e pele queimada de sol andando em sua direção, com duas crianças pequenas num carrinho duplo. Parecia exausta. Era a mulher com quem conversara na loja de revistas no dia que havia decidido morrer. A que tinha parecido feliz e relaxada. Kerry-Anne. Ela não havia notado Nora porque um dos filhos estava chorando e ela tentava acalmar o menino agitado e de bochechas ruborizadas, balançando um dinossauro de plástico diante de seu rosto.

Jake e eu parecíamos coelhos, mas conseguimos. Dois diabinhos. Só que valeu a pena, sabe? Eu me sinto plena. Posso te mostrar umas fotos...

Então Kerry-Anne ergueu o olhar e viu Nora.

— Eu conheço você, não conheço? Nora?

— Sim.

— Oi, Nora.

— Oi, Kerry-Anne.

— Você se lembra do meu nome? Ah, uau. Eu te *idolatrava* na escola. Você parecia ter tudo. Você acabou participando das Olimpíadas?

— Na verdade, sim. Meio que. Uma de mim participou. Não foi bem o que eu queria que fosse. Mas, enfim, o que é? Né?

Kerry-Anne pareceu ficar confusa por alguns segundos. E então o filho jogou o dinossauro na calçada e o brinquedo parou ao lado de uma das latas amassadas.

— Certo.

Nora pegou o dinossauro — um estegossauro, agora que via mais de perto — e o entregou a Kerry-Anne, que sorriu em agradecimento e seguiu para a casa que devia ter pertencido ao Sr. Banerjee, no exato momento em que o menino elevou sua birra à máxima potência.

— Tchau — despediu-se Nora.

— É. Tchau.

E Nora se perguntou qual teria sido a diferença. O que havia forçado o Sr. Banerjee a ir para o asilo ao qual ele estivera determinado a não ir? Ela era a única diferença entre os dois Srs. Banerjee, mas *qual era* essa diferença? O que ela tinha feito? Ajudado o velho a fazer compras de mercado pelo computador? Buscado os remédios dele na farmácia algumas vezes?

Nunca subestime a grande importância das coisas pequenas, dissera a Sra. Elm. *Você deve sempre se lembrar disso.*

Ela ficou olhando para a sua janela. Pensou em si mesma em sua vida raiz, pairando entre a vida e a morte em seu quarto — equidistante, por assim dizer. E, pela primeira vez, Nora se preocupou consigo mesma como se fosse, na verdade, outra pessoa. Não só mais uma versão de si mesma, mas uma outra pessoa. Como se, finalmente, com a ajuda de todas as experiências de vida que agora possuía, ela tivesse se tornado alguém que sentia pena de seu antigo eu. Não se tratava de autopiedade, porque ela era um outro eu agora.

Então alguém apareceu em sua janela. Uma mulher que não era ela, segurando um gato que não era o Voltaire.

Era o que ela esperava, enfim, mesmo quando começou a sentir fraqueza e a vista embaçada de novo.

Nora foi em direção ao centro da cidade. Seguiu pela rua principal.

Sim, ela estava diferente agora. Se sentia mais forte. Tinha liberado coisas dentro de si. Coisas que talvez jamais fosse conhecer se não tivesse cantado num estádio, ou enfrentado um urso-polar, ou sentido tanto amor, medo e coragem.

Havia uma comoção em frente à farmácia Boots. Dois garotos estavam sendo presos por policiais enquanto um segurança de uma loja ali perto falava no walkie-talkie.

Ela reconheceu um dos garotos e se aproximou dele.

— Leo?

Um policial gesticulou para que ela se afastasse.

— Quem é você? — perguntou Leo.

— Eu... — Nora se deu conta de que não poderia responder "sua professora de piano". E se deu conta do tamanho da loucura que era, no meio daquela situação tensa, perguntar o que estava prestes a perguntar. Mas, ainda assim, perguntou: — Você faz aula de música?

Leo baixou o olhar enquanto lhe colocavam as algemas.

— Não fiz aula de música nenhuma...

A voz dele perdeu a arrogância.

O policial não estava nada satisfeito.

— Por favor, senhorita, deixe isso conosco.

— Ele é um bom menino — argumentou Nora. — Por favor, não sejam muito duros com ele.

— Pois bem, este bom menino acaba de roubar duzentas libras em mercadorias dali. E acabamos de descobrir que ele também carregava uma arma escondida.

— Arma?

— Uma faca.

— Não. Deve haver algum engano. Ele não é esse tipo de menino.

— Ouviu isso? — disse o policial para o colega. — Essa moça aqui acha que nosso amigo Leo Thompson não é o tipo de menino que se mete em encrencas.

O outro policial riu.

— Ele está sempre se metendo em encrencas, esse aqui.

— Agora, por favor — disse o primeiro policial —, nos deixe fazer o nosso trabalho...

— Sim — disse Nora. — Certo. Faça tudo o que eles mandarem, Leo...

Ele a encarou como se ela tivesse sido enviada como parte de alguma pegadinha.

Alguns anos atrás, a mãe dele, Doreen, havia entrado na Teoria das Cordas a fim de comprar um teclado barato para o filho. Ela andava preocupada com o comportamento dele na escola, e Leo havia demonstrado interesse pela música, então ela queria agendar aulas de piano para ele. Nora explicou que tinha um teclado, e que sabia tocar, mas não possuía nenhuma experiência formal como professora. Doreen havia confessado não ter muito dinheiro, então elas fizeram um acordo, e Nora tinha adorado suas tardes de terça-feira ensinando a Leo a diferença entre os acordes de sétima maior e menor, e sua impressão era a de que Leo era um ótimo menino, ansioso por aprender.

Doreen havia percebido que Leo estava começando a "andar com más companhias", mas, quando iniciou as aulas de música, passou a melhorar em outras coisas também. E, de uma hora para outra, não estava mais se encrencando com professores, e tocava de tudo, de Chopin, passando por Scott Joplin, Frank Ocean, John Legend e Rex Orange County, com a mesma dedicação e comprometimento.

Algo que a Sra. Elm tinha dito em uma das primeiras visitas de Nora à Biblioteca da Meia-Noite lhe veio à cabeça.

Cada vida contém muitos milhões de decisões. Algumas grandes, algumas pequenas. Mas cada vez que uma decisão é tomada em detrimento de outra, os resultados são diferentes. Ocorre uma variação irreversível, o que, por sua vez, leva a outras variações...

Nesta linha do tempo agora, onde havia feito mestrado em Cambridge, se casado com Ash e tido uma filha, Nora não estivera na Teoria das Cordas naquele dia, quatro anos atrás, quando Doreen e Leo deram uma passada lá. Nesta linha do tempo, Doreen nunca encontrou uma professora de música que pudesse pagar, e então Leo nunca persistira na música por tempo suficiente para se dar conta de que tinha talento. Ele nunca se sentou ao lado de Nora numa terça à tarde, se dedicando a uma paixão que se estendia à própria casa, onde compunha melodias.

Nora se sentiu enfraquecer. Não só dormência e vista embaçada, mas algo mais forte, uma sensação de mergulhar no nada, acompanhada por um ligeiro escurecer da visão. A sensação de outra Nora bem ali, à espreita, pronta para continuar de onde esta parasse. Seu cérebro pronto para preencher as lacunas e ter uma desculpa perfeitamente legítima para estar passando o dia em Bedford, e para preencher cada ausência, como se tivesse ficado aqui o tempo todo.

Preocupada com o que sabia que aquilo significava, ela deu as costas a Leo e seu amigo, enquanto os dois eram escoltados até o carro de polícia, os olhos de todas as pessoas na rua principal de Bedford sobre eles, e acelerou o passo até o estacionamento.

Esta é uma vida boa... Esta é uma vida boa... Esta é uma vida boa...

Um novo jeito de enxergar

Ela chegou mais perto da estação, passando pelo espalhafatoso zigue-zague vermelho e amarelo do La Cantina, uma verdadeira enxaqueca mexicana, com um garçom lá dentro tirando cadeiras de cima das mesas. E passou pela Teoria das Cordas também, fechada, com um bilhete manuscrito na porta:

> Infelizmente, a Teoria das Cordas não pode mais funcionar neste local. Por causa de um aumento no aluguel, não conseguimos mais manter o negócio aberto. Obrigado a todos os nossos clientes fiéis.
> *Don't think twice, it's all right. You can go your own way. God only knows what we'll be without you.*

Era o mesmo bilhete que tinha visto com Dylan. A julgar pela data, escrita em caneta hidrográfica na caligrafia de Neil, foi colocado ali há quase três meses.

Aquilo era triste, porque a Teoria das Cordas tinha significado muito para as pessoas. No entanto, Nora já não trabalhava na loja quando o negócio desandou.

Bem. Pelo menos vendi muitos teclados. E alguns bons violões e guitarras também.

Durante a adolescência, Joe e ela tinham zombado da cidade natal, do jeito que os adolescentes fazem, e diziam que o famoso presídio de Bedford era só a parte interna da prisão, que o restante da cidade era a parte externa da prisão, e que você devia aproveitar qualquer chance de fuga.

Mas o sol brilhava agora, enquanto ela se aproximava da estação, e a sensação que deu foi que ela estivera olhando para o lugar da forma errada durante todos esses anos. Ao passar na St. Paul's Square pela estátua de John Howard, reformador do sistema penitenciário, com as árvores ao redor e o rio ao fundo, refletindo a luz, ela ficou maravilhada, como se a estivesse vendo pela primeira vez. *Não é aquilo para o que você olha que importa, mas o que você vê.*

Ao dirigir de volta para Cambridge, no casulo do precioso Audi cheirando, de modo quase enjoativo, a vinil, plástico e outros materiais sintéticos, costurando pelo tráfego engarrafado, os carros passando como vidas esquecidas, ela desejou profundamente ter sido capaz de ver a Sra. Elm, a verdadeira, antes de seu falecimento. Teria sido bom jogar uma última partida de xadrez com ela antes da sua morte. E Nora pensou no pobre Leo, sentado em uma cela minúscula e sem janelas na delegacia de Bedford, esperando que Doreen fosse buscá-lo.

— Esta é a melhor vida — disse para si mesma, agora num tom meio desesperado. — Esta é a melhor vida. Eu vou ficar aqui. Esta é a vida pra mim. Esta é a melhor vida. *Esta* é a melhor vida.

Mas sabia que não lhe restava muito tempo.

As flores estão regadas

Nora estacionou o carro e correu para dentro de casa, sendo recebida por um Platão feliz e saltitante.

— Oi, pessoal? — perguntou ela, desesperadamente. — Ash? Molly?

Ela precisava vê-los. Estava certa de que não tinha muito tempo. Ela sentia a Biblioteca da Meia-Noite à sua espera.

— Aqui fora! — respondeu Ash, alegremente, do jardim nos fundos.

Então Nora foi até lá e encontrou Molly mais uma vez no triciclo, nada abalada pelo acidente anterior, enquanto Ash cuidava de um canteiro de flores.

— Como foi o passeio?

Molly saltou do triciclo e correu para ela.

— Mamãe! Eu tava com saudade! Tô pedalando direitinho agora!

— Está, querida?

Ela deu um abraço apertado na filha, fechou os olhos e inspirou o perfume do cabelo dela, do cachorro, do amaciante de roupas e da infância, e torceu para que o encantamento com tudo aquilo a mantivesse ali.

— Eu te amo, Molly, quero que saiba disso. Pra sempre, você entende?

— Sim, mamãe.

— E amo seu papai também. E tudo vai ficar bem porque, independentemente do que aconteça, você vai ter sempre o papai, e vai ter a mamãe também, só que talvez não da mesma forma. Eu vou estar aqui, mas... — Ela se deu conta de que Molly não precisava saber nada além de uma única verdade. — Eu te amo.

Molly pareceu preocupada.

— Você se esqueceu do Platão!

— Bom, é *óbvio* que eu amo o Platão... Como pude esquecer o Platão? Platão sabe que eu o amo, não sabe, Platão? Platão, eu te amo.

Nora tentou se recompor.

Independentemente do que aconteça, eles serão bem-cuidados. Serão amados. Eles têm um ao outro e serão felizes.

Então Ash se aproximou, as luvas de jardinagem nas mãos.

— Tá tudo bem, Nor? Você tá um pouco pálida. Aconteceu alguma coisa?

— Ah, mais tarde eu conto. Quando Molly estiver na cama.

— Tá. Ah, eu tô esperando uma entrega... Se ouvir um barulho de caminhão, deve ser ela.

— Certo. Sim. Sim.

E então Molly perguntou se podia pegar o regador, e Ash explicou que, como vinha chovendo um bocado nos últimos dias, não seria necessário, pois o céu já tinha cuidado das flores.

— Elas vão ficar bem. Estão bem-cuidadas. As flores estão regadas.

E aquelas palavras ecoaram na mente de Nora. *Elas vão ficar bem. Estão bem-cuidadas...* Então Ash disse algo sobre ir ao cinema naquela noite, e que já estava tudo combinado com a babá, e Nora tinha se esquecido completamente, então apenas sorriu e tentou com todas as forças se segurar, ficar ali, mas estava acontecendo, estava acontecendo, ela sabia com cada fibra do seu ser, e não havia absolutamente nada que pudesse fazer para impedir.

Nenhum lugar para pousar

— NÃO!

Inegavelmente, tinha acontecido.

Ela estava de volta à Biblioteca da Meia-Noite.

A Sra. Elm estava ao computador. As lâmpadas balançavam e tremiam, as luzes piscando em intervalos rápidos e irregulares.

— Nora, pare. Fique calma. Seja uma boa menina. Eu preciso resolver isso.

Uma poeira fina caía em filetes do teto, de rachaduras que se ampliavam e se espalhavam como teias de aranha tecidas a uma velocidade descomunal. Um som de destruição repentina e ativa tomou conta do ambiente, mas, em sua tristeza furiosa, Nora simplesmente ignorou aquilo tudo.

— Você não é a Sra. Elm. A Sra. Elm está morta... Eu estou morta?

— Nós já passamos por isso. Mas, agora que tocou no assunto, você talvez esteja prestes a estar...

— Por que não estou mais lá? Por que não estou lá? Dava pra sentir que estava acontecendo, mas eu não queria que acontecesse. Você disse que se eu encontrasse uma vida que quisesse viver, que quisesse viver *de verdade*, eu ficaria nela. Você disse que eu esqueceria deste lugar idiota. Você disse que eu podia encontrar a vida que eu queria. Aquela era a vida que eu queria. Era aquela vida!

Segundos antes, ela estivera no jardim com Ash, Molly e Platão, um jardim vibrante de vida e de amor, e agora estava aqui.

— Me leva de volta...

— Você sabe que não é assim que funciona.

— Tá, então me leva até a versão mais próxima. Me dá a coisa mais parecida possível com aquela vida. Por favor, Sra. Elm, isso deve ser possível.

Deve haver uma vida onde fui tomar café com o Ash e onde tivemos a Molly e o Platão, mas onde eu... onde eu fiz alguma coisa ligeiramente diferente. Então, tecnicamente, era outra vida. Tipo, onde eu escolhi uma coleira diferente para o Platão. Ou... ou... Ou onde eu, sei lá, escolhi fazer pilates em vez de ioga? Ou onde fiz um curso diferente em Cambridge? Ou, se precisar retroceder ainda mais, onde a gente não saiu para um café, e sim para um chá? Essa vida. Me leva para a vida onde fiz isso. Vamos. Por favor. Me ajuda. Eu gostaria de experimentar uma dessas vidas, por favor...

Uma fumaça começou a sair do computador. A tela ficou preta. O monitor inteiro se despedaçou.

— Você não entende — disse a Sra. Elm, derrotada, jogando o peso do corpo no encosto da cadeira.

— Mas é isso o que acontece, não é? Eu escolho um arrependimento. Algo que eu gostaria de ter feito diferente... E então você encontra o livro, eu abro o livro e eu *vivo* o livro. É assim que esta biblioteca funciona, não é?

— Não é tão simples assim.

— Por quê? Ela está com algum problema de transferência? Você sabe, como o que aconteceu antes?

A Sra. Elm a encarou, triste.

— É mais que isso. Sempre houve uma grande probabilidade de que sua antiga vida fosse chegar ao fim. Eu lhe disse isso, não disse? Você queria morrer, e talvez fosse morrer.

— É, mas você disse que eu só precisava de um lugar para ir. "Um lugar para pousar", foi o que você disse. "Uma outra vida." Com essas palavras. E tudo o que eu precisava fazer era pensar bem e escolher a vida certa e...

— Eu sei. Eu sei. Mas acabou que não funcionou desse jeito.

O teto agora estava desmoronando, caindo aos pedaços, como se o gesso não fosse mais estável que o glacê de um bolo de casamento.

Nora reparou em algo ainda mais angustiante. Uma faísca voou de uma das lâmpadas e pousou num livro, que então se inflamou numa explosão flamejante. Em pouco tempo o fogo se espalhou por toda a prateleira, os livros queimando com uma rapidez imensa, como se estivessem banhados em gasolina. Uma torrente de âmbar quente, violenta e ruidosa. E, então, outra faísca descreveu uma parábola em direção a outra prateleira, e esta também se incendiou. Mais ou menos ao mesmo tempo, um enorme pedaço poeirento do teto caiu aos pés de Nora.

— Para baixo da mesa! — ordenou a Sra. Elm. — Agora!

Nora se encurvou e seguiu a Sra. Elm — que já engatinhava — para baixo da mesa, onde se sentou sobre os joelhos e se viu forçada, a exemplo da Sra. Elm, a manter a cabeça baixa.

— Você não pode fazer isso parar?

— É uma reação em cadeia. As faíscas não são aleatórias. Os livros vão ser destruídos. E então, inevitavelmente, o lugar inteiro vai desmoronar.

— Por quê? Eu não entendo. Eu estava lá. Tinha achado a vida certa pra mim. A única vida perfeita pra mim. A melhor de todas as vidas aqui...

— Mas este é o problema — disse a Sra. Elm, observando por trás das pernas de madeira da mesa, enquanto mais prateleiras pegavam fogo e os escombros caíam ao redor das duas. — Ainda não foi o suficiente! Olhe!

— Para onde?

— Para o seu relógio. Vai acontecer a qualquer momento agora.

Então Nora olhou e, a princípio, não viu nada fora do normal — mas logo estava acontecendo. De repente, o relógio agia de novo como relógio. O visor começou a mudar.

00:00:00

00:00:01

00:00:02

— O que está acontecendo? — perguntou Nora, se dando conta de que, o que quer que fosse, não devia ser boa coisa.

— O tempo. É o que está acontecendo.

— Como é que nós vamos sair daqui?

00:00:09

00:00:10

— *Nós,* não — respondeu a Sra. Elm. — Não existe *nós*. Eu não posso sair da biblioteca. Quando a biblioteca desaparecer, o mesmo vai acontecer comigo. Mas existe uma chance de você conseguir sair, embora não lhe reste muito tempo. Não mais que um minuto...

Nora havia acabado de perder uma Sra. Elm e não queria perder esta também. A Sra. Elm percebeu sua aflição.

— Veja bem. Eu sou parte da biblioteca. Mas esta biblioteca inteira é parte de você. Entende? Você não existe por causa da biblioteca; a biblioteca existe por sua causa. Lembra o que Hugo falou? Ele te disse que este é o modo mais simples para seu cérebro traduzir a estranha e multifacetada realidade do universo. Então, isto é apenas o seu cérebro traduzindo algo. Algo significativo e perigoso.

— Eu entendi isso.

— Mas uma coisa é certa: você não queria aquela vida.

— Era a vida perfeita.

— Você sentia isso? O tempo todo?

— Sim. Quer dizer... eu queria sentir. Quer dizer, eu amava a Molly. Posso ter amado o Ash. Mas acho que, talvez... aquela não era a *minha vida*. Eu não tinha construído aquela vida por conta própria. Caí de paraquedas nessa outra versão de mim mesma. Fui copiada e colada na vida perfeita. Mas não era eu.

00:00:15

— Eu não quero morrer — disse Nora, a voz subitamente mais alta, mas ao mesmo tempo frágil. Ela tremia dos pés à cabeça. — *Eu não quero morrer.*

A Sra. Elm olhou para ela com olhos arregalados. Olhos que brilhavam com a pequena chama de uma ideia.

— Você precisa sair daqui.

— Eu não consigo! Essa maldita biblioteca é infinita. Assim que entrei, a porta de entrada sumiu.

— Então precisa encontrá-la de novo.

— Como? Não tem nenhuma porta.

— Quem precisa de uma porta quando se tem um livro?

— Os livros estão todos pegando fogo.

— Um deles não estará. É este que você precisa achar.

— O livro dos arrependimentos?

A Sra. Elm quase riu.

— Não. Esse é o último livro de que você precisa. Já deve ter virado pó a essa altura. Deve ter sido o primeiro a queimar. Você precisa ir naquela direção! — Ela apontou para a esquerda, para o caos, o fogo e o gesso caindo. — É o décimo primeiro corredor daquele lado. Terceira prateleira de baixo pra cima.

— Este lugar todo vai desmoronar!

00:00:21

00:00:22

00:00:23

— Você não entende, Nora?

— Não entendo o quê?

— Tudo faz sentido. Você voltou desta vez não porque queria morrer, mas porque *quer viver*. Esta biblioteca não está ruindo porque quer matá-la. Está ruindo para lhe dar uma chance de retornar. Algo decisivo finalmente aconteceu. Você resolveu que quer ficar viva. Agora vá, *viva*, enquanto ainda tem a chance.

— Mas... e quanto a você? O que vai acontecer com você?

— Não se preocupe comigo — respondeu ela. — Eu lhe garanto. Não vou sentir nada. — E então repetiu o que a verdadeira Sra. Elm tinha lhe dito quando a abraçara na biblioteca da escola, no dia da morte do seu pai. — As coisas vão melhorar, Nora. Vai ficar tudo bem.

A Sra. Elm levou a mão ao tampo da mesa e vasculhou rapidamente, procurando por algo. Um segundo depois, estava entregando a Nora uma caneta-tinteiro cor de laranja. Igual à que Nora usava na escola. Aquela na qual havia reparado um tempão atrás.

— Você vai precisar disto.

— Por quê?

— Esse ainda não foi escrito. Você precisa começar esse livro.

Nora pegou a caneta.

— Adeus, Sra. Elm.

Um segundo depois, um enorme pedaço do teto caiu sobre a mesa. Uma densa nuvem de poeira de gesso as envolveu, sufocando as duas.
00:00:34
00:00:35
— Vá! — tossiu a Sra. Elm. — *Viva.*

Não se atreva a desistir, Nora Seed!

Nora atravessou a névoa de poeira e fumaça, na direção que a Sra. Elm havia indicado, enquanto o teto continuava a cair.

Era difícil respirar, e enxergar, mas ela havia conseguido manter a contagem dos corredores. Faíscas das lâmpadas choviam em sua cabeça.

A poeira prendia em sua garganta, quase fazendo-a vomitar. Mas, mesmo no nevoeiro de poeira, dava para ver que a maioria dos livros estava em chamas agora. Na verdade, nenhuma das prateleiras parecia intacta, e o calor a atingia com força. Alguns dos primeiros livros e estantes a pegar fogo já haviam virado cinza.

Assim que chegou ao décimo primeiro corredor, Nora foi atingida em cheio por um destroço que a derrubou no chão.

Presa sob os entulhos, ela sentiu a caneta escorregar de sua mão e deslizar para longe.

A primeira tentativa de se libertar foi malsucedida.

É isso. Eu vou morrer, querendo ou não. Eu vou morrer.

A biblioteca virou uma paisagem desoladora.

00:00:41

00:00:42

Estava tudo acabado.

Ela teve certeza disso mais uma vez. Iria morrer ali, enquanto todas as suas vidas possíveis desapareciam ao seu redor.

Mas então ela o viu, em meio a uma breve clareira nas nuvens. Ali, no décimo primeiro corredor. Terceira prateleira de baixo pra cima.

Um hiato no fogo que consumia todos os outros livros da prateleira.

Eu não quero morrer.

Ela tinha de se esforçar mais. Tinha de querer a vida que sempre achou que não queria. Porque assim como esta biblioteca era uma parte dela, todas as outras vidas também eram. Ela podia não ter sentido tudo o que tinha sentido naquelas existências, mas tinha a capacidade para isso. Ela podia ter perdido aquelas oportunidades específicas que a levaram a se tornar uma nadadora olímpica, uma aventureira, uma dona de vinhedo, uma estrela do rock, uma glaciologista salvadora do planeta, uma mestre de Cambridge, uma mãe ou um milhão de outras coisas, mas ela ainda era, de alguma forma, *todas* aquelas pessoas. Elas eram todas a Nora. Ela poderia ter sido todas aquelas coisas incríveis, e isso não era deprimente, como certa vez pensou. Não mesmo. Era inspirador. Porque agora enxergava o tipo de coisas que poderia fazer quando arregaçasse as mangas. E que, na verdade, a vida que vinha vivendo tinha sua própria lógica. Seu irmão estava vivo. Izzy estava viva. E ela havia ajudado um jovem a se manter longe de encrencas. O que às vezes dá a sensação de ser uma prisão é, na verdade, só um truque da mente. Ela não precisava de um vinhedo ou de um pôr do sol californiano para ser feliz. Nem precisava de uma casa grande e da família perfeita. Ela só precisava de potencial. E ela não era nada a não ser potencial. Ela se perguntou por que nunca tinha enxergado isso antes.

Ela ouviu a voz da Sra. Elm, de baixo da mesa em algum lugar lá atrás, atravessando todo aquele barulho.

— Não desista! Não *se atreva* a desistir, Nora Seed!

Ela não queria morrer. E não queria viver nenhuma outra vida que não fosse aquela que era sua. Aquela que podia ser uma luta diária muito confusa, mas era sua luta diária muito confusa. Uma bela luta diária muito confusa.

00:00:52

00:00:53

Conforme se contorcia e empurrava e resistia ao peso sobre seu corpo, e conforme os segundos corriam, ela conseguiu — com um grande esforço, que lhe queimou e exauriu os pulmões — voltar a ficar de pé.

Ela tateou o chão ao redor e encontrou a caneta-tinteiro, coberta de poeira, então correu através das partículas de fumaça até chegar ao décimo primeiro corredor.

E lá estava.

O único livro que não queimava. Ainda ali, perfeitamente verde.

Ela enganchou um cuidadoso dedo indicador no topo da lombada, se retraindo por causa das altas temperaturas, e tirou o livro da prateleira. Então fez o que sempre fazia. Abriu o livro e tentou encontrar a primeira página. Mas a dificuldade ali era que não havia primeira página. Não havia nenhuma palavra no livro inteiro. Estava completamente em branco. Como os outros, este era o livro do seu futuro. Mas, diferentemente dos outros, neste livro aquele futuro ainda não estava escrito.

Então era esta. Esta era a *sua* vida. Sua vida raiz.

E era uma página em branco.

Nora ficou parada ali, por um instante, com a velha caneta de escola na mão. Agora já passava quase um minuto da meia-noite.

Os outros livros na estante haviam virado carvão, e a lâmpada pendente brilhava através da poeira, iluminando vagamente o teto rachado. Um grande pedaço de teto ao redor da lâmpada — mais ou menos no formato do mapa da França — parecia prestes a cair e esmagá-la.

Nora tirou a tampa da caneta e apoiou o livro aberto na prateleira carbonizada da estante.

O teto gemeu.

Não sobrava muito tempo.

Ela começou a escrever. *Nora precisava viver.*

Assim que terminou a inscrição, esperou um instante. Para sua frustração, nada aconteceu, e ela se lembrou do que a Sra. Elm lhe dissera certa vez. *Precisar é uma palavra interessante. Implica estar carente de algo.* Então riscou a frase e tentou novamente.

Nora decidiu viver.

Nada. Tentou outra vez.

Nora estava pronta para viver.

Ainda nada, nem quando sublinhou a palavra "viver". Por toda parte agora, havia devastação e ruína. O teto estava desmoronando, destruindo tudo, esmagando cada uma das estantes em pilhas de poeira. Ela ficou pasma. Viu a silhueta da Sra. Elm, saída da proteção da mesa sob a qual havia abrigado Nora, parada ali, sem qualquer medo, e em seguida desaparecendo completamente conforme o teto desabava quase por todos os lados, abafando focos de incêndio residuais e eliminando as estantes e todo o resto.

Nora, sufocando, não conseguia ver mais nada.

Mas esta parte da biblioteca ainda estava de pé, e ela ainda estava ali.

A qualquer segundo tudo iria desaparecer, ela sabia.

Então parou de tentar pensar no que escrever e, em total desespero, rabiscou a primeira coisa que lhe veio à mente, a coisa que sentia dentro de si como um silencioso rugido desafiador, que poderia sobrepujar qualquer destruição externa. A única verdade que possuía, uma verdade da qual agora se orgulhava e com a qual estava satisfeita, uma verdade com a qual não apenas havia se reconciliado, mas que recebia de braços abertos, com cada molécula ardente do seu ser. Uma verdade que ela rabiscou, com caligrafia apressada, mas firme, pressionando a pena da caneta-tinteiro no papel com força, em letras maiúsculas, na primeira pessoa do presente do indicativo.

Uma verdade que era o princípio e a semente de todas as coisas possíveis. Uma antiga maldição e uma atual bênção.

Três palavras simples contendo o poder e o potencial de um multiverso.

EU ESTOU VIVA.

Com isso, o chão tremeu com violência, e cada último resquício da Biblioteca da Meia-Noite virou pó.

Despertando

A um minuto e vinte e sete segundos depois da meia-noite, Nora Seed marcava seu retorno à vida vomitando no edredom inteiro.

Viva, mas por pouco.

Engasgada, exausta, desidratada, agoniada, trêmula, pesada, delirante, dor no peito, dor ainda mais intensa na cabeça, esta era a pior sensação que se podia ter na vida e, no entanto, era vida, e vida era exatamente o que ela queria.

Foi difícil, quase impossível, se levantar da cama, mas ela sabia que tinha de ficar na vertical.

De algum jeito, conseguiu fazer isso, e pegou o celular, mas parecia muito pesado e escorregadio, então ele caiu no chão, fora de seu campo de visão.

— Socorro — murmurou, cambaleando para fora do quarto.

Seu corredor parecia estar tombando como se fosse um navio durante uma tempestade. Mas ela alcançou a porta sem desmaiar, tirou a corrente de segurança e conseguiu, depois de grande esforço, abri-la.

— Alguém me ajuda, por favor.

Ela nem percebeu que ainda estava chovendo quando botou o pé fora de casa vestida com seu pijama sujo de vômito, descendo o degrau no qual Ash tinha se postado pouco mais de um dia atrás na hora de lhe dar a notícia da morte de seu gato.

Não havia ninguém por perto.

Ninguém que ela conseguisse ver. Então ela cambaleou até a casa do Sr. Banerjee numa série de tropeções e solavancos, por fim conseguindo tocar a campainha.

Um súbito quadrado de luz brotou da janela da frente.

A porta se abriu

Ele não estava de óculos e parecia confuso, talvez por causa do estado dela e do avançado da hora.

— Sinto muito, Sr. Banerjee. Eu fiz uma besteira muito grande. É melhor o senhor chamar uma ambulância...

— Ai, meu Deus. O que diabos aconteceu?

— Por favor.

— Tá. Vou chamar uma. Imediatamente...

00:03:48

E foi então que ela se permitiu desmaiar, para a frente e com considerável velocidade, bem no capacho do Sr. Banerjee.

O céu escurece
O preto sobre o azul se vê
Mas as estrelas ainda ousam
Brilhar por você

O outro lado do desespero

"A vida começa", escreveu Sartre, certa vez, "do outro lado do desespero."
Havia parado de chover.
Ela estava num ambiente fechado, sentada num leito de hospital. Tinha sido colocada numa enfermaria, comido, e se sentia bem melhor. A equipe médica ficou satisfeita depois de seu exame clínico. A dor no abdômen era de esperar, aparentemente. Ela tentou impressionar a médica falando sobre o que Ash tinha compartilhado, de o revestimento do estômago se renovar a cada poucos dias.
Então uma enfermeira veio e se sentou em seu leito com uma prancheta, e a crivou de perguntas relacionadas a seu estado de espírito. Nora decidiu guardar para si a experiência na Biblioteca da Meia-Noite, porque imaginou que não cairia muito bem em um questionário de avaliação psiquiátrica. Era seguro presumir que as realidades pouco conhecidas do multiverso provavelmente ainda não tinham sido incluídas na cobertura do sistema de saúde público.
As perguntas e respostas continuaram pelo que pareceu uma hora. Elas cobriram todos os assuntos: medicamentos, a morte da mãe, Volts, a perda do emprego, preocupações financeiras, o diagnóstico de depressão situacional.
— Você já tentou algo assim antes? — perguntou a enfermeira.
— Não nesta vida.
— E como se sente agora?
— Não sei. Um pouco estranha. Mas não quero mais morrer.
E a enfermeira escreveu algo no formulário.
Pela janela, depois que a enfermeira se foi, ela ficou observando o movimento suave das árvores na brisa da tarde e o tráfego distante da hora do

rush, contornando lentamente o anel viário de Bedford. Não era nada além de árvores, tráfego e arquitetura sem graça, mas também era tudo.

Era a vida.

Um pouco depois, ela apagou seus posts suicidas das redes sociais e — em um momento de sentimentalismo sincero — escreveu algo no lugar. Ela intitulou o texto de "Uma coisa que aprendi. (Escrito por uma ninguém que já foi todo mundo.)"

Uma coisa que aprendi.
(Escrito por uma ninguém que já foi todo mundo.)

É fácil lamentar as vidas que não estamos vivendo. Fácil desejar que tivéssemos desenvolvido outros talentos, dito "sim" para diferentes convites e ofertas. Fácil desejar ter trabalhado mais, amado mais, cuidado melhor das finanças, ter sido mais popular, feito parte de uma banda, ido à Austrália, dito sim para o café, ou frequentado mais daquelas malditas aulas de ioga.

Não exige esforço sentir falta dos amigos que não fizemos, do trabalho que não realizamos, das pessoas com quem não nos casamos e dos filhos que não tivemos. Não é difícil se ver através da lente de outras pessoas e desejar que você fosse todas as diferentes versões caleidoscópicas de você que elas queriam que você fosse. É fácil se arrepender e continuar a se arrepender *ad infinitum* até nosso tempo acabar.

Mas não são as vidas que nos arrependemos de não termos vivido que são o problema de verdade. É o arrependimento em si. É o arrependimento que nos faz encolher, murchar e nos sentir como nosso pior inimigo, além de o pior inimigo das outras pessoas.

Não dá para dizer se qualquer uma dessas outras versões teria sido melhor ou pior. Essas vidas estão acontecendo, é verdade, mas você está acontecendo também, e é nesse acontecimento que temos de nos concentrar.

Obviamente, não podemos visitar todos os lugares, nem conhecer todas as pessoas, nem fazer todos os trabalhos, mas muito do que nós *sentiríamos* em qualquer vida está disponível para nós. Não precisamos jogar todos os jogos para saber qual é a sensação de vencer. Não precisamos ouvir cada canção já composta no mundo para entender música. Não precisamos ter experimentado todas as variedades de uvas de todos os vinhedos para sentir prazer com o vinho. Amor, riso, medo e dor são moedas universais.

Nós precisamos apenas fechar os olhos e saborear o gosto da bebida diante de nós e ouvir a música enquanto toca. Estamos tão completa e totalmente vivos como estamos em qualquer outra vida, e temos acesso ao mesmo espectro emocional.

Precisamos ser somente uma pessoa.

Precisamos sentir apenas uma existência.

Não precisamos *fazer tudo* a fim de *ser tudo*, porque já somos infinitos. Enquanto estamos vivos, carregamos em nós um futuro de possibilidades multifacetadas.

Então sejamos gentis com as pessoas em nossa própria existência. Olhemos para cima, de vez em quando, do ponto em que estamos, porque, onde quer que estejamos, o céu acima de nós se estende infinitamente.

Ontem eu sabia que não tinha futuro, e que era impossível, para mim, aceitar minha vida como é agora. E, embora essa mesma vida caótica pareça tão caótica hoje quanto antes, e ainda que eu sinta o peso da existência, algo mudou. Em meio às sombras, eu encontrei alguma coisa. Esperança. Potencial.

O médico sempre me disse que meu problema era situacional, não clínico. E, no entanto, minha situação não mudou. Nem meu problema, na verdade. Meu cérebro propenso à depressão continua aqui. O que mudou foi a oportunidade que eu tive de sentir como seriam todas as outras situações. Eu poderia contar o que aconteceu, mas você nunca acreditaria em mim. Tudo o que posso dizer é que só uma coisa mudou. Porém, essa "uma coisa" foi tudo. Não quero mais morrer. Cheguei ao fundo do poço e encontrei algo sólido lá. Vivi muita coisa no que, para você, pareceu uma única noite. Viajei dez mil quilômetros do inconcebível ao factível. Da morte para a vida.

O impossível, acho, acontece com o viver.

Minha vida será milagrosamente livre de dor, desespero, mágoa, coração partido, dificuldades, solidão, depressão? Não.

Mas eu quero viver?

Sim. *Sim.*

Mil vezes, sim.

Viver versus *entender*

Alguns minutos depois, seu irmão chegou para visitá-la. Joe tinha ouvido o recado que ela deixara gravado para ele e havia respondido por mensagem de texto sete minutos depois da meia-noite. "Você está bem, maninha?" Então, quando recebeu o telefonema do hospital, pegou o primeiro trem saindo de Londres. Comprou para ela a edição mais recente da *National Geographic* enquanto esperava na estação de St. Pancras.

— Você amava essa revista — disse ele, ao colocar o exemplar ao lado do leito.

— Ainda amo.

Era bom vê-lo. As sobrancelhas grossas e o sorriso relutante continuavam intactos. Ele entrou um pouco sem jeito, a cabeça baixa, o cabelo mais comprido do que tinha sido nas últimas duas vidas em que Nora o vira.

— Foi mal eu ter ficado meio sumido ultimamente — disse ele. — Não teve a ver com nada daquilo que o Ravi falou. Eu *nem penso mais* nos Labyrinths. Só estava passando por uma fase estranha. Depois que a mamãe morreu, eu comecei a sair com um cara, e meio que as coisas acabaram mal entre nós, e eu só não queria ter que falar no assunto, nem com você, nem com ninguém. Só queria beber. E estava bebendo demais. Isso virou um problema. Mas comecei a receber ajuda. Não bebo nada há várias semanas. Vou à academia e tudo mais, agora. Comecei até a fazer uma aula de crossfit.

— Ah, Joe, que droga isso. Sinto muito pelo fim do seu namoro. E por tudo mais.

— Você é tudo o que eu tenho, maninha — disse ele, a voz um pouco embargada. — Eu sei que não tenho te dado o devido valor. Sei que nem sempre fui legal com você, na adolescência. Mas eu tinha minhas merdas pra lidar. Ter que me comportar de uma determinada maneira por causa do papai. Esconder minha orientação sexual. Sei que não foi fácil pra você, mas também não foi fácil pra mim. Você era boa em *tudo*. Escola, natação, música. Não dava pra competir... Além do mais, sabe como o papai era, né? Eu tinha que ser essa visão falsa do que quer que ele achava que um homem era. — Ele suspirou. — É estranho. A gente deve lembrar disso de um jeito diferente. Mas não me deixa, não, tá? Deixar a banda foi uma coisa. Mas não deixa essa existência aqui. Eu não conseguiria lidar com isso.

— Não vou se você também não for — disse ela.

— Pode acreditar, eu não vou a lugar nenhum.

Ela se lembrou da dor que a invadira em São Paulo ao descobrir sobre a morte de Joe por overdose e pediu um abraço. Ele a abraçou, delicadamente, e ela sentiu o calor vivo dele.

— Obrigada por tentar pular no rio por mim — disse ela.

— O quê?

— Eu sempre achei que você não tivesse feito nada. Mas você tentou. Eles te puxaram pra trás. Obrigada.

De repente, ele soube do que ela estava falando. E talvez tenha ficado mais que um pouco confuso sobre como ela havia descoberto isso, já que na ocasião ela estivera nadando para a outra margem.

— Ah, maninha. Eu te amo. A gente era um bando de jovem sem noção.

Eles ficaram em silêncio por um tempo.

— Foi um erro — disse Nora, por fim. — O que fiz comigo mesma. Isso me abriu os olhos. É como nadar com óculos de natação, sabe? Quer dizer, eu ainda estou submersa, mas pelo menos consigo enxergar o que está na minha frente. Faz sentido isso?

Joe assentiu com a cabeça.

— Faz total sentido. Continue a nadar, maninha. Você vai chegar lá.

Joe deu uma fugidinha de uma hora. Pegou as chaves com o senhorio, buscou algumas roupas e o celular da irmã.

Nora viu que Izzy havia lhe enviado uma mensagem de texto.

Foi mal eu não ter respondido ontem à noite/hoje de manhã. Queria uma discussão decente! Tese, antítese, síntese. A coisa toda. Como você tá? Saudades. Ah, e adivinha só? Tô pensando em voltar pra Inglaterra em junho. De vez. Sinto falta de você, amiga. Ah! Tem uma TONELADA de fotos de baleias jubarte a caminho pra você. Bjsss

Nora emitiu um leve ruído de alegria involuntária no fundo da garganta.

E digitou uma resposta. Era interessante, pensou, como às vezes a vida simplesmente te proporcionava uma perspectiva totalmente nova, só esperando o tempo suficiente para que você a visse.

Ela entrou na página do Facebook do Instituto de Pesquisa Polar Internacional. Havia uma foto da mulher com quem havia dividido a cabine — Ingrid — ao lado do líder de campo Peter, usando uma fina broca de medição para aferir a espessura do gelo marinho, e um link para um artigo com a manchete "Pesquisa do IPPI confirma a última década como a mais quente já registrada no Ártico". Ela compartilhou o link. E postou um comentário: "Vocês fazem um excelente trabalho. Continuem firmes!" E decidiu que, quando ganhasse algum dinheiro, faria uma doação.

Foi decidido que Nora poderia ir para casa. Seu irmão chamou um Uber. Enquanto deixavam o estacionamento do hospital, Nora viu Ash ao volante de seu carro, se dirigindo para o hospital. Ele devia estar pegando mais tarde no trabalho. Tinha um modelo de carro diferente nesta vida. Ele não a viu, apesar do seu sorriso, e ela desejou que ele fosse feliz. Desejou que o que o esperava no plantão fossem só algumas vesículas biliares. Talvez fosse vê-lo correr a meia maratona de Bedford, no domingo. Talvez *ela mesma* o convidasse para um café.

Talvez.

No banco traseiro do carro, seu irmão lhe disse que estava procurando algum trabalho como freelancer em estúdio.

— Estou pensando em virar engenheiro de som — disse ele. — Enfim, é só uma ideia.

Nora ficou feliz em ouvir isso.

— Acho que você devia tentar. Tenho a impressão de que iria gostar. Não sei por quê. É uma sensação que eu tenho.

— Ok.

— Quer dizer, pode não ser uma vida tão glamorosa quanto a de um astro de rock internacional, mas pode ser mais... segura. Talvez até mais feliz.

Foi uma afirmação meio contraintuitiva essa, e Joe não pareceu ficar inteiramente convencido. Mas sorriu e fez que sim com a cabeça.

— Na verdade, tem um estúdio em Hammersmith que está contratando engenheiros de som. Fica a cinco minutos da minha casa. Dá para ir a pé.

— Hammersmith? É esse. Isso.

— Hein?

— Quer dizer, isso tá com cara de ser uma boa. Hammersmith, engenheiro de som. Parece que você seria feliz.

Ele riu dela.

— Tá, Nora. Tá. E aquela academia que comentei com você? Fica bem ao lado do estúdio.

— Ah, maneiro. Tem algum cara legal lá?

— Na verdade, sim, tem um. O nome dele é Ewan. Ele é médico. Faz crossfit.

— Ewan! Sim!

— Hein?

— Você devia convidar o Ewan pra sair.

Joe deu uma gargalhada, achando que Nora estivesse só brincando.

— Nem tenho certeza se ele é gay.

— Ele é! Ele é gay. Ele é *cem por cento* gay. E cem por cento a fim de você. Dr. Ewan Langford. Pode convidar o Ewan pra sair. Você precisa acreditar em mim! Vai ser a melhor coisa que você vai fazer na vida...

Seu irmão riu enquanto o carro encostava em frente ao 33A da Bancroft Avenue. Ele pagou, pois Nora continuava sem dinheiro e sem carteira.

O Sr. Banerjee estava sentado à janela, lendo.

Na calçada, Nora viu seu irmão olhando espantado para o celular.

— O que foi?

Ele mal conseguia falar.

— Langford...

— Hein?

— Dr. Ewan Langford. Eu nem sabia que o sobrenome dele era Langford, mas esse é ele.

Nora deu de ombros.

— Intuição de irmã. Adiciona ele. Segue ele. Manda um direct. O que for preciso. Menos nudes. Mas, tô te dizendo, esse é o cara. Ewan é o cara.

— Mas como você sabia que era ele?

Ela pegou o irmão pelo braço, ciente de que não havia explicação que pudesse dar.

— Escuta aqui, Joe. — Ela se lembrou da antifilosofia da Sra. Elm na Biblioteca da Meia-Noite. — Você não precisa *entender* a vida. Precisa apenas *vivê-la*.

Enquanto o irmão andava para a porta do 33A da Bancroft Avenue, Nora olhou ao redor, para todas as casas geminadas, todos os postes de luz, todas as árvores sob o céu, e sentiu seus pulmões inflarem ante a maravilha que era estar ali, testemunhando tudo como se fosse a primeira vez. Talvez em uma daquelas casas houvesse outro *slider*, alguém em sua terceira, décima sétima ou última versão de si. Ela ficaria atenta, para tentar encontrá-los.

Nora olhou para o número 31.

Através da janela, o rosto do Sr. Banerjee se iluminou aos poucos quando ele viu Nora sã e salva. Ele sorriu e articulou com a boca um silencioso "obrigado", como se o simples fato de ela estar viva fosse algo pelo qual ele devia se sentir grato. Amanhã, ela separaria algum trocado e daria um pulo no centro de jardinagem para comprar uma planta para o canteiro dele. Dedaleiras, talvez. Tinha certeza de que ele gostava de dedaleiras.

— Não — disse ela, lhe soprando um beijo. — Obrigada a *você*, Sr. Banerjee! Obrigada por tudo!

O sorriso dele se alargou, e seus olhos estavam cheios de bondade e preocupação, e Nora se lembrou do que era cuidar e ser cuidada. Ela seguiu o irmão em direção ao apartamento, para começar a limpar a bagunça, e teve um vislumbre dos buquês de lírios no jardim do Sr. Banerjee, antes de entrar. Flores que ela não havia valorizado antes, mas que agora a hipnotizavam com o roxo mais exótico que já tinha visto. Como se as flores não fossem apenas cores, mas parte de uma linguagem, notas musicais em uma gloriosa melodia floral, tão poderosa quanto uma música de Chopin, comunicando silenciosamente a majestade espetacular que era a vida em si.

O vulcão

É uma revelação e tanto descobrir que o lugar para onde você quis fugir é exatamente o mesmo lugar de onde fugiu. Que a prisão não era o lugar, mas a perspectiva. E a descoberta mais peculiar que Nora fez foi que, de todas as variações extremamente divergentes de si mesma que ela havia vivenciado, o senso de mudança mais radical aconteceu dentro da mesma vida. Aquela com a qual começou e terminou.

A mudança maior e mais profunda ocorreu não ao se tornar mais rica, mais bem-sucedida, mais famosa, ou ao estar em meio às geleiras e aos ursos-polares de Svalbard. Aconteceu ao acordar na mesma cama, na mesma casa de quinta categoria e cheirando a mofo com seu sofá velho e rasgado, a muda de yucca, os minúsculos cactos em vasos, as estantes de livros e os manuais de ioga nunca lidos.

Lá estavam o mesmo teclado e os livros. A mesma triste ausência de um felino e a falta de um emprego. O mesmo cérebro e o mesmo mundo imperfeitos. O mesmo *mistério* sobre como seria sua vida dali em diante.

E, no entanto, tudo estava diferente.

E estava diferente porque ela não sentia mais que estava ali simplesmente para servir aos sonhos de outras pessoas. Ela não sentia mais como se tivesse de encontrar sua realização como alguma filha perfeita imaginária, ou parceira, ou esposa, ou mãe, ou funcionária, nem como qualquer outra coisa que não um ser humano orbitando o seu propósito, responsável por si mesma.

E era diferente porque ela estava viva, depois de ter ficado tão perto de estar morta. E porque isso tinha sido uma escolha sua. A opção de viver. Porque ela havia tocado a vastidão da existência, e, dentro daquela vastidão, havia visto as possibilidades não apenas do que ela podia fazer, mas também do que podia sentir. Havia outras escalas e outras melodias. Ela já tinha sentido outras coisas antes e voltaria a sentir outras coisas depois. Às vezes simultaneamente. Tá, tudo bem, podia até haver ali um bumbo de desespero, mas havia outros instrumentos à sua disposição também. E eles podiam tocar ao mesmo tempo.

Ela nunca teria vergonha da sua natureza. Iria ao médico. Marcaria uma consulta e continuaria a fazer, a tomar e a experimentar o que quer que ele prescrevesse. Ela não correria mais da dor. Não se envenenaria com as pressões de uma perfeição imaginada. Olharia para as próprias feridas e as identificaria, e não pensaria que existia uma vida de positividade e felicidade inquestionáveis da qual estava sendo privada. Ela aceitaria as sombras da vida de um jeito que jamais havia feito, não como fracasso mas como parte de um todo, como algo que ajuda outras coisas a serem ressaltadas, a crescerem, a existirem. A cinza no solo.

Ela tinha ouvido uma música diferente, e nunca esqueceria a melodia. (De repente, ela se deu conta de que este não era o final previsível. Era o começo imprevisível. Uma abertura instrumental do não conhecível.) Mesmo que as situações e as químicas não mudassem, as perspectivas poderiam mudar. "Não é aquilo para o que você olha que importa, mas o que você vê." E, agora, sua perspectiva estava aberta para a incerteza. E onde havia incerteza havia também possibilidade, qualquer que fosse a aparência do momento presente.

E aquilo lhe deu esperança, e até a mais pura *gratidão* sentimental de ser capaz de estar ali, sabendo que tinha o potencial de se deleitar ante a visão de céus radiantes e de comédias medíocres de Ryan Bailey, e ficar feliz ouvindo música e conversas e mesmo o bater do próprio coração.

E era diferente porque, acima de tudo, aquele pesado e doloroso *Livro dos arrependimentos* tinha virado pó.

— Oi, Nora. Sou eu, Doreen.

Nora ficou feliz ao ouvir a voz dela, ainda mais porque estivera justamente escrevendo um anúncio oferecendo aulas de piano.

— Ah, Doreen! Posso pedir desculpas por ter furado com vocês naquele dia?

— Águas passadas.

— Eu não vou entrar em detalhes sobre os motivos que levaram a isso — continuou Nora, ofegante. — Só vou dizer que nunca mais vou estar naquela situação. Eu prometo que, no futuro, se quiser continuar com as aulas de piano do Leo, eu estarei onde devo estar. Não vou deixar vocês na mão. Agora, eu total entendo se você não quiser que eu continue sendo a professora de piano dele. Mas quero que saiba que o Leo tem um talento excepcional. Ele é intuitivo com o piano. Pode até seguir carreira como pianista. E acabar no Royal College of Music. Então só queria dizer que, se ele não continuar as aulas comigo, gostaria que você soubesse que acho que ele deveria continuar *em algum outro lugar*. Só isso.

Houve uma longa pausa. Nada além da estática e da respiração ao telefone. Em seguida:

— Nora, querida, está tudo bem, eu não preciso de um sermão. A verdade é que estávamos no centro ontem, nós dois. Eu estava na farmácia comprando um sabonete líquido para o rosto do Leo quando ele disse: "Eu ainda vou fazer piano, né?" Bem ali na Boots. A gente pode continuar de onde parou na semana passada?

— Sério? Isso é incrível. Sim, semana que vem então.

Assim que desligou o telefone, Nora se sentou ao teclado e tocou uma música que jamais havia tocado. Ela gostou do que estava tocando e jurou para si mesma que iria registrar a melodia na memória e escrever uma letra para ela. Talvez pudesse transformá-la numa música de verdade e divulgá-la na internet. Talvez compusesse mais músicas. Ou talvez economizasse para se inscrever num mestrado. Ou talvez fizesse as duas coisas. Quem sabe? Enquanto tocava, ela olhou em volta e viu sua revista — a que Joe havia comprado para ela — aberta em uma foto do vulcão Krakatoa, na Indonésia.

O paradoxo dos vulcões é que eles são símbolos de destruição, mas também de vida. Assim que a lava reduz a velocidade e esfria, se solidifica. Com o tempo, se decompõe, transformando-se em solo — um solo rico e fértil.

Ela não era um buraco negro, decidiu. Era um vulcão. E, como um vulcão, não podia fugir de si mesma. Ela teria de continuar ali e cuidar daquela paisagem desoladora.

Ela poderia plantar uma floresta dentro de si.

Como termina

A Sra. Elm parecia bem mais velha do que quando estava na Biblioteca da Meia-Noite. O cabelo antes grisalho agora estava totalmente branco e ralo, o rosto cansado e tão cheio de linhas como um mapa, as mãos com manchas senis, mas ela continuava tão boa no xadrez como havia sido anos antes, na biblioteca da Hazeldene School.

O Asilo Oak Leaf tinha o próprio tabuleiro de xadrez, mas foi preciso tirar a poeira dele.

— Ninguém joga aqui — disse ela a Nora. — Estou tão feliz por você ter vindo me ver. Foi uma surpresa tão grande.

— Eu posso vir todos os dias se você quiser, Sra. Elm.

— Louise, por favor, me chame de Louise. E você não tem trabalho a fazer?

Nora sorriu. Mesmo tendo se passado apenas 24 horas desde que havia pedido a Neil que pendurasse seu anúncio na Teoria das Cordas, ela já havia sido inundada com várias pessoas querendo aulas.

— Eu dou aula de piano. E ajudo no abrigo para pessoas em situação de rua às terças, de quinze em quinze dias. Mas sempre vou ter uma hora... E, para ser sincera, também não tenho ninguém com quem jogar xadrez.

Um sorriso cansado se abriu no rosto da Sra. Elm.

— Isso seria ótimo.

Ela olhou pela pequena janela do quarto, e Nora seguiu seu olhar. Havia lá fora um ser humano e um cachorro que Nora reconheceu. Era Dylan, passeando com Sally, a bulmastife. A cadela nervosa, com queimaduras de cigarro, que havia gostado dela. O que a levou a se perguntar se seu senhorio a deixaria ter um cão. Afinal de contas, ele tinha permitido um gato. Mas precisaria esperar até acertar o aluguel.

— É solitário, às vezes — disse a Sra. Elm. — Ficar aqui. Só sentada. Senti como se o jogo tivesse acabado. Eu me senti como um rei solitário num tabuleiro. Veja bem, não sei como você se lembra de mim, mas fora da escola eu não fui sempre... — Ela hesitou. — Eu errei com algumas pessoas. Não fui sempre uma pessoa *fácil*. Fiz coisas das quais me arrependo. Fui uma péssima esposa. Também não fui uma boa mãe. As pessoas meio que desistiram de mim, e no fundo eu não as culpo.

— Bom, você foi boa pra mim, Sra... Louise. Quando eu tinha algum problema na escola, você sempre soube o que dizer.

A Sra. Elm suspirou.

— Obrigada, Nora.

— E você não está sozinha no tabuleiro agora. Um peão veio te fazer companhia.

— Você nunca foi um peão.

Ela fez sua jogada. Um bispo assumindo uma posição de poder. Um ligeiro sorriso ergueu os cantos de sua boca.

— Você vai ganhar essa partida — observou Nora.

Os olhos da Sra. Elm brilharam com uma vivacidade repentina.

— Bom, é essa a beleza da coisa, não é mesmo? Você simplesmente não sabe como termina.

E Nora sorriu enquanto olhava fixamente para todas as peças que ainda lhe restavam no tabuleiro, pensando em qual seria sua próxima jogada.

Impresso no Brasil pelo
Sistema Cameron da Divisão Gráfica da
DISTRIBUIDORA RECORD DE SERVIÇOS DE IMPRENSA S.A.
Rua Argentina, 171 – Rio de Janeiro, RJ – 20921-308 – Tel.: (21)2585-2000